"DOMAINE FRANÇAIS"
ouvrage édité sous la direction
de Bertrand Py

L'ORIGINE DU MONDE

DU MÊME AUTEUR

Les Années-lumière, Flammarion ; Actes Sud, coll. "Thesaurus".
Les Années Lula, Flammarion ; Actes Sud, coll. "Thesaurus".
Le Canard du doute, Stock ; 10/18.
Feu, Stock ; *Le Vol du feu*, Actes Sud, Babel n° 408.
La Loi humaine, Seuil.
La Nuit transfigurée, Seuil.
Le 8e Fléau, Julliard.
Phénix, Gallimard ; Babel n° 115.
La Traversée des monts noirs, Stock ; Le Livre de Poche.
L'Enigme, Actes Sud.
Fous d'échecs, Actes Sud.
La Cité Potemkine, Actes Sud.
Un fait divers esthétique, Actes Sud.

ŒUVRES AUTOBIOGRAPHIQUES
Le Portrait ovale, Gallimard.
Variations sur les jours et les nuits, Seuil.
Le Testament amoureux, Stock ; Actes Sud, coll. "Thesaurus".
J'avais un ami, Christian Bourgois ; Actes Sud, coll. "Thesaurus".
Les Repentirs du peintre, Stock ; Actes Sud, coll. "Thesaurus".

POÉSIE
Doubles Stances des amants, Actes Sud.
Elégies à Lula, Deyrolle.

THÉÂTRE
Théâtre complet (tome 1), Actes Sud.
Théâtre complet (tome 2), Actes Sud.
Théâtre : dernier refuge de l'imprévisible poétique, Actes Sud-Papiers.

CHANSONS
Tantôt rouge, tantôt bleu (interprété par Mona Heftre), Actes Sud.

© ACTES SUD, 2000
ISBN 2-7427-2878-3

Illustration de couverture :
D. R.

REZVANI

L'ORIGINE DU MONDE

Pour une ultime histoire de l'art
à propos du "cas Bergamme"

roman

Début de l'*Hymne de l'amitié*, de Nietzsche.

Ce livre, je le dédie à tous mes amis peintres.

LIVRE I

— (...) Vous mourrez peut-être sans avoir achevé votre tableau.
— Oh ! il est fini, dit Frenhofer. Qui le verrait croirait apercevoir une femme couchée sur un lit de velours...

BALZAC, Le Chef-d'œuvre inconnu.

PROLOGUE

L'origine de ces événements – dont je vais donner l'épouvantable conclusion dans ce prologue – remonte, d'après ce que m'a dit le nain Bergamme, à l'année 2015, quand soudain il avait pris conscience de sa faculté de passer inaperçu, même dans les musées les mieux surveillés, le temps de découper au cutter et de rouler le tableau qu'il convoitait. Plus tard il se découvrit aussi un autre don autrement terrible : *"Celui de faire tuer qui je veux par un mystérieux processus de ma pensée"*, m'avait-il encore confié à l'occasion d'une de mes visites dans sa cellule.

Mais revenons à mon prologue :
Donc, la nuit du samedi 23 mars 2020, souvenez-vous, une lueur d'une intensité extraordinaire illumina notre ville : le Grand Musée brûlait. Une foule considérable s'assembla immédiatement devant l'immense bâtiment dont les fenêtres laissaient apparaître des flammes d'une telle violence que par moments elles fusaient, horizontales, comme si le combustible qui les alimentait se trouvait être d'une nature particulière – et c'était bien le cas puisqu'il s'agissait de la quantité inouïe de

tableaux anciens et modernes qui faisaient l'orgueil de ce musée universellement célèbre. Le bruit de la fournaise était si violent qu'il couvrait par moments les hurlements des sirènes et les cris quasi extasiés d'une foule qui ne pouvait s'empêcher de réagir avec une sorte de plaisir mêlé d'effroi, tant la beauté du spectacle était saisissante. Cependant, alors qu'une accalmie retenait quelques instants les flammes – à vrai dire juste avant que le toit du musée finisse par s'effondrer dans l'enceinte des murs restés debout comme un décor plat, vu à contrejour –, on distingua avec une netteté inattendue, courant sur le faîte de ce toit, trois femmes dont les cris étaient si aigus et désespérés qu'un instant ils furent, dit-on, perçus par certains, malgré le roulement des flammes qui dévoraient la masse de tableaux entassés dans les fameux combles – que ceux du musée nommaient "les plombs". Au même instant, précédé par quelques rats bizarrement dépourvus de poils, on vit, sortant d'un orifice étroit situé au rez-de-chaussée du Grand Musée, apparaître un nain traînant derrière lui un tableau lourd et encombrant dont la peinture avait en partie fondu sous l'effet de la chaleur. Ce tableau représentait *exclusivement un sexe de femme ouvert*. L'homme se nommait Bergamme, et le tableau... ou ce qu'il en restait, n'était autre que la fameuse *Origine du monde* de Gustave Courbet. Aussitôt, quelques pompiers se précipitèrent mais le nain s'était mis à hurler, refusant qu'on le touche, tant sa peau était brûlée par plaques irrégulières, et surtout qu'on lui arrache le tableau sur les restes duquel il s'effondra en proie à une crise de *delirium* d'une telle intensité que par la suite on constata qu'il s'était tranché une partie de la langue sous la tétanisation de ses mâchoires. A cet instant même, dans d'épouvantables jets de flammes, d'étincelles et de brandons, le toit du Grand Musée s'écroula d'un coup, engloutissant les trois silhouettes de femmes dont les cris réunis, d'un aigu insupportable, furent nettement entendus par ceux que l'apparition de ce nain, nommé Bergamme, n'avait pas distraits.

L'enquête fut inutilement longue et difficile. Sans les aveux de ce Bergamme qui s'accusa... on peut même dire : se vanta non seulement d'avoir mis le feu au musée mais d'être le meurtrier de son conservateur en chef le professeur Gerbraun – ainsi que de trois autres de ses collaborateurs – on n'aurait jamais su dans quelles étranges circonstances le Grand Musée avait été détruit avec la plus prestigieuse partie du patrimoine artistique de l'humanité. Pouvait-on ajouter foi au récit haché, incohérent, coupé de rires horribles, de ce nain fou qui se prenait tantôt pour Nietzsche tantôt pour Dieu et prétendait, de plus, que le conservateur en chef Gerbraun, connu pour sa pondération et sa probité "à l'allemande", avait pu aller jusqu'à menacer ce Bergamme de l'exécuter si – en présence de trois de ses jeunes collaboratrices... qui d'ailleurs, à le croire, ne l'encourageaient que trop vivement – il refusait de découper, de rouler et de faire mine d'emporter le fameux chef-d'œuvre du peintre français ? A en croire toujours ce Bergamme, le conservateur en chef Gerbraun avait décidé de l'abattre, comme on dit : *attrapé la main dans le sac*, en train de découper au cutter et de rouler ce tableau ainsi que l'aurait fait n'importe quel conservateur en chef surprenant, de nuit, dans son musée n'importe quel voleur en train de dégrader une œuvre de cette importance. Là-dessus il y avait eu lutte. Et soudain, on ne sait comment, le pistolet s'était retrouvé dans le poing de Bergamme qui alors aurait "liquidé" le conservateur en chef Gerbraun... et mis le feu au musée. Voilà de quoi n'a cessé depuis de s'accuser, avec une étrange délectation, Bergamme le nain...

Mais abandonnons ces détails, en somme sans grand intérêt, dont la part anecdotique relève plus du journalisme que de l'étude sérieuse méritée par ce cas d'une exceptionnelle originalité. Les pages suivantes ont donc pour unique objet de rendre compte du cas dit : *le cas Bergamme* à travers la subjectivité de Bergamme lui-même qui – grâce à l'amabilité des autorités pénitentiaires supérieures et aussi à la confiance qu'il nous a faite personnellement – nous a permis de mener *presque* à terme ce travail disons d'éthologue de l'art.

Malheureusement la mort de Bergamme, survenue quelques jours à peine avant la fin de sa confession, nous a privé de certains faits que nous avons cependant jugé bon d'introduire allusivement dès le début de ce prologue.

I

"«Attention, voilà encore le nain !» prononçaient les vigiles, exprès à voix haute pour bien marquer leur agacement. «C'est M. le conservateur en chef qui va encore être content !!!» Et, comme chaque fois, ils couraient se saisir de moi dès que je prenais la direction de la salle Gustave Courbet." Voilà ce que Bergamme m'avait raconté lors d'une de mes visites dans sa cellule de la clinique-prison où "je tue le temps, en attendant que le temps finisse par me tuer", disait-il de sa voix éteinte.

Pour qu'il n'y ait pas de confusion, et comme je l'ai dit dans le prologue, sachez tout de suite que je vais évoquer ici le fameux "cas Bergamme". L'homme finissait ses jours au fond d'une cellule de la clinique-prison de *** spécialisée dans les soins et la garde des personnes désaxées par les maladies dites "muséeuses" – ainsi désigne-t-on ces pathologies devenues de plus en plus courantes en ce nouveau siècle, lesquelles – c'est le cas ici – ont souvent provoqué des crimes presque incompréhensibles et dont les motifs ne sont pas faciles à analyser.

C'est au début de l'année 2015 que Bergamme avait pris conscience qu'un double symétriquement contraire à celui qu'il paraissait être se dissimulait en lui... Evidemment nul n'est celui qu'il donne à voir mais bien celui qui dissimule en lui *un quelqu'un* qu'il refuse de dévisager en face... et donc de révéler à soi-même ainsi qu'aux autres. Justement, la façon dont Bergamme s'est comporté jusqu'au bout derrière les cimaises du Grand Musée devrait servir d'illustration peu banale à ce cas paradoxal. Voilà pourquoi j'ai décidé de mettre par écrit ce que j'ai pu apprendre de lui car, comme je l'ai déjà dit, son cas célèbre parmi les cliniciens spécialisés dans ces sortes de maladies dites pathologies "muséeuses" me paraît suffisamment singulier pour qu'il en demeure si possible une trace durable dans la chronique littéraire de ce premier siècle du troisième millénaire – comme d'ailleurs il en reste d'indélébiles sur la plupart des tableaux qu'il a volés.

Longtemps Bergamme avait cru aimer l'art ; il s'était persuadé que seul l'art pouvait l'élever au-dessus de lui-même. Il croyait le penser jusqu'au jour où il avait pris conscience que de s'intéresser de près à l'art n'impliquait pas forcément ce qu'on appelle "l'amour de l'art" ni même une curiosité de l'art, ou le désir de magnifier l'art mais tout au contraire d'en être un obsessionnel insatisfait... ou disons, pour laisser aux artistes le privilège de l'insatisfaction, de ce qu'a d'approximativement insatisfait tout geste symétriquement contraire à celui du créateur. De là l'étrange originalité de Bergamme. Car, sans être un grand artiste, Bergamme était, en quelque sorte malgré lui, devenu, selon son expression : un *grand destructeur-inacheveur.* Son insatisfaction mal dominée le poussait à des actes exactement contraires aux motivations qui le forçaient à agir. Il faut bien l'admettre, presque toujours les véritables "grands artistes" sont de grands destructeurs. Et rien n'est plus déprimant pour eux, et même par moments ter- rifiant, que de se sentir entraînés à ne faire de leur vie qu'un seul et fatal acte transgressif. Mais dans le cas de Bergamme, c'est justement la peur de cet autre lui-même capable de trans- gresser qui en avait fait un maniaque d'une rare espèce et non le grand artiste qu'il avait espéré devenir. Disons que Bergamme était un grand artiste... "raté". En écrivant cette phrase, je pense cependant à Van Gogh qui, après s'être tiré une balle, avait eu le temps de laisser sur un bout de papier ces simples mots : *"Je suis un... raté !"* Quel grand artiste, au moment d'entrer dans la mort, ne s'est vu soudain tellement loin de ce *sublime* que toute sa vie il avait cherché à rejoindre ! Quel grand artiste ne meurt déçu de lui-même ? Arrivé à l'instant ultime, Virgile n'avait-il pas demandé que l'on détruise ses écrits ? De même Kafka... Oui, tout grand "créa- teur" ne peut faire autrement que d'agir en destructeur... lui aussi raté. Un grand artiste n'a jamais rien "réussi", tous les grands artistes sont des... "ratés". "Seuls les artistes médiocres ont «réussi», m'avait dit Bergamme, puisqu'ils n'ont jamais osé s'attaquer à La Forme consacrée." Oui, voilà ce qu'avait affirmé Bergamme !

L'originalité de Bergamme venait de sa lucidité. "Ne pouvant être le grand artiste destructeur que j'aurais voulu être en créant une nouvelle Forme, il ne m'était resté qu'un irrépressible désir non de destruction mais *d'inachèvement... ou si vous préférez de renforcement de l'unicité.* C'est cela ! Si tu n'es un grand artiste, sois alors au moins, en ces temps de surmultiplication, oui sois au moins un grand *inacheveur* !... un grand *retourneur* à l'unicité." Voilà ce qu'il m'avait dit quand je lui avais rendu visite dans sa cellule où, souffrant de ses vieilles brûlures qui n'arrivaient pas à cicatriser, ainsi que d'épouvantables escarres, il passait ses journées couché, à serrer les dents de douleur. "Mais même *l'inacheveur* que j'ai voulu être a échoué ! m'avait-il dit encore. En ce qui concerne les tableaux, je serais un peu comme un tueur qui n'aurait pas osé parachever son crime... A force de vivre à rebours de moi-même, je ne pouvais qu'être une victime de plus... victime de l'Art ! Toute victime cache un possible tueur... et le tueur une possible victime. N'en ai-je pas fait la preuve en détruisant le Grand Musée... et surtout en exécutant son conservateur en chef Gerbraun ainsi que plus ou moins directement trois de ses collaborateurs... et aussi, mais celles-là par accident, trois de ses collaboratrices ? Aucune lutte humaine ne se passe *hors de nous.* Pourquoi la vie est-elle si épuisante pour l'esprit ? Chacun de nous n'est-il pas victime de cette lutte circonscrite de lui à lui puisque rien ne se passe jamais en dehors de cet espace obscur qui est nous : *l'Homme, l'Humain*, oui, *nous*, cette abomination !" Voilà encore ce que m'avait dit Bergamme longtemps après les tragiques événements dont je vais essayer de rendre compte dans les pages suivantes.

A l'époque, ce petit homme manifestement dérangé avait pris l'habitude de parcourir les salles trop pleines du Grand Musée, se frayant à coups de coude un passage en direction "d'un des tableaux les plus destructeurs de toute l'histoire de la peinture – non pour ce qu'il représente mais pour l'intention dévastatrice que Courbet savait bien y avoir mise", m'avait-il dit pendant une de mes visites dans sa cellule. En quoi je lui donnais raison. Donc, tout en fendant la foule en direction de ce tableau dévastateur, Bergamme espérait réussir un jour à le décrocher, à le sortir de son cadre et à l'emporter sans être vu de personne – "car ce tableau doit fatalement être dérobé, que ce soit par moi ou par quelqu'un d'autre ; il doit retourner au secret", se disait-il en bousculant les groupes qui encombraient, comme d'habitude, les salles trop vastes du Grand Musée. Il était persuadé que s'il décrochait, sans s'en cacher, ce tableau, s'il le sortait de son cadre, et le découpait tranquillement devant tout le monde pour le rouler à vue, "au milieu de ce tas d'aveugles", m'avait-il dit encore, "comme je l'ai fait d'ailleurs en plein midi, du *Chemin de Sèvres* de Corot", personne ne s'en apercevrait. "N'est-il pas évident que les gens en groupe sont aveugles et qu'ils traversent les musées en aveugles ?" Ajoutant : "La parole de ces abrutis d'accompagnateurs remplace si bien le regard que rien ne serait plus facile que d'emporter *sans être vu* un tableau de cette importance... surtout quand on est comme moi plutôt d'une taille insignifiante." Bergamme imaginait la cimaise enfin vide.

Plus d'*Origine du monde* ! Plus de ces groupes conduits par de prétendus historiens de l'art leur expliquant que "ce tableau est le point d'aboutis-sement de toute la peinture ayant pour objet la représentation de la femme, et qu'au-delà de cette *Origine du monde* il ne pourra enfin sub-sister qu'un art dégagé de tout sujet, et même plus d'art du tout : vidéos, installations… mais ce qu'on a nommé jusqu'à présent peinture, jamais plus" ! Entendant au passage de telles paroles, brusquement il avait dit à voix bien haute :

"Il est douteux, *espèce de con*, que vous puis-siez comprendre de quel épouvantable sens métaphysique est chargée cette peinture !"

C'est ce qu'il avait crié au milieu des rires pen-dant que deux gardiens l'entraînaient cette fois vers une porte donnant sur un étroit couloir.

"Ne te débats pas comme ça, lui disaient-ils, en le serrant fermement aux poignets, tu t'expli-queras avec M. le conservateur en chef Ger-braun que tu vois, là, dans son bureau. Il a perdu patience avec toi, il t'attend. M. Gerbraun, voilà ce petit type toujours aussi incroyablement agité. Nous l'avons attrapé dans la salle Courbet évidemment !

— Cela fait plusieurs jours que je vous avais repéré sur l'écran de surveillance, avait dit le conservateur en chef, se penchant sur Bergamme, mais pourquoi tout ce bruit ? Lâchez-le, et laissez-nous seuls."

Voilà comment le petit homme avait été accueilli, la première fois, par le conservateur en chef Gerbraun, du Grand Musée. Il lui par-lait d'une voix douce et avec beaucoup de gentillesse, presque comme à un enfant.

"En effet, avait répondu Bergamme, ce n'est pas d'aujourd'hui que je tente d'alerter le monde en menaçant de voler ce tableau, mais votre musée est tellement vaste...

— Voler quel tableau ? avait demandé en riant Gerbraun le conservateur en chef.

— Mais *L'Origine du monde*, voyons !

— Ah, bon ? Vraiment ? Voler *L'Origine du monde* ? Et pourquoi ?"

Il semblait curieux et amusé, tout en faisant semblant de prendre l'affirmation de Bergamme avec plus de sérieux que Bergamme n'aurait pu s'y attendre.

"Mais voyons, parce que *L'Origine du monde* est le point limite de toute image... ou, si vous préférez, la seule et unique et véritable non-image, étant entendu que la représentation du sexe de la femme, nu et de plus ouvert, ne *pouvait être peinte de main d'homme.* Ce tableau ne doit avoir qu'un seul possesseur secret ! Il ne peut être à tout le monde !"

Avec de plus en plus de gentillesse, le conservateur en chef du Grand Musée avait prié Bergamme de grimper sur une chaise, l'encourageant à mieux s'expliquer. Après l'avoir écouté en souriant, il avait dit, toujours sur le ton de la plaisanterie :

"Vole-t-on *L'Origine du monde* ? Ce tableau n'est même pas assuré – donc quelle rançon pourriez-vous en attendre ?

— Vous ne m'avez pas compris. Je veux le mettre à l'abri pour qu'il reste unique...

— Et qu'en feriez-vous ? plaisantait toujours Gerbraun.

— Je l'enfermerai loin des regards... comme l'ont fait avant moi tous ceux qui successivement l'ont possédé.

— Mais il y a longtemps que ce tableau n'est plus unique ; d'abord il a été reproduit non seulement en photos mais *doublé* et *redoublé* avec les moyens que les technosciences de l'art nous offrent aujourd'hui, de telle sorte que rien ne distingue le *vrai* de son *double*.

— Je ne vous crois pas", avait dit Bergamme.

Gerbraun lui parlait avec beaucoup trop de douceur, se moquant un peu de lui sans se moquer tout à fait.

"Bien sûr, disons que j'anticipe… mais à peine, croyez-moi, avait-il dit, toujours sur ce ton mi-sérieux mi-ironique. Evidemment ce tableau est resté au secret jusqu'à ce qu'il soit révélé par notre musée. Aucun tableau du XIX⁰ siècle n'a été si longtemps tenu au secret. Déjà avant qu'il ne devienne si connu, ce tableau n'était pas tout à fait un tableau mais une curiosité, en effet, scrupuleusement occultée par tous ses possesseurs. Alors, maintenant qu'il a été révélé par le petit scandale dû à son soudain dévoilement, il est devenu presque un *vrai* tableau et, comme tous les *vrais* tableaux, nous allons le *doubler* comme vont être *doublés* systématiquement tous les tableaux de quelque importance, de sorte que personne ne puisse distinguer l'original de son *double*. Quand je dis personne, j'entends nous autres aussi, que nous soyons experts, conservateurs, commissaires ou historiens de l'art.

— Comment, avait dit Bergamme, vous vous êtes donc attaqué même à ça ?

— Qu'y a-t-il là de si choquant ?

— Le dernier refuge de l'unicité qu'était jusqu'à présent la peinture ?

— Et alors ? Mais n'est-ce pas merveilleux que les nouvelles techniques nous permettent de mettre à l'abri du vieillissement les tableaux célèbres. Reconnaissez qu'un tableau non célèbre n'est après tout qu'une peinture et non un tableau reconnu, convoité, *visible* comme tous les tableaux ayant conquis la célébrité par des moyens souvent inattendus. D'ailleurs, avait-il ajouté, les tableaux non célèbres ne sont pas des tableaux du tout, et je vous avoue les détester pour leur manque de célébrité."

Après un silence pendant lequel Gerbraun avait observé le petit Bergamme en penchant la tête sur le côté, il avait poursuivi :

"A vrai dire rien n'est plus détestable que la réalité, rien n'est plus *fou* que la prétendue réalité."

Cette façon d'appuyer sur le mot fou avait déplu à Bergamme mais il n'avait rien dit.

"Un tableau célèbre est un tableau qui a eu la chance de tomber dans l'irréalité. Donc sa célébrité nous autorise *doublement* à jouer avec son irréalité... à le reproduire à l'identique... à l'infini si cela nous plaît. Ceci dit qu'est-ce que la «réalité» ? Justement, au moment où on vous a amené dans mon bureau, je lisais dans ce journal allemand que vous voyez sur ma table une curieuse nouvelle rendant compte de ce qu'on appelle la «réalité»." Traduisant à mesure, le conservateur en chef Gerbraun avait lu ceci à Bergamme : *"Le train qui relie Houston à Brownsville, au Texas, a écrasé, lundi 12 octobre, six clandestins mexicains qui dormaient sur les rails pour éviter les reptiles. «Un mythe, selon le directeur des chemins de fer Union Pacific, car nos voies, a-t-il précisé, sont en* réalité *jonchées de gros serpents coupés en deux.»"* Oui, voilà ce que bizarrement Gerbraun avait traduit ce jour-là pour Bergamme, ajoutant : "Avouez que la «réalité» est toujours comique pendant que ce qui paraît «irréel» nous intimide par son sérieux. Y a-t-il ou n'y a-t-il pas de serpents sur la voie de chemin de fer qui relie Houston à Brownsville ? Déjà de découvrir une telle question dans un quotidien allemand a quelque chose «d'irréel»… et d'incroyablement sérieux aussi… tout en étant comique quand on pense qu'il se peut qu'il y en ait – des serpents – sur les voies de l'Union Pacific, et que six hommes bien «réels» y aient trouvé la mort pour avoir cru qu'il n'y en avait pas. De même pour les tableaux «réels» et «irréels»."

Après avoir un peu hésité, le conservateur en chef Gerbraun avait continué :

"Prenons le plus ridiculisé de tous les tableaux du monde : celui que l'on a surnommé *La Joconde*. Jusqu'au début du siècle dernier rien ne distinguait ce portrait, relativement banal, des autres portraits de la Renaissance. C'est uniquement par sa célébrité que *La Joconde* existe, et non comme tableau à contempler en tant que tableau délectable car je ne connais pas d'œuvre plus molle, et à la fois glacée par trop d'*achèvement*, dans toute la production de Léonard de Vinci… Et pourtant, n'est-elle pas la plus célèbre œuvre peinte du monde ?

— Je partage entièrement votre jugement, avait joyeusement interrompu le petit Bergamme. Bien qu'elle l'ait été au moins une fois, elle ne mérite évidemment pas d'être volée… et encore moins d'être *achevée* puisqu'elle ne l'est que trop, comme vous le dites… et de *l'inachever* demanderait un travail au-dessus de mes forces.

— J'insiste, avait poursuivi Gerbraun semblant ne pas avoir remarqué les absurdes paroles de Bergamme, j'insiste bien : je dis célèbre car un tableau non célèbre n'est évidemment pas tout à fait un tableau... et même rien du tout !"

Après un silence, il avait demandé à Bergamme comment lui était venue cette idée de rapter *L'Origine du monde*... A dire vrai, cette maladie ? "Car vous vous doutez bien qu'une idée comme celle-là relève d'une névrose et non d'un souhait réel."

Au lieu de protester, comme s'y attendait Gerbraun, Bergamme avait comiquement crié qu'il ne niait pas l'absurdité d'un tel projet et qu'il était parfaitement conscient de son côté névrotique.

"Et pourtant, je le ferai."

Gerbraun avait ri.

"Vous devriez vous dépêcher car sous peu la véritable *Origine du monde* sera en quelque sorte mise à mort et remplacée par son *double* techniquement contrefait jusqu'à la perfection, oui, jusqu'à sa plus infime molécule... que ce soit du côté peint ou du côté châssis."

Gerbraun avait fait appeler deux gardiens qui portèrent presque le petit Bergamme jusqu'à la sortie du Grand Musée. Croyant avoir réussi à se débarrasser de ce visiteur importun, il retourna à ses occupations de conservateur en chef, sans plus penser à l'étrange petit maniaque dont cependant la présence restait en lui, on pourrait dire en arrière-plan. Si bien qu'il n'en avait pas dormi et que le lendemain, sans se l'avouer, il s'était surpris à souhaiter revoir le petit homme. Et c'est avec un soulagement inexplicable qu'il l'avait reconnu, sur ses écrans de surveillance, allant de son trottinement court et saccadé droit vers la salle Courbet. Aussitôt, les mêmes gardiens s'étaient saisis de lui. Et, de même que la veille, ils l'avaient transporté dans le bureau de Gerbraun qui lui avait demandé, avec impatience, comment ce désir de vol lui était venu. Où ? Quand en avait-il ressenti les premières attaques ?

"A Londres, lui avait répondu Bergamme avec la plus grande simplicité, à l'occasion de l'exposition d'une *anartiste* américaine dont je vous tairai le nom. Elle ne mettait pas seulement ses œuvres en vente, dans la galerie où elle exposait, mais aussi son corps. «Tant que le public ne m'aura pas pénétrée, écrivait-elle dans son catalogue où elle indiquait d'ailleurs ses tarifs, il ne peut sentir mon art.» Eh bien, derrière tant d'arrogance, se cachait cependant une vérité que seul un artiste *mâle* peut éprouver puisque le secret de toute peinture est une tension vers cette *origine du monde* trop exactement peinte par votre Gustave Courbet. Dans sa dévorante ambition, avait continué Bergamme, cette *anartiste* américaine, qui vendait son corps comme une «œuvre» avait fini par se prendre elle-même pour *L'Origine du monde*... ou, si vous préférez, pour une œuvre présentative au lieu de représentative, qu'il fallait pénétrer pour bien la sentir... Ainsi se prenait-elle pour une «installation»...

— Et dites-moi, hi, hi ! cette «installation», l'avez-vous *visitée* ?

— Permettez que je réserve ma réponse.

— Bien, c'est comme vous voudrez. Donc, avait continué le conservateur Gerbraun, c'est là que vous serait venue l'idée de dérober ce tableau de Courbet ?

— Non, il a fallu plusieurs autres chocs.

— Ah ? Et dites-moi…

— La seconde secousse, je l'ai ressentie à la Royal Academy of Arts en visitant une exposition proposant un «portrait» de cette meurtrière d'enfants dont le nom était devenu célèbre en Angleterre à la suite des horreurs qu'elle avait…

— Myra Hindley ?

— C'est cela ! Ce «portrait» consistait en moulages de corps d'enfants dont les bouches étaient remplacées par des pénis en érection…

— J'ai en effet, moi aussi, visité cette exposition, et rarement vu autant de monde se presser à la Royal Academy of Arts. C'est donc cela qui vous a incité à…

— Non pas seulement cela mais un ensemble de symptômes… Souvenez-vous, à peu près à la même époque, en Allemagne, cette fois, dans un musée de Mannheim, près d'un million de visiteurs se bousculaient pour découvrir deux cents véritables cadavres humains, présentés par un certain *Herr Doktor* Gunther von Hagen comme le point limite de l'Art. Cet *anartiste* anatomiste avait eu l'idée de plastifier des morts véritables, et surtout de les «sculpter» dans des poses de statues d'écorchés, tendant à bout de bras leurs propres peaux ou exhibant leurs viscères. J'ai compris que cela présageait des temps atroces et qu'il ne fallait pas que des gens comme vous détournent les œuvres du passé, qui en leur temps furent provocatrices, pour cautionner de telles abominations.

— Comment des gens comme moi ? s'était écrié Gerbraun, riant du ton assuré que prenait avec lui le petit homme.

— Oui, que vous soyez conservateurs en chef, commissaires, critiques ou historiens de l'art…

n'acceptez-vous pas d'offrir les lieux dont vous avez la responsabilité à ces *anartistes* qui prétendent s'inscrire dans la continuité d'une histoire dont pourtant la rupture est bien le fait de certains de leurs prédécesseurs qui avaient prétendu à la table rase de toute esthétique et de toute éthique en détruisant, pour commencer, la représentation du corps humain ?

— Mais je ne vois pas le rapport entre ce tableau intitulé *L'Origine du monde* et ces expositions dont vous venez de parler, avait dit Gerbraun d'une voix mal assurée.

— Bien sûr que vous n'en êtes pas capable ! Avouez qu'à partir du moment où de telles expériences trouvent leur place dans les musées, toute œuvre du passé pouvant prêter à malentendu et être revendiquée par ces *anartistes* comme œuvre libératoire doit impérativement retourner au secret car ces expériences sont justement le contraire du secret.

— Hum ! C'est avec un agréable malaise que je vous écoute, avait dit Gerbraun. Revenez me voir, vous m'amusez. Mais surtout plus de scandale, n'est-ce pas !"

Il avait sonné et, pour la deuxième fois, les gardiens avaient reconduit Bergamme dehors. Malgré une pluie glacée, devant l'entrée du Grand Musée une longue file attendait avec une désespérante patience.

II

Le lendemain, Bergamme était revenu et, comme chaque fois, il avait recommencé à s'agiter dans la salle Gustave Courbet. Aussitôt, obéissant à la consigne, les gardiens l'avaient conduit dans le bureau du conservateur en chef.

"Vous devez cesser de faire du scandale dans *mon* musée, lui avait dit Gerbraun, avec une sévérité feinte – car à vrai dire la taille singulière du petit homme, sans qu'il sache pourquoi, lui procurait un sentiment de trouble satisfaction d'être lui, Gerbraun, tel qu'il était à la tête du plus grand musée du monde. Grimpez sur cette chaise et écoutez-moi. Que vous soyez différent des autres visiteurs, qui en douterait ? avait-il continué, avec le même enjouement sévère. Mais vous devez savoir que les originaux n'ont rien à faire dans ce musée. Cependant, certains de vos propos m'ont intrigué et m'ont fait réfléchir depuis hier. Bien qu'étant chargé d'exposer dans les meilleures conditions possibles les collections du Grand Musée, je suis continuellement écrasé sous des pressions insupportables, *venues d'en haut*, auxquelles il m'est impossible de résister. Sachez que je ne suis pas maître du sens que prennent les manifestations concernant certaines formes de productions prétendument artistiques d'aujourd'hui.

Les exemples que nous avons évoqués hier pourraient se passer de commentaires. Intimement je partage votre point de vue sur l'excès de vulgarisation auquel nous sommes arrivés avec toute la peinture en général... heu... ainsi qu'en particulier avec ces «choses» qui seraient plutôt, comme les désignent d'ailleurs leurs auteurs, de la *non-peinture* aussi. *On* nous oblige à glisser dans les programmes culturels de nos musées ces sortes de manifestations dont la seule raison d'être pour nous autres conservateurs et commissaires serait de nous donner l'impression d'être nécessaires, en tant que conseiller si l'on peut dire, de ces... comment les nommer ?... «artistes» ? «créateurs» ? «concepteurs» ?... heu..."

Comme Bergamme se taisait, souriant et attentif, le conservateur en chef Gerbraun avait continué :

"Jusqu'à ces dernières années, nous exposions... ou plutôt disons : nous donnions à voir dans des lieux strictement séparés les œuvres dites du «patrimoine» et les œuvres dites «modernes». Mais le chantage au nivellement de ces œuvres, pourtant si divergentes, toutes époques confondues, ou si vous préférez la pression ultramode de la «modernité immédiate» devenant de plus en plus insistante, nous avons dû collaborer à cette égalisation des valeurs où tout ce qui est exposé fait obligatoirement Art. Bien sûr, il est plus facile de donner à croire aux foules qu'elles ont de la culture en les incitant à passer devant de la peinture... ou, mieux encore, devant des «choses» qui en tiennent lieu, des choses vite «lues» et vite reconnaissables, que de les inciter, par exemple, à se plonger disons dans des textes provoquant la réflexion. Reconnaissons-le, continuait Gerbraun, prenant évidemment plaisir à s'écouter parler, autant la littérature moderne est à priori difficile et même souvent rebutante, autant les œuvres des «plasticiens» actuels, dits «modernes», sont faciles, caricaturales, reconnaissables sur un simple coup d'œil... et peuvent donner l'illusion à des gens non cultivés qu'ils ont de la culture.

— Vous avez raison, commençait à s'exciter le petit Bergamme, toujours perché sur sa chaise, ce que vous dites est étonnant pour un conservateur en chef, et permettez-moi d'ajouter : ceux que l'on traîne dans vos musées, évidemment pour eux les tableaux qu'ils regardent ne sont plus des tableaux.

— Exactement, avait renchéri Gerbraun le conservateur, exactement ! Et même les œuvres les plus anciennes ne sont plus des œuvres mais ce qui a servi à la reproduction en masse des images rappelant ces tableaux. Mais que voulez-vous, ce sont là nos «produits dérivés» sans lesquels nous ne pourrions pas entretenir et rénover l'excès de chefs-d'œuvre dont nous sommes responsables devant l'éternité. Attendez, attendez, ne m'interrompez pas ! C'est d'accord, les gens se pressent dans nos musées non pour voir des tableaux, nous le savons bien... et encore moins pour méditer devant eux mais pour retrouver en quelque sorte la «matrice» qui a servi à l'impression de leurs T-shirts, par exemple, ou à l'agrandissement d'un visage ou d'un détail pour les besoins d'une publicité qui se vante d'ajouter à ce monde un plus de culture quand en réalité elle vulgarise et banalise l'Art."

Bergamme ne disait rien, savourant cette auto-critique du conservateur qu'il savait avoir provoquée par sa seule présence et par ses remarques.

"Croyez-moi, avait continué Gerbraun, voulant, sans qu'il en comprenne la raison, plaire à ce petit homme qu'il ne connaissait pourtant pas, oui croyez-moi, nous autres conservateurs des œuvres anciennes... et même modernes, nous souffrons de cette inévitable vulgarisation mise en place par la nouvelle génération de commissaires qui, sans être cultivés, sont remplis de «culture». Ils savent tout mais que connaissent-ils vraiment ?

— Pourtant, avait dit Bergamme soudain agité, vous ne semblez pas avoir éprouvé de scrupules pour utiliser un détail outrageusement agrandi de *L'Origine du monde* sur les affiches invitant les foules à visiter votre Grand Musée, *L'Origine du monde* servant en quelque sorte d'appât...

— Allons, n'exagérons rien ! Certains, comme vous, s'en sont plaints, en effet. Que voulez-vous, la situation est bien sûr paradoxale. D'un côté nous *devons* remplir nos musées... et de l'autre nous nous *devons* de préserver les tableaux de cette divulgation à outrance qui évidemment les tue doublement : par excès d'exposition à la lumière et aussi par excès de gaz carbonique dû à la respiration des visiteurs qui encombrent nos salles. Voilà pourquoi, en ce moment, nous sommes sur le point de *doubler*, comme je vous l'ai dit, tous les tableaux importants de l'histoire de la peinture de sorte qu'il n'y ait plus d'original... mais tellement de multiples indistinguables de l'original que nous n'aurons plus à craindre l'usure du temps ou les voleurs, tels que vous vous vantez de l'être. Fini enfin le tableau unique, fini l'unicité !

— Mais alors, que seront devenus les originaux ?

— Je vous l'ai dit, *il n'y aura plus d'originaux* !

— Ils seront bien quelque part ?

— Secret !

— Donc votre secret ne peut que me donner raison de voler tous les tableaux qu'il me sera possible, et ainsi, enfermé dans ma mansarde, *poursuivre* solitairement le travail du peintre de sorte que sa toile soit rendue à son unicité originelle.

— Poursuivre le travail du peintre ? Ce serait là le moyen radicalement contraire à notre projet qui, par la multiplication de l'œuvre, a pour but de la préserver, justement, en l'anéantissant dans le nombre, en la multipliant jusqu'à ce qu'un jour on ait oublié *qu'à l'origine il y avait eu unicité.* En même temps, bien sûr, Bergamme, que je vous donne raison de vous insurger contre nous ; bien sûr que notre XXe siècle a été impitoyable envers l'Art, et surtout le corps humain, qu'avec la complicité de tous la peinture moderne a profané en le mettant en pièces ainsi que Courbet a cru bon de le faire.

— Ah, vous le reconnaissez ! Et pourtant, les cadavres plastifiés tendant à bout de bras leurs viscères, c'est avec la complicité des conservateurs de musée, avec celle des commissaires qu'ils ont été exposés, avait crié Bergamme.

— Chut ! Pas si fort, ne vous excitez pas. Doucement, doucement… Bien sûr… personnellement je réprouve… tout en ne pouvant empêcher. En tant que conservateur je ne peux me mettre en travers de l'évolution de l'Art ; il m'est interdit de faire un acte qui passerait pour une censure. Cependant, étant moi-même allemand, croyez-moi je souffre de voir à quel point, du rêve d'un artiste à la réalisation de ce rêve dans le réel, la distance est d'une terrifiante minceur... même si celui qui se prétend artiste est, selon votre terme, un *anartiste*."

Après un silence, Gerbraun avait ajouté d'une voix un peu absente :

"Comme cette exposition à Mannheim, proposant deux cents cadavres humains, pour la plupart écorchés et mis en scène, présage sûrement de nouveaux temps terribles, il est certain que les *anartistes*, comme vous les nommez, surtout ceux qui principalement en Allemagne et en Autriche se réclament d'un néo-expressionnisme allant jusqu'à inviter au meurtre ou au suicide rituel, annoncent tout aussi clairement de nouveaux temps terribles. Là-dessus je n'ai aucun doute mais qu'y faire ? Tant que ces actes seront qualifiés d'«artistiques», nous nous devrons, au nom du libéralisme, de mettre à leur disposition nos structures, même si au fond de nous nous réprouvons de telles démarches...

— Ce que vous dites là justifie donc ce que hier vous avez nommé ma névrose, l'avait interrompu Bergamme. Et, en effet, les provocations des *anartistes* d'aujourd'hui présagent évidemment le pire, comme vous le dites. Ce que donnent à voir les «actionnistes» allemands ou viennois qui se prétendent «peintres» annonce ce pire ! Se castrer devant une caméra, comme l'a fait Rudolf Schwarzkogler...

— Savez-vous, il en est mort peu après ? avait dit Gerbraun. Mais attention, il n'était pas du tout allemand, heu... mais autrichien...

— Je sais, avait presque crié Bergamme agitant furieusement sa petite taille sur sa chaise, j'ai vu le film vidéo de cet horrible «sacrifice à l'Art», comme l'a nommé un de vos commissaires ;

c'était non seulement affreux à voir mais vraiment désespérant de penser que l'Art du XXᵉ siècle, oui cet Art qui a réussi à détruire toute représentation disons «humaniste» du corps humain aboutisse à la présentation de la torture et de la mort. Car il est certain qu'au nom d'un art neuf des *anartistes* en viendront à torturer et même à tuer devant une caméra vidéo. Ne l'ont-ils pas déjà fait avec des animaux qu'ils ont ensuite exposés dans des bacs de formol ?... Et pourquoi un condamné à mort ne vendrait-il pas le spectacle de sa mort à un *anartiste-vidéaste* assez convaincant pour placer cette mort sur un plan plus élevé que celui d'une simple exécution de justice ? Pourquoi en ce nouveau siècle de «l'interactivité» *tout le monde* ne participerait-il pas de ce nouvel Art Moderne de la présentation qui se réclamerait, bien sûr, des œuvres scandaleuses du passé... telle, par exemple, *L'Origine du monde* qui fut soigneusement occultée par ses précédents possesseurs ? Comprenez qu'en exposant ce tableau, qu'en le plaçant aujourd'hui sur le même plan que ces «actions» menées contre la sacralisation du corps humain, en proposant non pas une peinture mais *ce morceau de femme sans la femme, arraché en quelque sorte au corps de la femme*, vous vous faites le complice...

— Allons, allons, Bergamme, n'exagérons rien !"

Mais Bergamme continuait avec de plus en plus d'exaltation :

"... des futurs bourreaux de ces temps terribles que nos comportements envers l'Art annoncent ? Un siècle de dislocation du corps humain par l'Art doit être considéré comme un présage. Maintenant *tout* est possible. Qui pouvait prévoir, dans les années vingt, en découvrant

35

certaines œuvres expressionnistes allemandes, de quelle ampleur seraient les grandes chaînes d'abattage et de crémation humaine que le rêve «artistique» d'un petit peintre raté allait ouvrir en Allemagne, en Pologne ainsi que dans la plupart des pays d'Europe centrale ?...

— Allons, allons, Bergamme, ne soyez pas si destructeur, avait encore mollement balbutié Gerbraun.

— Expliquez-moi, vous qui êtes le conservateur en chef du Grand Musée, avait poursuivi Bergamme sans se laisser interrompre, pourquoi dans la plupart des musées du monde se passe-t-il des événements dits artistiques qui portent évidemment les mêmes abominables promesses ? Sommes-nous *cela, rien que cela* ? Serions-nous comme ces femmes laides qui ne peuvent se retenir de projeter une giclée d'acide au visage de celles que la nature a comblées de l'injuste et scandaleux privilège de la beauté ? L'humanité serait-elle devenue laide au point de ne plus pouvoir supporter son rêve de beauté ? Sommes-nous donc en train de jeter de l'acide sur le visage de toute possible beauté humaine ?... Je le crois, avait ajouté Bergamme après un silence, oui, je le crois ! Ce que je dis là vous fait sourire ?

— Nnnon, nnnon, pas du tout...

— Et pourtant de vous dire cela, oui de vous le dire avec cette franchise m'apporte un réel apaisement. Ce que nous sommes et avons été, ce que nous pensons et avons pensé, ce que nous souhaitons et avons souhaité, par une sorte de spasme atroce et inconscient, se retourne au fond de nous en son extrême contraire."

Voilà ce qu'avait encore crié Bergamme au conservateur en chef Gerbraun avant que celui-ci

ne fasse signe aux gardiens pour qu'ils le sou-
lèvent et l'expulsent gentiment.

Quelques jours plus tard, alors qu'il était
revenu faire du scandale devant *L'Origine du
monde*, et que les gardiens l'avaient une fois
encore empoigné et déposé dans son bureau,
le conservateur Gerbraun lui avait dit :
"Mais que faire d'un petit type comme vous ?
Comment réussissez-vous, malgré les ordres formels que j'ai donnés au guichet du musée, à vous
dissimuler dans la foule et à vous glisser jusqu'à
la salle Gustave Courbet pour y faire du scandale ! Mais laissez donc en paix cette *Origine du
monde* ! En cherchant à provoquer du scandale,
vous ne faites qu'ajouter à sa célébrité, vous qui
souhaiteriez que cette œuvre retourne au secret."
Se levant brusquement de son bureau, Gerbraun avait pris Bergamme par le bras :
"Je vais faire une incroyable entorse au règlement mais tant pis, je veux qu'un original de
votre espèce se rende compte de ce qu'est
l'envers de nos cimaises. Après cela, j'espère
que vous serez définitivement dégoûté de la
peinture et que vous n'y reviendrez plus."

"Ce qui évidemment ne fut pas le cas, vous
vous en doutez bien !" m'avait dit Bergamme,
longtemps après ces événements, quand je lui
avais rendu visite dans sa cellule où, recroquevillé sur son petit lit, il dépérissait lentement.

"Passons par ce couloir encombré de croûtes
mises au rancart", avait encore dit Gerbraun,

soulevant presque Bergamme par le bras et l'entraînant assez rudement dans l'envers du Grand Musée, en quelque sorte *derrière le miroir de l'Art*. Et, tout en marchant, Gerbraun répétait, comme pour lui-même : "J'insiste et j'insiste : un tableau, s'il n'est célèbre *pour une raison ou une autre*, n'est évidemment pas un vrai tableau. Par exemple, avait-il dit, tout en continuant à serrer fort Bergamme par le bras, sans ce petit maçon italien, qui au début du siècle dernier travaillait à la réfection des toitures du Louvre, Monna Lisa n'aurait pas connu sa ridicule célébrité... au point d'être sans cesse ridiculisée et même outragée par la plupart des peintres médiocres du XXe siècle. Personne n'aurait entendu parler de cette œuvre que je considère comme une sous-œuvre tant elle est indigne du grand Léonard... comme je considère aussi les fresques de Michel-Ange esquintant la Sixtine pour une des œuvres les plus prétentieuses, les plus fades et à la fois redondantes de toute la peinture... non, je vous assure, personne n'aurait jamais entendu parler de *La Joconde*...

— Pas plus que du *Chemin de Sèvres* de Corot, s'il n'avait été volé... *par quelqu'un que je connais*... avait tenté, en criant, de l'interrompre Bergamme.

— Si l'on pense, avait poursuivi Gerbraun, tout en parcourant le couloir encombré de tableaux retournés, oui, si l'on pense que ces deux artistes sont de véritables dieux quand ils restent dans l'*inachevé* !...

— Ah, combien vous avez raison, criait Bergamme, ah, l'inachevé, l'inachevé...

— Donc, ce petit maçon italien travaillant sous les combles du Louvre avise par hasard ce portrait de femme négligemment entreposé dans les réserves du vieux et vétuste musée…

— Tel qu'il était à l'époque !" avait encore une fois essayé d'intervenir Bergamme, criant vers le haut.

Mais Gerbraun n'avait fait aucune attention à ses paroles.

"Et que fait ce petit maçon italien ? Il se risque non seulement à dérober ce tableau mais il fait le projet de l'emporter avec lui en Italie pour offrir «cette Vierge» à sa vieille maman…

— Il est évident qu'à l'époque rien n'était plus facile que de sortir un tableau du Louvre. Aujourd'hui, avait insisté Bergamme, croyez-moi, c'est une tout autre affaire… *et celui qui a réussi à voler* Le Chemin de Sèvres *de Corot a fait preuve non seulement d'astuce mais d'un réel génie.*"

Cette fois encore le conservateur Gerbraun n'avait prêté aucune attention aux paroles de Bergamme car immédiatement il avait poursuivi :

"Toute l'originalité du fameux «vol de *La Joconde*» tient au fait que ce soit justement un petit maçon italien analphabète qui en ait pris le risque. Mais attendez, avait-il ajouté sans cesser de tirer Bergamme par l'étroit couloir, ce vol commis par un prolétaire inculte, sachant à peine s'exprimer et n'ayant même jamais entendu parler de Léonard de Vinci, frappe à tel point le peuple de Paris que, par «sno-bisme», il se précipite en masse pour *voir* cette Monna Lisa… devenue du jour au lendemain une célébrité…

— Dont rien de la main de Léonard n'est resté, à vrai dire, tellement elle aurait été retouchée…

— Vous avez raison, Bergamme, cela fait plusieurs siècles que *La Joconde* n'est plus *La*

Monna Lisa de Léonard de Vinci... Ce n'est un secret pour personne dans les milieux de la conservation. J'ai eu le privilège d'être de ceux qui ont pu approcher cette «très vieille dame» terriblement malade car je faisais partie, avec Roberta notre restauratrice en chef, d'une équipe pluridisciplinaire chargée de donner un diagnostic à son sujet. Physiciens, chimistes, photographes, documentalistes, métallurgistes, médecins radiologues, et bien sûr conservateurs, commissaires et historiens de l'art, tous nous nous sommes sérieusement occupés de cette œuvre en utilisant la lumière rasante, les ultra-violets, les infrarouges et les rayons X pour étudier ses différentes «peaux». Mais cela n'est rien encore, c'est à la matière de l'œuvre elle-même que nous nous sommes attaqués par les moyens de la fluorescence, de la thermolumi-nescence, de la diffraction X et surtout en la soumettant à l'accélérateur de particules AGLAÉ qui permet d'analyser intégralement la structure des matériaux la composant sans être obligés pour cela d'effectuer des prélèvements...

— Et alors, et alors ? s'était impatienté Bergamme.

— Eh bien, en effet, rien d'authentique ne subsiste de ce prétendu chef-d'œuvre. Au cours des siècles, des centaines de mains restauratrices l'ont profané jusqu'à ce qu'il ne demeure aucune trace de ce qui, à l'origine, faisait la matérialité de ce tableau. Il se peut que la femme peinte par Vinci se ressemble encore... je parle de son aspect... cependant rien n'est moins sûr... mais pour ce qui est du support, des sous-couches et des couches successives, ainsi que des glacis de finition, je peux vous assurer que pas une molécule initiale n'est restée, que ce soit sur la surface ou dans l'épaisseur de cette œuvre devenue, par force, purement métaphysique…

— Puis-je vous poser une question ? avait crié Bergamme de sa petite voix excitée et tremblante. Cette *Joconde*, avez-vous cherché, avez-vous réussi à la reproduire à l'identique jusque dans son intimité moléculaire ? L'avez-vous introduite dans vos machines ? Se pourrait-il qu'elle ne soit plus unique, elle non plus ?

— Pourquoi l'aurions-nous soumise à tous ces examens si ce n'était pour la *sauver de son unicité* ? Très bientôt personne ne pourra rien contre elle, finis les restaurations, les retouches et les repeints ; bien que destructible elle sera devenue indestructible puisque nous arriverons à la produire… non pas reproduire… je dis bien à la produire autant de fois qu'il sera nécessaire.

— Mais l'original ? Où sera-t-il ? Que sera-t-il devenu ?

— Allons, Bergamme, ne prenez pas ce ton excessivement désolé ! Que ferons-nous de l'original ? Ça, c'est notre secret ! Comme je viens de vous le dire, à force d'avoir été restauré, il y avait longtemps que l'original n'était plus un original. Vous me demandez : que sera devenu le tableau nommé *La Joconde* ? Sachez que nous l'aurons répété *à l'identique*. Et il en sera ainsi peu à peu de tous les tableaux du monde car, grâce aux progrès inouïs de nos technosciences, nous aurons dépassé la conservation par la multiplication *du même* donc atteint à l'indestruction… donc à l'Eternité !

— Mais par ce que vous nommez «l'indestruction» vous détruisez la raison d'être de l'art… qui est fragilité ! s'était douloureusement écrié le petit Bergamme.

— Au contraire, nous immortaliserons par le nombre. N'en sera-t-il pas de même de l'homme quand il aura réussi à se répéter lui-même… non seulement *le même à l'identique* mais ce *même* à l'échelle de l'humanité, et à l'infini. Un seul visage pour l'humanité tout entière, n'était-ce pas ça la promesse de l'âge d'or ?"

III

Bien plus tard, quand j'avais réussi à obtenir l'autorisation d'aller régulièrement le voir dans cette affreuse cellule de la clinique-prison où il finissait ses jours, Bergamme m'avait dit :

"Longtemps j'avais cru que la peinture était faite pour être vue, comprenez-vous ? jusqu'au jour où je me suis rendu compte que personne ne voit la peinture et que rien n'est plus facile que de voler à *vue*, et devant des quantités de visiteurs, n'importe quel tableau. Chose que j'ai accomplie aisément – et non pas seulement à cause de ma petite taille – comme j'ai promis de vous le raconter. Comprenez bien que la personne qui regarde une œuvre peinte ne sait pas qu'elle ne la voit pas, et rien ne s'oppose donc à ce que vous la dérobiez *devant* ses yeux – ce qui prouve que la peinture n'est pas faite pour être vue et encore moins pour être regardée… mais pour être *sue*." Oui, voilà ce que m'avait dit Bergamme à l'occasion d'une de mes nombreuses visites de "travail" dans cette cellule nue où depuis sa condamnation à vie il se tenait constamment recroquevillé sur un affreux petit lit de fer en désordre.

Sa voix fluette, variant sans cesse du chuchotement au cri, Bergamme m'avait dit encore :

"Alors que le conservateur en chef Gerbraun me tirait à sa suite, par un fragile escalier de secours, vers les combles du Grand Musée, et que justement je lui affirmais – comme je viens de le faire avec vous – que la peinture n'était pas faite pour être vue mais sue, il s'était arrêté un moment, et, bien qu'essoufflé, il m'avait répondu : «Vous avez parfaitement raison, Bergamme, un tableau, en effet, n'est pas fait pour être *vu* mais je crois même qu'il est inutile qu'il soit *su* car seule sa possession passionnée, exclusive et secrète le justifie. Qu'un conservateur de musée avoue cela vous semble étonnant ?»

Comme je me taisais, avait continué Bergamme, Gerbraun avait ajouté : «Et c'est évidemment pour cette raison que le précédent possesseur de *L'Origine du monde*, avant de léguer cette œuvre à notre Grand Musée, aimait se savoir son possesseur exclusif en la tenant obstinément – et non pas jalousement, comme on l'a écrit – dissimulée derrière un rideau rouge. Lui-même évitait autant que possible de regarder ce tableau. De le posséder suffisait. Il disait toujours : "Regarder ce tableau c'est assurément ne pas le voir. Jamais je ne regarde ce tableau, pas plus d'ailleurs que les autres de ma collection, mais celui-là en particulier, je m'efforce de ne jamais poser mon regard sur lui, bien qu'il soit en ma possession... et peut-être justement parce qu'il est en ma possession. J'évite aussi de le montrer, et je me suis même fâché avec la plupart de mes amis à cause de cette œuvre hors normes que je maintiens obstinément dissimulée derrière une tenture, malgré leur curiosité et malgré leurs prières. Ce tableau dont la représentation s'est restreinte à un sexe de femme ouvert doit avoir la même présence cachée, invisible et constamment désirée qu'est pour nous autres hommes la réalité invisible et obsessionnellement désirée du véritable sexe dont chaque femme s'efforce de suggérer la présence tout en le dissimulant jalousement sous des successions affolantes de chiffons invisibles – comme est dissimulé en permanence ce tableau derrière le rideau rouge qui, en le masquant, affirmait mon ami son possesseur, ne fait que le rendre évidemment plus présent. Moins ce tableau est vu, disait-il encore, plus il prend de l'existence dans mon esprit ainsi que dans l'esprit de ceux qui en connaissent la présence cachée." Voilà comment parlait le dernier possesseur de *L'Origine du monde*, avant qu'il n'en fasse don à notre Grand Musée, avait dit Gerbraun tout en reprenant l'ascension de l'escalier de secours menant aux combles du Grand Musée. – Je comprends parfaitement que l'on dissimule à tous les regards un tableau, croyez-moi, avais-je répondu au conservateur Gerbraun, comme pour plaisanter, continuait Bergamme, mais sachez-le, si je réussissais à dérober *L'Origine du monde*, ce serait justement pour réintégrer cette œuvre dans le secret. Quand j'aurai mis la main sur ce tableau, je le *continuerai, je le maintiendrai en inachèvement*, ainsi sera-t-il en quelque sorte prolongé à la fois dans son secret et aussi dans son unicité. – Vous ne pouvez savoir combien vous m'amusez, Bergamme ! s'était moqué Gerbraun. Vous voulez dire que vous peindriez par-dessus ?... – Absolument, je continuerai sans scrupule le travail de Courbet car, de plus, permettez-moi de vous dire que je trouve la facture de ce tableau laborieuse et académique... Ce que personne n'a vu puisque personne ne sait voir un tableau. – Il est regrettable, mon cher Bergamme, que le précédent propriétaire de *L'Origine du monde* soit mort car je suis certain que vous l'auriez enchanté en vous proposant de poursuivre le travail du peintre... que cet ami, lui aussi, trouvait d'une facture académique et laborieuse. J'ai très bien connu ce collectionneur qui, en léguant cette œuvre au Grand Musée, me faisait *exprès, à moi*, le conservateur en chef du Grand Musée, ce cadeau empoisonné... Je peux même vous le dire franchement, nous étions très intimes. Un jour qu'il était venu me voir ici, au musée, et que nous en parcourions ensemble les salles, il m'avait dit : "Les tableaux ne sont pas faits pour être exposés mais pour être réimaginés, et je regrette l'excès de lumière qui assassine les tableaux que vous exposez dans votre Grand Musée. Pourquoi les musées ont-ils été inventés ? Evidemment pour que les tableaux y soient autant que possible mal visibles si ce n'est invisibles par l'excès des faux jours et de la crasse. C'est aussi pour ça qu'avant les musées étaient inconfortables et même repoussants car un tableau mal exposé et surtout mal éclairé jusqu'à en devenir presque invisible est un tableau plus visible qu'un tableau trop éclairé et mis en relief avec vulgarité, à tel point qu'en croyant bien le voir on ne peut bien le voir et encore moins l'imaginer." Voilà ce que prétendait avec beaucoup de lucidité mon ami le précédent propriétaire de *L'Origine du monde*, qui avant de mourir a légué ce tableau au Grand Musée dont je suis hélas le conservateur. A l'époque, avait poursuivi Gerbraun, nous ne pouvions supposer qu'un jour nous aurions à notre disposition cette nouvelle machine *reproductrice à l'identique* des œuvres, non, nous ne pouvions même pas rêver d'un aussi subtil et intelligent système d'annulation de l'unicité des œuvres – ce qui, sans doute, aurait poussé ce merveilleux original à entraîner au néant *L'Origine du monde* en la faisant passer, avec ce que par euphémisme on appelle ses restes, au crématoire, plutôt que de la léguer au Grand Musée.» Voilà ce que m'avait dit Gerbraun au moment où nous arrivions dans les combles de l'immense bâtiment abritant les célèbres collections du Grand Musée."

"Passons par ici, avait continué Gerbraun, je veux que vous vous rendiez compte de l'ampleur de notre tâche de conservateurs que la putridité des œuvres poussera fatalement à désirer leur immortalisation par *le multiple*, et non plus par la conservation unicitaire. Tenez, par exemple, nous avons là cette *Prairie en fleurs* de Monet, voyez son état de délabrement catastrophique. Les équipes de Roberta, notre restauratrice en chef, vont s'en emparer, et d'ici quelque temps elle va nous revenir non seulement comme neuve… mais rien de la touche personnelle de Monet n'y sera demeuré car, quoiqu'il ait été un peintre de premier ordre, bien peu de ce qu'il a peint de sa main n'a réellement tenu, et ce sont nos spécialistes, sous les ordres de Roberta, qui, à la longue, ont pratiquement refait l'œuvre entière de ce grand décadent. Ce n'est qu'ensuite, quand les tableaux abîmés auront été rendus en quelque sorte à la vie, que nous les introduirons dans notre machine à dupliquer… et, enfin, c'en sera terminé des risques de la chose unique ! Il y a de cela une vingtaine d'années, avait continué

Gerbraun, mon prédécesseur à la tête du Grand Musée s'était rendu aux Etats-Unis, auprès d'un collectionneur particulièrement grossier à force de se croire original. Cet homme était d'une vanité et d'une ostentation insupportables – tout le contraire du dernier possesseur de *L'Origine du monde*. La collection de cet Américain était d'un haut niveau car il s'était payé les meilleurs conseillers pour la constituer, ainsi que les premiers architectes du pays pour la mettre en valeur. Pouvez-vous imaginer qu'un particulier *ose* étaler des tableaux tellement remarquables que je ne vous en ferai pas le détail !... à part la plus vaniteuse, la plus vulgaire mise en lumière des trois plus beaux Monet qu'il soit possible de voir. Quand je vous dirai comment ces Monet étaient exposés... et quels étaient ces Monet, vous me répondrez que c'était peut-être une vaniteuse mais sûrement aussi une bien originale façon de mettre en relief ces œuvres en sa possession. Imaginez la chambre à coucher de ce Texan : sur trois murs, trois grands *Nymphéas*, parmi les plus sublimement coûteux qu'il m'ait été donné de voir... quant au quatrième mur, une baie s'ouvrant sur un étang, bien sûr couvert de véritables nymphéas en fleur ! Quoi, exactement le contraire du silence et de l'ombre qu'imposent de tels tableaux !

— Rien de ce que vous me racontez là ne m'étonne, avait dit Bergamme, et je me doute de quel riche Texan vous parlez. Beaucoup d'anecdotes ont circulé à propos de cet homme évidemment trop américain pour posséder sans ostentation des œuvres de ce niveau. On dit même qu'à l'époque, du vivant de Calder, il aurait commandé à cet artiste un grand *stabile* pour son parc...

— En effet, on raconte qu'il aurait fait venir Calder dans le but de lui montrer l'emplacement de cette future œuvre, c'est bien cela ?...

— Exactement...

— ... et lui aurait dit : «J'espère que vous ne voyez aucun inconvénient à ce que votre sculpture soit réalisée entièrement en or ? – Aucun, aurait répondu Calder, puisque de toute façon je peins *tous mes stabiles en noir*.» Ce mot est célèbre, il vaut par lui-même sans qu'il soit nécessairement véridique car c'est Calder qui l'aurait paraît-il répandu, ce qui laisserait penser qu'il l'a inventé comme les enfants inventent leurs histoires idéales."

"Savez-vous pourquoi ce collectionneur avait convoqué le prédécesseur de Gerbraun à la tête du Grand Musée ? m'avait dit Bergamme en changeant difficilement de position sur son grabat. Il l'avait prié de venir car il voulait qu'après sa mort on fasse disparaître *ses* trois Monet avec lui au crématoire. En plus de ce conservateur du Grand Musée, il avait convoqué plusieurs juristes, d'autres conservateurs de musée, des critiques ainsi que pas mal de journalistes auxquels il avait annoncé son intention de rédiger un testament destiné à soustraire définitivement à l'humanité *ses* trois *Nymphéas*. Quoi de plus naturel, avait péniblement poursuivi Bergamme, geignant de douleur et cherchant une meilleure position dans son lit en désordre, oui, quoi de plus naturel... on crève et le monde doit s'effacer avec vous ! Je trouve, aujourd'hui plus que jamais, tout à fait savoureux que l'on fasse disparaître avec soi des œuvres n'appartenant plus à personne puisqu'elles sont fatalement destinées un jour ou l'autre à être elles aussi exclues de leur unicité. Alors on meurt... et les œuvres *uniques* avec vous qui les avez possédées... à condition qu'à la sortie il y ait Résurrection, donc quelque chose ressemblant à l'idée que nous nous faisons de Dieu – c'est-à-dire que toute œuvre faisant croire à une possible transcendance ne relève plus des hommes mais de Celui qui aura le courage d'être Dieu... Bien sûr, avait ajouté Bergamme, vous ne pouvez accepter qu'un autre que Dieu soit Dieu, effectivement... c'est en ces termes que j'avais répondu à Gerbraun alors que nous nous trouvions dans les combles du Grand Musée. Et j'avais ajouté : «Ne serait-il pas savoureux d'emporter dans mon Ciel *L'Origine du monde*, si j'arrivais à soustraire cette œuvre à votre programme de duplications criminelles, comme je l'ai fait déjà du *Chemin de Sèvres* de Corot ?»"

En prononçant ces paroles, m'avait avoué Bergamme pendant ma visite, il s'attendait que le conservateur Gerbraun réagît, mais au contraire celui-ci était resté un moment pensif et avait dit avec un sérieux qui avait étonné Bergamme :

"En effet, ne serait-il pas plaisant d'emporter avec soi un bien qui ne vous appartient pas ? Et je comprends ce collectionneur texan qui s'est battu jusqu'à sa mort pour anéantir avec lui ses trois *Nymphéas*.

— Sans y réussir ? avait interrogé Bergamme.

— Secret ! lui avait répondu Gerbraun, le dévisageant, la tête un peu penchée. Pourtant reconnaissez que là est la question : A qui appartient ce que l'on nomme La Beauté ? A celui qui la contemple ? A celui qui s'en rend possesseur ? Ou alors reste-t-elle le bien de son créateur, même si son créateur est mort, depuis longtemps «retourné à Dieu», comme on dit naïvement, puisque croire, puisque avoir la foi dans l'universelle transcendance des œuvres d'art n'est-ce pas reconnaître que là, dans ces œuvres prétendument *surhumaines*, se trouverait la preuve de Dieu et de notre essence quasi divine ?"

Arrivé au bout d'un long couloir, Gerbraun
s'était arrêté :

"Vous voyez cet homme assis dans ce petit
bureau pas plus grand qu'un placard éclairé
par un vasistas ? c'est notre commissaire en
chef ; il se nomme Quevedo, Ernesto Quevedo.
Sachez que sous la table où sont alignés les
appareils de vidéosurveillance, se cache un
gros chien quasi humain que nous faisons tous
semblant d'ignorer – car en principe les chiens
sont interdits dans nos musées, et, bien sûr,
davantage encore dans ces combles où sont
entassées des œuvres déjà en bien mauvais état.
Cette bête, comiquement nommée M. Bull, et
dont l'histoire vous ferait mourir de rire, est
munie d'un stimulateur cardiaque classique tel
que nous pourrions en porter, vous ou moi.
A en croire Quevedo, M. Bull lui «parlerait»,
ayant subi certaines manipulations chirurgi-
cales restées mystérieuses… si ce n'est louches,
et dont Quevedo se refuse obstinément à
dévoiler le comment et le pourquoi. De plus,
dans un coin de ce petit bureau, derrière la
chaise du commissaire Quevedo, est roulée
une paillasse… et, malgré les risques d'incendie, je sais qu'il dissimule aussi un petit Primus
à pétrole… que nous faisons également tous

semblant d'ignorer. En fait, cet homme campe, clandestinement, croit-il, dans son bureau sous les combles, en ne cessant de ressasser avec une volupté maladive toutes sortes d'étranges événements qui lui seraient arrivés, «et qui ne peuvent arriver qu'à un type de ma sorte», répète-t-il, comme pour faire excuser qu'un type d'une telle insignifiance puisse se trouver dans des situations d'une originalité très au-dessus de ses moyens. Cet Ernesto Quevedo vous affirmera être poursuivi par une déveine absolument unique – tout au moins il le pré-tend, et s'en vante avec une bizarre volupté. «Une déveine compliquée, obsédante et qui ne me lâche pas depuis des années», dit-il presque trop fort pour attirer l'attention sur lui. «Il est normal qu'une nouvelle calamité me soit tom-bée dessus, au point que j'en ris jusque dans mon sommeil.» Voilà ce qu'il m'a dit dernière-ment, avait poursuivi Gerbraun tout en tenant toujours solidement Bergamme par le bras comme pour le retenir d'avancer. Cet homme m'importune avec ses calamités délectables, mais cependant il s'arrange, on ne sait par quel charme, pour vous retenir le temps de vous mettre au courant. Ce qui est épuisant, c'est qu'en général ses «malheurs» sont malgré lui comiques... et me font mourir de rire. A croire qu'il en invente sans cesse pour détourner mon attention de cette paillasse roulée derrière sa chaise ainsi que de M. Bull... ou comme s'il craignait d'être vraiment lui-même ou de ne pas l'être assez... car, il faut bien le reconnaître, ce Quevedo, bien que commissaire en chef, est parfaitement inexistant à tel point que son gros chien, qu'il dissimule sous son bureau, semble exister plus que lui."

Comme Bergamme s'impatientait, Gerbraun avait resserré son étreinte, le retenant dans l'ombre :

"Ne bougeons toujours pas, avait-il continué, vous devez savoir que si vous vous obstinez à provoquer du scandale dans la salle Gustave Courbet, ce sera dorénavant au commissaire Quevedo que vous aurez affaire. Il se trouve qu'avant de déménager clandestinement dans ce petit bureau sous les combles de notre musée Quevedo vivait dans une banlieue où, on ne sait comment, persistent encore des sortes de lambeaux de nature en souvenir de la campagne depuis longtemps disparue. Oh, presque rien, mais quand même un peu de terre et d'herbe, quelques rosiers parmi les orties, un ou deux arbres… et surtout la possibilité, pour ceux qui ont la chance de vivre sur ces jardinets, d'avoir un chien. Car ce commissaire en chef, que vous voyez en ce moment faire semblant d'être accaparé par ses écrans de surveillance, a une véritable adoration pour son M. Bull, un bizarre bâtard de bull et de dogue… ou quelque chose comme ça… qu'il a réussi à introduire ici en cachette, croit-il, alors qu'en réalité, comme je vous l'ai dit, ce n'est un secret pour personne que dans les combles du Grand Musée, la nuit, le commissaire Ernesto Quevedo promène silencieusement un gros chien, le laissant pisser un peu partout… Vous avez compris, Bergamme, tenez-vous pour prévenu, avait ajouté Gerbraun, et n'allez surtout pas vous introduire de nuit dans notre musée pour mettre à exécution votre ridicule projet car M. Bull pourrait vous en faire voir de toutes les couleurs, comme on dit.

— Oh, lui avait répondu Bergamme en riant, quand je déciderai de passer à l'action, c'est en plein jour et au milieu de la foule des visiteurs que je décrocherai *L'Origine du monde*, la découperai au cutter et l'emporterai soigneusement roulée sous mon bras. Ce n'est évidemment pas un chien qui m'en empêchera.

— Eh bien, je vous en défie, continuait à plaisanter le conservateur Gerbraun, montrant combien peu il prenait au sérieux Bergamme et son ridicule projet. Donc, avait-il poursuivi, notre commissaire en chef Quevedo laissait à longueur de journées son gros M. Bull dans le petit bout de jardin dont il avait la jouissance... *pour moitié avec la propriétaire*. Là serait la source de la dernière catastrophe qui aurait jeté notre Ernesto dans un état de dépression à la fois comique et, à l'en croire, désespéré.

— Tout ce que vous me racontez de cet homme me plaît, avait dit Bergamme. Et alors ?

— Et alors ? Voilà les faits : ce pauvre Quevedo a donc un gros chien ; sa vieille propriétaire, elle, en a un tout petit mais très hargneux ; ce qu'on appelle un roquet, qu'elle adore, évidemment. Les deux chiens se haïssent, ça va de soi, provoquant des tensions et des haines partisanes entre notre commissaire en chef et sa vieille propriétaire – qui de plus est bigote et affiliée à une secte millénariste. Un soir, en rentrant du musée, «bien déprimé déjà», avait dit Quevedo, que voit-il ? Son chien accourir au-devant de lui, tenant dans sa gueule le cadavre horriblement souillé, presque méconnaissable, du petit chien de sa propriétaire. Rien ne pouvait arriver de plus déprimant et de catastrophiquement jubilatoire à cet homme qui se dit, avec tant de délectation, poursuivi par la déveine. Prenant les plus grandes précautions, il réussit à desserrer les mâchoires de M. Bull... et à récupérer le petit cadavre sali de terre... qu'il se met en devoir de laver, de sécher au sèche-cheveux, pour le rendre autant que possible présentable. Sans faire de bruit, il traverse le jardin et dépose la petite bête, apparemment endormie, bien remise à neuf et bien peignée, sur le seuil de son irascible propriétaire... Et il va se coucher, épuisé par une telle émotion. Mais voilà que le lendemain matin la vieille accourt chez lui, non seulement en larmes mais avec une expression d'effroi insensé : «J'ai trouvé ma chère petite bête *sur le paillasson, devant ma porte, c'est affreux* !» Comme ce pauvre Ernesto s'efforçait d'avoir l'air surpris, elle avait ajouté : «Mais comprenez-moi, cela fait deux jours que mon petit chien est mort, et que je l'ai enterré de mes propres mains au fond du jardin !»

— Mais c'est trop merveilleux, s'était exclamé Bergamme.

— N'est-ce pas ? N'y a-t-il pas de quoi mourir de rire ? avait dit, en riant aux larmes, Gerbraun. Il n'arrive que des catastrophes de cette sorte à notre commissaire en chef Ernesto Quevedo. Et ce n'est là qu'un exemple «des malheurs comiques et jubilatoires», comme il le dit lui-même, qui le frappent sans cesse. Persuadé d'être en faute, et heureux je vous assure de se sentir coupable, il va jusqu'à faire la toilette funèbre d'un petit chien mort que son propre chien a été déterrer au fond du jardin... et c'est avec des larmes de rire qu'il courra vous raconter ses déboires sans vous passer le moindre détail évidemment. «Il est normal qu'une telle catastrophe m'arrive à moi», voilà ce qu'il vous dira ! «Oui, quoi que je fasse et où que je sois, ma présence ne peut qu'être la cause d'un nombre incalculable de malentendus.» Je suis obligé de convenir, avait poursuivi Gerbraun, que tous nos commissaires et même nos gardiens sont malades... comme sont encore plus malades les conservateurs et, à un degré inquiétant, tous les responsables de nos musées, moi y compris, évidemment. Sauf que plus vous vous élevez dans la hiérarchie, plus vous avez affaire à de grands détraqués, à de véritables cas de «pathologie muséeuse»... et je puis vous assurer qu'être conservateur en chef d'un musée de réputation internationale demande beaucoup de caractère afin de surmonter la continuelle dépression qui vous accable et vous écrase par le contact permanent avec des chefs-d'œuvre... qui en fait, pour moi, finissent par ne plus en être à force de les voir de trop près et de les étudier pour en réussir au plus vite la duplication parfaite. Je ne peux croire, par exemple, que les hauts dignitaires de quelque Eglise que ce soit attachent le moindre crédit aux Dogmes et à La Lettre des Cultes dont ils sont non seulement les garants mais aussi les officiants au plus haut niveau. Ils ne croient évidemment pas plus en Dieu que moi, le conservateur responsable du Grand Musée, je ne crois à la transcendance des œuvres qu'il me faut faire semblant de conserver et d'aimer.

— Je vous comprends parfaitement, l'avait interrompu Bergamme. Moi-même les quelques œuvres de maîtres que j'ai réussi à réunir dans ma mansarde, plus je les observe, plus elles me sont familières et moins j'ai de respect pour elles... jusqu'à éprouver un irrésistible désir de les retoucher... De plus, maintenant que je connais vos projets d'annulation par excès de conservation, je ne peux que me féliciter d'avoir en quelque sorte «continué» les tableaux que par chance j'ai réussi à sortir de vos musées… Comme *Le Chemin de Sèvres* de Corot, par exemple…"

Au moment où Bergamme allait une nouvelle fois commettre l'imprudence d'avouer que c'était bien lui le voleur du fameux *Chemin de Sèvres*, Gerbraun l'avait arrêté. Le tirant un peu plus dans l'ombre, il avait désigné le commissaire en chef Quevedo, qui s'agitait toujours dans son petit bureau au bout du couloir.

"Vu d'ici, cet homme ne vous semble-t-il pas un peu fou ? Il remue les bras et parle tout seul… quand en réalité il s'adresse à son malheureux M. Bull qu'il tient, comme je vous l'ai dit, strictement dissimulé sous la table.

— Savez-vous, l'avait interrompu Bergamme, pour ce qui est du *Chemin de Sèvres*…

— Chut ! Voyez comme notre Quevedo semble à bout de nerfs. Je suis sûr que son chien ne cesse de geindre et de tirer sur sa chaîne… quand Quevedo vous prétendra qu'ils parlent ensemble exactement comme le feraient deux hommes. C'est intolérable, c'est absolument intolérable que ce type enfreigne sans se gêner tous les règlements. Nous ne pouvons fermer les yeux plus longtemps !"

S'avançant jusqu'au bureau du commissaire en chef, Gerbraun avait frappé quelques coups timides sur la vitre :

"Voilà, mon cher Ernesto, je vous amène ce petit homme qui depuis quelque temps fait tout ce boucan dans la salle Gustave Courbet. Bien que ses propos semblent au premier abord

incohérents, ses arguments m'ont paru justifiés pour la plupart. Je ne vous cache pas que j'ai presque pris du plaisir à l'entendre… et qu'il a réussi à ébranler quelques-unes de mes convictions. Bon ! Maintenant je dois m'absenter pour accueillir une nouvelle stagiaire… Ensuite il me faudra passer par nos ateliers où se poursuivent en ce moment des essais de duplication sur des œuvres moribondes… Essayez, mon cher Quevedo, de faire comprendre à notre perturbateur combien surhumaine est notre tâche !"
Et Gerbraun avait rapidement disparu au bout du couloir, laissant Bergamme seul avec le commissaire en chef Ernesto Quevedo.

V

"Voilà comment, grâce à cette petite taille qui loin de me handicaper me permettait de traverser les foules et d'emporter, on pourrait dire quasiment sans être vu, les tableaux tristement cloués aux murs et qui de ce fait sollicitaient mes soins, j'avais réussi à passer derrière les cimaises du Grand Musée. Bien sûr, sans le caractère capricieux et cyclothymique de son conservateur en chef Gerbraun je n'aurais jamais pu pénétrer, et surtout par la suite circuler librement, dans cette forteresse des Arts anciens et modernes", m'avait dit Bergamme pendant l'une de mes nombreuses visites dans l'affreuse cellule où il était destiné à terminer ses jours. Il parlait les yeux continuellement fermés comme s'il s'adressait à une personne neutre qui se serait en quelque sorte tenue fixement à l'intérieur de lui. Déplaçant de temps en temps les hanches il faisait une grimace de douleur, semblant rire en lui-même de l'horreur insondable de sa condition de grand brûlé condamné à ne plus jamais sortir de son lit pas plus que de cette cellule. A un moment il avait dit : "Ah, ce Quevedo et son chien !" Et le visage mal rasé de Bergamme avait pris, pendant un court instant, une expression enfantine et douce que je ne lui avais encore jamais vue. "Quel merveilleux type ce commissaire en chef Quevedo ! Dommage *qu'on* l'ait suicidé ainsi que son chien !" continuait à chuchoter Bergamme que j'écoutais, tendu vers lui, recueillant difficilement sa parole hachée, par moments gutturale et par moments presque inaudible car il lui manquait la plupart des dents de devant, si bien que ses lèvres ne trouvaient pas l'appui nécessaire pour articuler correctement certains mots. "Désignant les écrans de surveillance, le commissaire Quevedo m'avait dit, continuait Bergamme : «Cela fait un moment que j'assiste à vos extravagances, sans parler des rapports quotidiens que nos vigiles déposent sur mon bureau. Pourquoi toujours dans la salle Courbet ? Pourquoi pas ailleurs ?» Il m'avait parlé sur un ton gentiment découragé, comme pour s'excuser de devoir me faire le reproche de déranger l'ordre et le silence du Grand Musée, avait continué Bergamme. A peine avais-je prononcé le nom du tableau de Gustave Courbet, ajoutant, d'ailleurs sans attendre : «Mon but est de m'en emparer pour le faire disparaître peu à peu par un travail *d'inachèvement prolongé*», qu'au lieu de s'en étonner le commissaire Quevedo s'était empressé, avec une aimable ironie, de me donner raison. «Ce tableau, m'avait-il confié, est une catastrophe pour notre musée. Depuis qu'il occupe l'espace Courbet, les entrées ont pour le moins doublé, et la salle ne désemplit pas. Justement, je disais au conservateur Gerbraun : "L'affluence est telle devant cette *Origine du monde* que nos caméras deviennent inutiles."» Et Quevedo avait ajouté, continuait Bergamme avec quelques gloussements de rire intérieur : «N'importe qui pourrait nous décrocher ce tableau et l'emporter, que nos caméras, aveuglées par la densité inouïe de la foule, ne nous le diraient pas. Et, comme je suis un homme poursuivi par la déveine, en tant que commissaire en chef je serais proprement déshonoré. – Allons, allons, m'a répondu Gerbraun, continuait Quevedo, comment voulez-vous qu'un tableau de cette taille sorte de notre musée sans que nul ne s'en aperçoive ? – Et *Le Chemin de Sèvres* ? Envolé du Louvre, en plein midi, qu'en dites-vous ?» D'entendre de telles paroles, avait conclu Bergamme, provoqua en moi un choc si violent que j'en avais vacillé."

Quoique très agité intérieurement, Bergamme s'était efforcé de ne rien en laisser paraître. "Mais *Le Chemin de Sèvres*, c'est moi ! avait-il envie de crier, ce tableau est chez moi, dans ma mansarde ! J'ai aussi un La Tour, et un horrible petit Degas, et aussi un Manet… ainsi qu'un Van Gogh dérobé à Amsterdam, sans parler de plusieurs grands maîtres contemporains plus que médiocres que j'ai emportés presque sans m'en apercevoir de différents musées d'Art moderne !" Bien que tenté, m'avait raconté Bergamme, il se retenait de toutes ses forces : "Non, non, se disait-il, tu ne dois pas révéler ce qui fait ton orgueil d'artiste… *continuateur-inacheveur*, ce qui fait ta raison d'être, ce qui fait de toi *celui que toutes les brigades des fraudes artistiques recherchent*. Tu dois t'acharner dans ta mission puisque tu as le don de passer à travers les murs des musées les mieux surveillés. Puisque rien n'est plus simple pour toi que de décrocher, de découper et d'emporter un tableau, pour ainsi dire à vue, pourquoi t'en priverais-tu ?" Pour *Le Chemin de Sèvres*, m'avait encore dit Bergamme, il lui avait même fallu repousser les gens à coups de coude pour agir sans abîmer la toile qu'il avait roulée délicatement et gardée à la main jusqu'à la sortie. "J'ai toujours agi avec un parfait naturel, m'avait avoué une autre fois Bergamme, et aussi avec la conviction que ces foules, qui depuis quelques années ont envahi les musées, sont aveugles dès qu'elles se trouvent devant des tableaux. Les gens croient regarder quand, en fait, dès qu'il y a peinture ils se placent, on pourrait dire, à côté de leur conscience, comprenez-moi, ou si vous préférez en état de somnambulisme éveillé. Ecrivez, écrivez cela, tel que je viens de vous le dire, mot pour mot ! Avez-vous essayé de pousser un cri dans un musée ? Brusquement, comme ça : RAOUH !, brisant d'un coup le silence. Au sursaut des gens, vous vous rendriez compte à quel point la déambulation muséeuse ressemble à une hypnose." C'est ce que m'avait dit Bergamme pendant une de mes visites dans cette clinique-prison où il se tenait allongé des jours entiers à souffrir et à ne rien faire…

Quelque temps après avoir introduit pour la première fois Bergamme dans les coulisses du Grand Musée, Gerbraun avait dit à Quevedo :
"Si jamais ce petit homme, ce nain presque aussi comique que vous, mon cher Ernesto, revient faire du tapage, chargez nos gardiens de le fouiller bien à fond pour s'assurer qu'il ne dissimule pas sur lui des sprays de colorants ou d'acide… ou, ce qui pourrait avoir des conséquences plus graves encore, quelque arme tranchante."
Et donc, un peu plus tard, quand les gardiens avaient de nouveau intercepté Bergamme à

l'entrée de la salle Gustave Courbet, selon les instructions de Gerbraun, ils l'avaient aussitôt conduit chez le commissaire en chef Quevedo.

"Jurez-moi que vous n'avez pas de spray ni d'outil tranchant sur vous, lui avait-il dit, d'une voix douce et amicale.

— Non non, pas de spray, lui avait répondu Bergamme en riant. Mais mon cutter est là, glissé dans ma chaussette.

— Alors remettez-le-moi", avait dit Quevedo, tendant la main.

Bergamme le lui avait donné sans faire d'histoires.

"De toute façon, je ne découperai pas *L'Origine du monde*, je l'emporterai au vu de tous, sans que personne n'ait l'idée de m'en empêcher.

— Eh bien, je vous l'avoue franchement, si je n'étais le commissaire en chef responsable de la salle Gustave Courbet, je vous donnerais volontiers un coup de main... ou tout au moins je fermerais les yeux avec joie car ce tableau n'est pas un tableau mais un fétiche sexuel peut-être séduisant mais avouez-le sans grand intérêt...

— Non, non pas séduisant, avait crié Bergamme de sa voix grêle, mais... *réduisant* La Femme à sa plus simple fonction. Par ce sexe de femme, faussement nommé *L'Origine du monde*, par cette fragmentation provocatrice, par cette volonté d'isoler ce sexe de l'ensemble du corps humain, Courbet a réussi à permuter d'une manière radicale *Origine* en *Fin du monde*, ouvrant innocemment la voie à toute la peinture chirurgicale qui caractérise notre époque – oui, ce siècle épouvantable au cours duquel le corps humain, au préalable désacralisé par ses artistes, a été l'objet de toutes les mutilations et de toutes les expériences… pour finir en entassements de cadavres par millions dans ces immenses charniers, compléments des chambres à gaz et des camps de torture.

— Vous croyez vraiment, avait dit Quevedo, s'empêchant de laisser paraître le malaise que lui procurait la force d'émotion avec laquelle Bergamme venait de crier ces terribles paroles, vous croyez vraiment que l'irrespect des artistes envers la figure humaine… était… était criminel ?

— Innocemment criminel, ça, je le crois ! Comprenez qu'avec l'intrusion du portrait photographique dans la figuration… ou si vous préférez ce moyen de saisir sur le vif et de figer la trace que laisse la figure humaine sans plus passer par la pensée mais en faisant confiance à l'objectif de ces appareils à piéger la lumière, oui, avec le déficit d'imaginaire que la photographie impose à notre *vision* de la figure humaine, il était presque fatal qu'en réaction les artistes s'emparent de cette figure humaine non plus comme sujet, disons *habité*, mais comme objet sur lequel toutes les distorsions devenaient permises pour exprimer leurs angoisses métaphysiques *personnelles*…

— Vous voulez dire qu'abandonnant aux machines photographiques la fonction de rendre l'aspect prétendument objectif du sujet l'artiste aurait pris la liberté de mutiler la figure… la face humaine ?… Faisant donc la preuve qu'en interdisant la figuration du visage humain les fondateurs des croyances monothéistes auraient prévu…

— Exactement, avaient prévu la fatalité d'une telle dérive, avait poursuivi Bergamme, et qu'un jour, en effet, les artistes ne *représenteraient* plus la face humaine mais se permettraient de la *présenter* déconstruite et outragée, prouvant, par cette déconstruction, ce viol et cet outrage, que La Loi immémoriale, interdisant de reproduire cette face humaine pareille à celle de Dieu, oui que cette Loi sacrée, dictée par l'Eternel, *savait* depuis l'aube des temps qu'un jour l'humanité, abandonnant toute tentation de narcissisme et d'amour d'elle-même, finirait par trouver dans ses artistes les miroirs déformants et chirurgicaux à travers lesquels elle s'affranchirait enfin de cette part de divinité qui l'obligeait à se vouloir divine. Oui, *enfin* ! par la main de ses artistes l'humanité pourrait ne plus se mentir et contempler dans ce miroir «moderne» et dégagé de tout angélisme sa face évidemment luciférienne. Alors... alors les temps de chirurgie et de destruction massive pouvaient commencer."

Voilà ce qu'avait dit... presque crié, le petit Bergamme au commissaire en chef Quevedo. Et c'était avec une émotion difficile à analyser que celui-ci l'avait écouté.

"Ce que vous dites là, Bergamme, me réconforte... et à la fois m'effraie. Sans savoir que je le pensais, je découvre que je le sentais... Oui, que je pressentais qu'un jour quelqu'un viendrait *nous* dire cette évidente vérité... Tu entends monsieur Bull... As-tu compris ce que vient de dire Bergamme ?

— Houapp !

— Ah, vous voyez, même M. Bull vous approuve. Vous n'êtes donc pas aussi seul qu'on pourrait le penser à prévoir à travers les œuvres et les comportements des artistes contemporains...

— ... quel avenir se prépare *alors que la face humaine est venue tyranniser mes rêves* – comme l'écrivait le Mangeur d'opium – et que par la destruction de cette face c'est à vrai dire l'humanité qui a *perdu la face devant elle-même... ainsi que devant Dieu.*

— J'approuve Gerbraun, avait dit Quevedo, d'avoir jugé bon de vous introduire derrière les cimaises de notre musée. Sans être vous-même conservateur ou commissaire, je vois que vous avez compris, Bergamme, de quelle ampleur est la catastrophe culturelle dans laquelle nous voilà précipités. Nous autres les gardiens obligés du patrimoine considérable qui écrase l'humanité, nous nous taisons, tout en sachant que les arts sont arrivés à bout de souffle et que maintenant la science, qui en a pris le relais, va dorénavant pousser l'humanité dans le dos pour l'expulser de cette planète... L'humanité n'a d'autre image d'elle-même aujourd'hui que celle du sauve-qui-peut vers... non pas une idéalisation de ce qu'elle pourrait être mais vers celle d'*un lieu autre* où se fuir, disons même plutôt vers un système planétaire autre, neuf et insouillé par ses déjections. Moi-même, tel que vous me voyez je suis à l'image de cette humanité... Ma vie n'est que catastrophe, catastrophe et fuite... Ah, si je pouvais repasser par *l'origine du monde* pour déboucher dans une nouvelle dimension, oui, dans un monde autre !

— Moi aussi, pourquoi croyez-vous que je dérobe des tableaux dans les musées ?... Depuis que je vis quotidiennement en intimité avec certaines œuvres de maîtres anciens, j'ai fini par comprendre que ce n'étaient pas des œuvres de délectation mais les symptômes morbides d'une profonde pathologie obsessionnelle «d'invention de l'avenir» qui aurait affecté l'humanité depuis l'aube de toute pensée. Oui, à force *d'inachever* ces œuvres dérobées, j'ai compris que la représentation n'a jamais rendu compte du présent réel mais d'une tension vers *ce que cela pourrait être*. Il suffit de savoir lire les tableaux, pour comprendre qu'à aucun moment les grands peintres n'ont cherché à «photographier» leur temps présent mais qu'au contraire, maladivement, ils créaient l'Homme et ce qui l'environne, tel qu'il était souhaitable, selon eux, qu'ils deviennent. Tous ont été plus ou moins les visionnaires d'un homme souhaitable pour un souhaitable avenir. Ces tableaux qui encombrent catastrophiquement les innombrables musées de la planète ne représentent en aucun cas un univers passé... mais la projection artistique de leur «face» que se faisaient les hommes. Voilà ce que depuis que je vis en intimité dans mon étroite mansarde avec des œuvres rares j'ai compris en les *poursuivant et les inachevant*. Leurs repentirs «parlent» et laissent lire dans les sous-couches quelle sorte d'humanité rêvaient les artistes d'hier... et, avant tout, de quelle lente continuité devait peu à peu s'édifier cet avenir humain... Mais voilà, l'invention de l'appareil photographique a brisé à tout jamais cette *continuité*... au contraire du tableau qui, lui, n'a jamais «cadré» mais *composé*, comprenez-vous ? L'œil humain voit tout, panoramiquement comme l'œil de la mouche, sans discontinuité, presque jusque derrière la tête... alors que l'appareil photographique parcellise l'espace sans craindre de couper... de découper... de mutiler au besoin...

— C'est bien cela ! s'était exclamé Quevedo, je n'avais jamais pensé qu'en effet l'œil de la machine nous avait plongés dans la discontinuité, qu'il nous avait fait voir des brisures de réel au lieu du réel...

— Exactement, avait poursuivi Bergamme avec exaltation, là où l'artiste peintre – permettez-moi quand même ce terme dévalorisé –, là où celui qui œuvrait le tableau *composait*, celui qui photographie, lui, *décompose* le réel en images discontinues, coupant les bras les jambes ou les têtes… autorisant pour finir la dislocation du corps humain, oui, de ce corps sacré ! en autant de fragments que l'objectif en décide… pour finir par isoler *l'origine du monde*… que Courbet, lui, n'a fait que copier d'après la photographie qu'il en avait réalisée au préalable. Donc vous devez comprendre, Quevedo, pourquoi personnellement j'ai réussi à m'introduire dans votre Grand Musée… et pourquoi je vais dérober devant tout le monde *L'Origine du monde*…

— Mais je ne suis pas opposé à votre souhait de nous débarrasser de cette œuvre que je trouve non seulement médiocre et nullement soumise au rêve de l'artiste mais, comme vous le dites, cadrée et extraite sans véritable art d'une quelconque chambre noire… et qu'avec sa grossièreté paysanne et bien masculine Courbet n'a eu qu'à reproduire servilement.

— Pourtant, avait presque crié Bergamme, cela ne vous empêchera pas, d'après ce que m'a confié Gerbraun, de dupliquer cette *Origine du monde* !

— Ainsi l'anéantirons-nous en la sortant de son unicité…

— Vous voulez dire que vous liquiderez ce tableau ?…

— Sans le moindre scrupule ! Justement, avait dit Quevedo, Gerbraun me confiait hier : «En tant que conservateur en chef de ce musée je peux vous assurer que je n'ai de réelle admiration pour aucune des œuvres dont je suis pourtant le dépositaire. De scruter scientifiquement une œuvre vous la fait prendre en… j'hésite à employer le mot haine… mais, hélas, c'est pourtant bien cela !» Oui, voilà ce que m'a confié hier Gerbraun, avait encore dit Quevedo. «Au moins les vigiles et les gardiens de nos musées, ceux qui n'ont aucun pouvoir effectif sur les œuvres qu'ils gardiennent, eux, peuvent les défendre à coups de revolver, au besoin, tandis que nous autres commissaires ou conservateurs nous en sommes réduits à les haïr car à vrai dire elles ne témoignent que du mal-être de l'humanité. A force de déplacer, de restaurer et de finir par dupliquer ces sortes de déchets artistiques que sont ces œuvres épuisées, qui de plus nous parviennent mangées de champignons, d'encroûtements parasites, je peux vous assurer que toute admiration s'évanouit devant l'atroce réalité de ces peintures qui ne sont plus en rien originales et originelles tant elles ont été violées et remaquillées, tant elles ont été commentées avec plus de haine que d'amour par des générations d'historiens de l'art, et mises sous clé par des générations de conservateurs, commissaires et gardiens qui en ont eu la charge répugnée. Nos musées sont plus désespérants qu'une Eglise sans Dieu. Nos musées sont plus déprimants qu'un hôpital jonché de grands opérés hâtivement recousus. Nos musées sont pires que des unités pour grands brûlés.» Voilà ce que m'a expliqué, hier, Gerbraun", avait dit à Bergamme le commissaire en chef Quevedo. Soudain il avait crié : "Tais-toi !", se penchant sous son bureau où Bergamme l'entendit distribuer quelques taloches. "Voyez vous-même comme mon chien est un chien merveilleux. Je vous assure, il ne lui manque rien pour être un homme. C'est très secrètement que je l'ai introduit dans ces combles. Il s'énerve de devoir rester immobile, et ne cesse de geindre, chuchotant des trucs mais je n'ai pas d'autre solution que de le garder ici, auprès de moi. Avouez qu'il occupe bien peu de place sous mon bureau, vu sa taille remarquable. N'ayez pas peur de le caresser ; il gronde toujours un peu comme pour se persuader qu'il pourrait être méchant mais en réalité il est très doux et obéissant." Jetant des regards inquiets autour de lui, le commissaire Quevedo avait continué en baissant la voix : "Figurez-vous, Bergamme, que cela va faire quinze jours que nous en sommes réduits, M. Bull et moi, à camper clandestinement dans ce bureau. Pour un commissaire en chef, c'est plutôt humiliant d'avoir à se cacher non seulement de ses supérieurs mais de ses subalternes aussi. Nous sommes, tous les deux, provisoirement sans domicile depuis qu'une petite chienne irascible nous a plongés dans cette ridicule situation. «Pas d'histoires, avais-je mis en garde Bull au moment de notre installation en banlieue. Nous avons un bout de jardin, une pelouse, des arbres, laisse aboyer !» La propriétaire m'avait menacé : «Monsieur Quevedo, que votre chien ne tourne pas autour de Fifille, compris ? – De toute façon, lui avais-je répondu, ils ne sont pas de taille, votre petite ne risque rien.» Je me trompais. Voilà que par une chaude soirée de juin, entendant de drôles de bruits dans le jardin, je sors et c'est avec horreur que je découvre M. Bull et Fifille accouplés dans l'ombre. «Une petite épagneul papillon et un boxer, ça ne se peut pas vu l'immense différence de taille», m'avait assuré le vétérinaire quand je lui avais posé la question.

Eh bien la chose se peut ! Je l'ai vue de mes yeux ! M. Bull et Fifille étaient bien là, impossibles à séparer, Fifille marchant sur les pattes de devant, soulevée, suspendue par l'arrière-train sous le ventre de M. Bull, un peu comme quand les gosses jouent à la brouette. Je n'ai jamais pu comprendre, vu la différence de taille, comment ils avaient réussi à abolir l'immense barrière qui les séparait ? En tout cas, l'impossible avait bien eu lieu… Ah, voilà le conservateur Gerbraun. Pas un mot de cela devant lui, je vous en supplie !"

VI

"Je reviens des ateliers de restauration et de préparation au duplicata final, avait dit Gerbraun en surgissant dans le bureau de Quevedo. Là-bas j'ai entrevu Roberta. Elle aussi reconnaît être, comme je le suis moi-même, profondément découragée par l'ampleur de la tâche qui nous attend tous. Qu'un conservateur historien de l'art n'ait jamais caché sa lassitude et son dégoût de se trouver plongé dans ce monceau inouï d'œuvres en continuelle réanimation, quoi de plus naturel ? Mais qu'une jeune femme de la force vitale de Roberta, qui jusqu'à présent a si intelligemment dirigé les équipes de préparation à la *duplication totale* des œuvres, soit elle aussi sur le point d'être déprimée aurait de quoi vous décourager doublement. «Pourtant, lui ai-je dit, notre tâche devrait nous exalter : non seulement nous préservons les œuvres d'une fatale disparition mais de plus nous les rendons omni-présentes en les dégageant de leur *unicité* si fragilisante. Ne les voilà pas prêtes à être répandues partout dans leur "réalité" de représentation et aussi d'objet-peinture tenant compte du support, de son épaisseur, de son poids spécifique… et même de cette odeur si particulière aux choses ancienne ayant subi l'enfermement durant des siècles ? Jusqu'à présent, ai-je dit encore à Roberta, nous avons vécu une répugnante inflation d'images qui ne ressemblaient que trop aux originaux sans toutefois leur ressembler par le format, le grain ou la présence. Il n'était donc nullement étonnant de voir les conservateurs commissaires restaurateurs ou gardiens de musées tomber dans de graves dépressions... quand on songe à quel point la planète se trouve submergée par ces images photographiques dégradées que l'on ne cesse d'extorquer aux œuvres ! Jusqu'à ce que nos machines de *duplication totale* deviennent opérationnelles nous... et vous surtout, Roberta... nous ne ferons tous encore que torturer les tableaux dans des salles pareilles à celles des hôpitaux les plus modernes. Nos équipes de restaurateurs n'en finissent plus de gratter, rentoiler, mettre sous perfusion et parfois même retoucher en quelque sorte chirurgicalement en profondeur certains tableaux avec une violence proche de la vivisection. Et voilà qu'enfin les nouvelles techniques mettent à notre disposition le moyen – une fois la restauration terminée – *de ne plus y revenir* !» Et que m'a répondu cette intéressante jeune femme ? Elle a ri : «Mais moi j'adore cet immense trafic, ce vol organisé de *l'apparence des œuvres artistiques* qui se développe sur les emballages, les T-shirts, et même par décalcomanie ou tatouage sur la peau humaine. Je regrette que nous ayons atteint ce niveau de perfection qui, en nous permettant d'annuler l'œuvre originelle, nous offre la possibilité de supprimer ce qu'elle pouvait avoir de sacré donc d'intouchable... et du même coup voilà que nous supprimons aussi évidemment ce plaisir de dégrader auquel incite tout ce qui est sacré. Oui, en nous libérant du rare et surtout de l'unique, nous débarrassons malheureusement notre quotidien de ces rappels qui à tout moment nous disent : au fond de tel musée cette œuvre existe dans son unicité... moquons-nous-en, bafouons-la ! Qu'on la retrouve tatouée ou reproduite sur les étiquettes de la consommation courante ne fait que la rendre plus distante, plus admirable dans cette unicité que nos nouvelles machines nous invitent à détruire. Je suis contre ces nouvelles machines... et en même temps je sais que nous nous devons d'accomplir, à mesure qu'il nous l'impose, *tout ce que le progrès peut contre l'ancien réel*. Bien qu'en étant les conservateurs de l'ancien réel, notre intelligence nous oblige à nous soumettre à ces nouvelles machines conçues pour effacer toute unicité... puisque tels sont les temps nouveaux que ces machines annoncent.» Voilà ce que m'a très intelligemment et très paradoxalement dit Roberta, tout à l'heure, alors que je me trouvais avec elle dans les ateliers de préparation au duplicata total des œuvres anciennes et modernes. «Soyez sincère, Roberta, lui ai-je dit, aimez-vous vraiment reconnaître une *Venere* de Titien, par exemple, sur un paquet de beurre, ou les *Femmes d'Alger* de Delacroix sur l'étiquette d'un produit de détartrage ? – Mais bien sûr, m'at-elle répondu sur ce ton de perpétuelle bonne humeur désolée qui lui est si particulier, je vous assure que c'est ça "la culture" des masses incultes.» Cette dernière phrase insupportablement provocatrice, dite sur un ton rieur et cependant légèrement amer, m'a laissé entrevoir à quel point notre Roberta est secrètement déprimée.

— Rien de plus naturel ! avait soudain crié Bergamme, qui n'en pouvait plus de se taire. Que l'excès de conservation ait fini par vous dégoûter tous des œuvres peintes, rien de plus naturel vraiment ! Moi-même je me suis toujours senti à la fois attiré et repoussé par l'abondance sans limite du grand héritage… et surtout par cette passivité admirative à laquelle ce grand héritage contraint les générations successives…"

"Alors qu'auriez-vous fait à notre place ? l'avait interrompu le commissaire Quevedo. Comment auriez-vous réagi sous un tel écrasement ?

— Sûrement pas en multipliant à l'identique les œuvres au point de ne plus pouvoir reconnaître l'authentique de sa duplication. Personnellement, ma déplorable expérience m'a démontré qu'il vaut mieux pour mon équilibre… et aussi pour les œuvres… oui, il vaut mieux qu'elles ne demeurent pas trop longtemps seules avec moi… car elles appellent… elles m'appellent… elles me provoquent… elles désirent en quelque sorte être reprises, retouchées… continuées par moi… Vous riez ? Et pourtant c'est une vérité essentielle. Rien ne doit jamais être fini… tout doit rester inachevé… en suspens… tout peut être à l'instant continué…"

"Voilà ce que j'avais répondu au commissaire Quevedo, longtemps après les événements dont je vais parler. Heureusement Quevedo ainsi que Gerbraun avaient ri, ne prenant pas au sérieux ce demi-aveu, ils avaient ri de moi, et je les avais laissés se moquer, comprenez-vous ?" avait conclu Bergamme toujours allongé sur son lit de malade.

C'était donc avec une intense jubilation que Bergamme avait assisté au découragement du commissaire et du conservateur réfugiés derrière les cimaises du Grand Musée.

Après un silence, Quevedo avait dit :

"Je partagerais presque le point de vue de Roberte qui se réjouit de voir revivre les chefs-d'œuvre de nos musées sous toutes sortes de formes inattendues, oui, revivre ! Telles ou telles œuvres qui depuis des siècles se morfondent sur nos cimaises, les voilà tout à coup dans la rue sous forme d'affiches gaies et, de plus, souvent humoristiques. Pas plus tard qu'hier, alors que j'aidais à soumettre un tableau de Théodore Rousseau à l'activation nucléaire des pigments, elle me disait : «Avouez, Quevedo, que l'immensité de connaissances auxquelles s'est ouvert notre champ d'investigation, grâce aux possibilités d'analyse et de reproduction de nos nouvelles machines, est proprement décourageante. – Oh, pour ça je suis bien d'accord avec vous, Roberte, ai-je dit. – Il faut bien le reconnaître, a-t-elle continué, que toute la peinture sans exception s'offre à vous comme un immense champ de ruines écrasant toute tentative de création qui se voudrait indépendante de ce legs culturel. Que peut un artiste d'aujourd'hui ? Refuser ce legs ou alors l'introduire ironiquement dans son œuvre sous une forme allusive. D'une façon comme d'une autre ce sera le dos tourné à l'avenir qu'il se battra pour affirmer son besoin d'art. Il peindra fatalement *contre* les œuvres si terriblement envahissantes du grand legs, et non en visionnaire d'une humanité autre, porteuse de valeurs autres, qu'il aurait pour mission intuitive de projeter vers son possible devenir. La masse immense de tableaux entassés dans ce champ de ruines dont nous sommes comptables, a poursuivi Roberte, ne conserve rien des pigments initiaux qui constituaient le corps de ces tableaux, c'est-à-dire que tout ce qui aurait le pouvoir de nous enchanter dans ces tableaux n'est que le résultat des tripotages successifs d'une masse de petits amateurs en restauration qui au cours des siècles se sont permis ces tripotages sur les œuvres des maîtres anciens... – Mais comment, Roberte, lui avais-je dit, comment pouvez-vous dénigrer le travail des restaurateurs, vous ! la restauratrice en chef de notre Grand Musée ? – Le métier de restaurateur est un métier parasite dont je suis profondément dégoûtée, m'a-t-elle répondu, et non seulement un métier parasite, mais plus qu'un métier c'est une forme de comportement répugnant à l'égard des œuvres – qu'elles soient anciennes ou modernes... oui, déjà ! figurez-vous que les modernes on les tripote aussi puisque nos contemporains, il faut bien le dire, sont des nullités pour ce qui est de la technique des enduits, des médiums et de la couleur, évidemment !» Voilà comment Roberte m'a parlé hier, pendant que nous effectuions les tests d'activation nucléaire sur le Théodore Rousseau, avait dit le commissaire en chef Quevedo.

— Je lui donne pleinement raison ! avait crié Bergamme en s'agitant exagérément tout à coup, oui, rien n'est plus vrai, comme elle l'affirme, que tout est faux dans les œuvres de vos musées. Et de ça je peux témoigner car en *continuant* les tableaux dérobés par moi, dont ma mansarde est pleine, j'ai découvert une telle quantité de repeints, de grattages et de replâtrages qu'à mon tour il m'a fallu maintes fois gratter jusqu'à la toile nue pour retrouver la trace de l'intention initiale du peintre."

"Heureusement, ce dangereux aveu n'avait eu aucune prise sur l'imagination de ces gens exclusivement occupés d'eux-mêmes, comprenez-vous ? avait dit Bergamme de sa voix tantôt grêle, tantôt chuchotante. D'ailleurs je n'ai pas encore réussi à comprendre pourquoi Gerbraun m'avait introduit dans l'envers du Grand Musée, *moi*, un inconnu manifestement «dérangé» – comme à juste titre il ne se gênait pas de le dire. Je pense que ma taille peu commune l'amusait…"

Après un silence :

"Ce qui m'a toujours étonné c'est que ces gens, experts en œuvres anciennes et modernes, étaient incapables de *reconnaître* un vrai tableau quand vous le leur mettiez sous les yeux, ainsi que j'avais eu l'imprudence de le faire par la suite. Que ce soit un Van Gogh, telle *La Meule de foin*, volé par moi à Amsterdam, ou ce fameux *Chemin de Sèvres* recherché par toutes les brigades des fraudes artistiques, ou encore mieux : ce La Tour dont le vol avait stupéfié les responsables de la sécurité des musées. Bref, croyez-moi, je me sentais rempli d'orgueil d'être *moi*, celui que toutes les polices spécialisées recherchaient… et à la fois humilié de devoir taire, *surtout auprès de ces gens du métier*, que ce «petit dérangé», qu'ils avaient introduit pour se distraire dans l'envers du Grand Musée, n'était autre que le voleur «passe-murailles» du *Chemin de Sèvres* de Corot, de *La Meule de foin* de Van Gogh, d'un Degas, de *La Jeune Fille à la bougie* de La Tour, ainsi que d'une quantité d'autres tableaux de second ordre…"

Et comme à son habitude lorsqu'il se sentait épuisé de m'avoir parlé, Bergamme s'était tourné en geignant contre le mur et n'avait plus bougé jusqu'à ce que je rassemble mes papiers et que je sorte sans bruit de sa cellule.

"Roberta aurait plutôt tendance à remettre trop facilement en question notre raison d'être, avait continué Gerbraun. Habituellement les femmes font d'excellentes conservatrices... sauf Roberta."

Entraînant Bergamme hors du bureau de Quevedo :

"Venez, je veux vous montrer l'envers affreux du monde de la conservation... ou tout au moins en partie car ni moi ni aucun des commissaires travaillant nuit et jour par équipes croisées dans ces vastes greniers n'en connaît les limites.

— Pas plus que nos gardiens !" avait lancé Quevedo, passant la tête hors de son bureau alors que Gerbraun et Bergamme s'éloignaient dans le couloir. Elevant la voix, il avait ajouté : "Demandez-leur, ils vous diront : «Oh, c'est très très grand, aussi bien par là que par là-bas...»" en faisant un geste vague comme pour souligner l'immensité effarante et quasiment sans bornes de ces combles où sont entreposées nos collections allant des premiers âges de la peinture à cette fin de «siècle exténué», comme aime à le dire Roberte.

— En effet, avait dit Gerbraun, sans cesser de s'éloigner avec Bergamme, Quevedo a parfaitement raison, nous n'avons pas encore réussi à comptabiliser la masse inouïe de peintures, de sculptures et d'objets prétendument artistiques qui nous écrase. Et, figurez-vous, Bergamme, nous y avons même renoncé définitivement, je dois vous l'avouer. Mais bien que nous soyons équipés de moyens modernes pour mémoriser ne serait-ce que nos pièces essentielles, en vue, comme je vous l'ai dit, de leur *désunification définitive*, nous sommes battus de vitesse et continuellement submergés par le monceau d'œuvres qui chaque jour se déverse sur notre échine sous forme de dations, legs et dépôts dont nous ne savons que faire. Ah, comme il serait merveilleux si tous ces gens qui meurent en nous léguant leurs collections pouvaient, ainsi qu'aurait réussi à le faire ce Texan aux trois *Nymphéas*, emporter avec eux dans le néant les chefs-d'œuvre dont ils nous accablent ! Suivez-moi par cet escalier de fer, avait ajouté Gerbraun, je veux que vous preniez conscience qu'un musée n'est *pas ce que l'on voit* mais *ce que l'on ne voit pas.* Que derrière les cimaises d'un musée comme le nôtre se dissimule toute l'histoire des apparences. Attention, baissez-vous, passons maintenant par cette sorte de tunnel que l'on croirait foré dans l'épaisseur de tableaux et «d'objets» accumulés ici avec un manque d'égards consternant... et pourtant inévitable, à tel point que cette masse d'œuvres ressemble à un tuf sédimenteux à travers lequel il aurait fallu percer des passages comme celui-ci. Ne croirait-on pas une décharge où l'on aurait jeté une somme inouïe de «choses» sans nom ? Par là-bas vous avez une quantité «d'installations» désinstallées que les commissions d'achat européennes aussi bien que nationales ne peuvent pas ne pas acquérir sous peine d'être déconsidérées si ce n'est dissoutes... et dont elles se débarrassent sur nous, toujours sur nous !... Mais allons plutôt du côté des œuvres exclusivement peintes, celles datant des siècles passés ainsi que, plus près de nous, celles datant de la première moitié de celui-ci. Ah ! nous voilà arrivés dans la salle dite de «réanimation d'urgence» qui se trouve sous la responsabilité exclusive de Roberta notre restauratrice en chef dont nous parlions tout à l'heure."

"Figurez-vous, m'avait dit Bergamme, que le conservateur m'avait arrêté à l'entrée d'une salle assez vaste occupée par des gens masqués, en blouses blanches, penchés au-dessus de nombreux tableaux posés à plat sur des tréteaux. «Ce sont les équipes dites de dernier recours, avait dit Gerbraun. Comme vous le voyez, ces techniciens accomplissent le travail sans doute le plus pénible, le plus déprimant et bien sûr le moins gratifiant de tous ceux qu'exigent ces œuvres moribondes. J'approuve leurs méthodes. Qu'avec des seringues aux aiguilles courbes ils introduisent sous les couches de peinture des produits destinés à neutraliser leur pourrissement... – Les œuvres *doivent* vieillir et mourir nor-ma-le-ment !» avais-je presque crié depuis le seuil de la salle de «réanimation d'urgence», et, croyez-moi, il m'avait fallu faire un effort de volonté inouï pour ne pas, *déjà à ce moment-là*, saisir Gerbraun à la gorge..." Voilà ce que m'avait dit Bergamme, alors qu'il se tenait, ainsi qu'à chacune de mes visites, étendu sur le dos, ses petites mains cireuses et presque transparentes levées devant lui comme s'il cherchait à accorder ses paroles à quelque vague musique qu'il aurait été le seul de nous deux à distinguer dans le silence de sa cellule. "Et maintenant, laissez-moi, je suis très fa-ti-gué", avait-il ajouté, renversant la tête sur le tas de chiffons qui lui servait d'oreiller, cependant qu'il me faisait impatiemment signe de sortir.

VII

Voyant l'état d'agitation de Bergamme, le conservateur Gerbraun l'avait entraîné plus loin, dans la partie presque inaccessible des combles.

"Prenons encore cette passerelle, avait-il dit, et montons jusqu'aux combles des combles : «les plombs», ainsi les nomme-t-on par dérision. Comme je vous l'ai déjà dit, dans ce lieu presque à l'abandon s'entassent des masses d'œuvres destinées à tomber en poussière, et qui ne seront jamais répertoriées, donc bien sûr jamais non plus passées par nos machines à désingulariser les tableaux. Ces remises dont nul ici ne connaît les limites et qui restent… et resteront définitivement en l'état, telles qu'on nous les a léguées, représentent un terrible souci pour le conservateur en chef que je suis car non seulement personne ne sait quelles sont ces œuvres condamnées à disparaître, jetées sans soin ni ordre dans une perpétuelle pénombre mais, de plus, certains de nos commissaires ainsi que de nombreux gardiens ont aménagé, entre les toiles entassées et qui tombent en lambeaux, des sortes de «niches d'amour» – ainsi les nomment-ils – où ces gens viennent se «divertir», disent-ils, en compagnie de femmes, jeunes pour la plupart, qu'ils font monter jusqu'à ces «plombs» par des passages qu'eux seuls connaissent. Parmi ces jeunes femmes se trouvent surtout des stagiaires que différentes universités, soit japonaises, soit américaines, nous envoient en fin d'études... et aussi, paraît-il, des femmes de ménage du musée que certains de nos gardiens dévoient dans de petites fêtes qui souvent finissent en orgies... Mais nous nous efforçons d'ignorer ces entorses faites au règlement. Ce qui se trafique dans ces niches – où vous pouvez distinguer des couvertures et des coussins jetés en désordre à même le sol – ne regarde pas le conservateur en chef de ce musée dont la tâche se borne à maintenir en fonction les salles d'exposition ainsi que les ateliers de «réanimation» des œuvres."

"Ce soir-là, vous pouvez l'imaginer, j'étais rentré chez moi, sérieusement accablé, m'avait dit Bergamme quand, par un jour d'hiver ensoleillé, j'étais revenu le visiter dans sa cellule où il gisait, comme d'habitude, sur son lit en désordre. Oui, croyez-moi, avait-il continué, je venais d'être sérieusement ébranlé par ce que j'avais découvert derrière les cimaises du Grand Musée. «Passez nous voir quand vous le voudrez, m'avait dit Gerbraun. Et si vous ne me trouvez pas, n'hésitez pas à vous faire conduire chez le commissaire en chef Quevedo, auquel je donnerai l'ordre de se rendre autant que possible disponible pour vous.» Pourquoi, à moi qui à plusieurs reprises avais annoncé mon intention de dérober *L'Origine du monde*, oui pourquoi m'ouvrait-on, *à moi*, les portes du Grand Musée, alors qu'au contraire on aurait dû m'en chasser avec la plus attentive sévérité ? Ce que je n'avais pas encore compris, à l'époque, c'est que le conservateur Gerbraun ainsi que ses supérieurs – auxquels il avait parlé de moi dans un rapport à l'allemande extrêmement détaillé – *souhaitaient* vivement que je dérobe ce tableau, et qu'ainsi la publicité faite autour du vol si particulier si original d'une œuvre à ce point spectaculaire profite au Grand Musée… et par la même occasion place *L'Origine du monde* à un niveau de célébrité qu'aucune autre astuce n'aurait évidemment pu lui apporter. En me laissant libre d'aller et venir, aussi bien dans les salles que dans les combles, les responsables du Grand Musée s'imaginaient, à juste raison, qu'en favorisant ma manie fatalement je trouverais le moyen de décrocher et de sortir ce tableau… Qu'est-ce que pouvait leur faire la disparition momentanée de *L'Origine du monde* puisqu'il n'en existerait plus d'original ?… car entre-temps ils se seraient arrangés pour la passer secrètement par leur machine duplicatrice. Ce qui comptait pour eux, n'était-ce pas le bruit que ferait le rapt de ce tableau ? Après tout n'était-on pas assuré de mettre rapidement la main sur le nommé Bergamme dont la taille très au-dessous de la moyenne lui permet, paraît-il, de se déplacer à travers n'importe quelle foule sans être vu ? Voilà le bruit qu'ils auraient fait courir à mon sujet ! Mais comme vous allez le voir j'ai été plus malin qu'eux !"

En geignant un peu, Bergamme avait déplacé sa hanche. "Non, non, je ne veux pas qu'on m'aide, restez à votre place et notez !… A force d'être couché, je suis couvert d'escarres et de plaies dues à mes brûlures dont la cicatrisation n'arrive pas à se faire." Et sur un ricanement il avait continué : "Ainsi donc, comprenez bien qu'en me faisant croire qu'il partageait mes idées au sujet de l'excessive divulgation des œuvres, le conservateur Gerbraun s'assurait qu'il venait de mettre la main sur l'homme inespéré, assez détraqué pour réaliser le coup spectaculaire qui allait placer le Grand Musée au centre de toutes les curiosités. *L'Origine du monde* devenant l'œuvre la plus célèbre, la plus reproduite, la plus admirée, la plus commentée pour sa franchise d'un naturalisme barbare, oui, l'œuvre qui d'un coup *déshabille* toutes les femmes de la peinture pour les rendre à leur raison d'être originelle qu'aucun peintre avant Courbet n'avait osé affronter librement. Enfin, La Femme donnait à voir ce qui d'Elle, jusqu'à Courbet, n'avait jamais été représenté ! A partir de *L'Origine du monde*, *soudain dévoilée*, à partir de ce point limite de toute peinture, les œuvres voulues pour «modernes» peintes par ceux qui avaient succédé à Courbet perdaient tout à coup leur raison d'être... et de ça, moi, Bergamme, je ne pouvais que me réjouir... puisqu'elles n'avaient été *que* provocatrices. Annulées toutes les femmes coupées en morceaux et «remontées» selon la fantaisie du peintre, dès le moment où cette représentation du sexe de la femme ouvert large en sa toison se *donne*, librement exposé sans qu'en aucun cas le regard «moderne» ne s'en offense... Maintenant, je vous en prie, laissez-moi..." Et se tournant contre le mur il ne bougea plus.

Bergamme était donc rentré dans sa mansarde encombrée de tous les tableaux qu'il avait volés lors de ses différents déplacements.

Pour la plupart, il les avait dérobés "sans réfléchir", au cours de visites fortuites, profitant de l'occasion offerte à sa taille particulièrement réduite qui, l'annulant dans la foule, l'avait poussé à décrocher de petites toiles puis de plus grandes… et enfin ce La Tour qu'il avait sorti *tout naturellement* d'un musée national, en se mêlant à des groupes compacts de visiteurs. La disparition de *La Jeune Fille à la bougie* avait paru inexplicable aux responsables des musées ainsi qu'aux enquêteurs. Qui aurait pu imaginer que le voleur n'avait eu qu'à profiter de la cécité passagère des visiteurs dont l'esprit restait comme hypnotisé par les tableaux en face desquels ils s'étaient arrêtés ? "Ce n'est pas un paradoxe, croyez-moi, m'avait dit une autre fois Bergamme ; il suffit d'avoir l'aplomb et le courage de décrocher une œuvre, au moment où la foule est la plus dense, de prendre cette œuvre sous le bras, et de l'emporter avec naturel pour que personne ne s'en aperçoive. Essayez ! Oui, même vous ! Allez-y franchement ! Là est la seule difficulté !" Ensuite, évidemment, il faut pouvoir vivre avec le tableau. Il faut s'habituer à lui, l'accepter, lui faire une place parmi ceux qui encombrent déjà votre mansarde. *Le Chemin de Sèvres*, par exemple, au bout de quelques jours Bergamme s'était aperçu que certains détails le gênaient insupportablement, qu'ils attiraient sans cesse son regard. Et voilà que la tentation de le retoucher commence à l'obséder. Oh, il ne connaît que trop ce processus ! On pose un peu de couleur là, puis là… et, de retouche en retouche, le tableau se transforme jusqu'à ne plus se ressembler.

"Savez-vous, il m'est arrivé de détruire ainsi peu à peu quelques tableaux que j'avais emportés de différents musées de province. Pas des tableaux célèbres, non ! De très jolis tableaux cependant... ou alors comme cet affreux petit Degas qui avait fini, à force d'être retouché, par ressembler à un mauvais Lautrec. D'ailleurs je l'avais jeté sous mon lit... Pourtant je ne suis pas un iconoclaste, au contraire j'aime qu'un tableau ne me sollicite pas. J'aime vivre en paix avec lui... Par exemple, le La Tour, lui, n'a pas bougé de son mur depuis qu'il est entré dans ma «collection». Il est très sombre et son contre-jour suffisamment doux pour ne pas m'obséder. Quelques détails m'avaient bien un peu dérangé au début. Mais un tableau c'est comme une personne. J'ai su attendre et m'y suis habitué... sauf une petite correction dans les plis de la robe et aussi dans la main tenant la bougie, à contre-lumière, que j'ai modifiés avec ce qu'il fallait de retenue et de délicatesse pour ne rien gâcher de l'ensemble. Je crois que La Tour lui-même aurait été obligé de convenir de la justesse de mes retouches."

Voilà ce que m'avait avoué Bergamme, en ricanant, allongé comme d'habitude dans cette cellule aux fenêtres grillagées. Après être resté un moment silencieux, semblant attendre que je cesse de noter ses dernières paroles, il avait continué de sa voix à peine audible : "Je dois cependant reconnaître avoir gâché un Monet de moyenne importance. Mon intervention avait été laborieuse. Non seulement j'avais ajouté des couleurs mais, devenant nerveux, je m'étais mis à gratter avec le couteau à palette – ce qui avait fait sauter de grands éclats du paysage... si bien qu'à la fin ce n'était plus qu'un champ de ruines irrécupérable. Ce Monet aussi il a bien fallu que je me résigne à le jeter sous mon lit, par-dessus le Degas et les quelques autres ratés dont je ne vous ferai pas le détail... Mais pour en revenir au *Chemin de Sèvres* de Corot, je lui ai apporté très peu de modifications, n'ajoutant que de grandes branches au ridicule petit arbre situé sur la partie gauche du tableau. Maintenant, le cavalier a l'air de pénétrer dans l'ombre, ce qui rétablit la symétrie... Et plus rien ne vient gêner l'œil... Car, avait continué Bergamme, un tableau réussi ne doit pas tirer l'œil. Si vous fixez le mur un peu à côté du tableau et que votre œil se sent tiré par quelque chose qui accroche, c'est que le tableau n'est pas tout à fait *calmé*, donc qu'il demande de l'aide. Parfois trois coups de pinceau suffisent... parfois pas ! Alors on gratte, et tout devient vite confus, répugnant, visqueux. Il ne reste plus qu'à s'en débarrasser sous le lit !... Ou alors on a l'idée d'ajouter un petit soleil en train de tomber derrière l'horizon... tel qu'il m'est arrivé d'en peindre un sur ce Van Gogh volé à Amsterdam un jour de fête nationale... Vous devez savoir que j'ai toujours dérobé des tableaux sans y réfléchir ; l'occasion était là ; le moment s'imposait à moi. Parfois même il se trouvait qu'une main sorte de la foule et m'aide à tenir soit le cadre soit le châssis pendant que j'opérais... Bien que j'aie toujours agi seul, une aide bénévole venait chaque fois à mon secours, pour ainsi dire *en plus*... Il faut bien le reconnaître, d'instinct les gens sont secourables... d'autant plus s'ils ont affaire à quelqu'un comme moi. Donc ce petit Van Gogh, représentant une meule de foin, manquait d'un soleil. Une torsion de la main avec un pinceau n° 14 trempé dans un beau vermillon et voilà le soleil à demi enfoncé dans l'horizon ! Longtemps j'ai supporté ce tableau… Et puis je ne l'ai plus supporté… Alors, sous le lit ! Bref, je ne vais pas vous faire le catalogue des œuvres entrées dans ma «collection» et qui en sont ressorties en passant sous mon lit. Le compte en serait sans intérêt."

Bergamme s'était soudain assoupi, et je m'étais levé sans bruit…

"Savez-vous, *L'Origine du monde* ? Je lui ai préparé une place sur un des murs de ma mansarde." Bergamme l'avait dit en riant, tout aussi simplement que cela, au commissaire en chef Quevedo, quelques jours après qu'il eut fait sa connaissance. Gerbraun n'avait pu le recevoir et on avait conduit Bergamme chez Quevedo, dans les combles d'où il surveillait les salles sur sa console vidéo. "Je suis fatigué de vivre dans ces sortes de catacombes de l'art, lui avait répondu distraitement Quevedo, sans apparemment prendre conscience de ce que Bergamme venait de lui dire. De tous les maux qui nous perturbent, moi, mes collaborateurs ainsi que Gerbraun et ceux qui travaillent dans les salles de réanimation d'urgence de ce Grand Musée, avait-il poursuivi, le pire, le plus épouvantable est ce désir d'anéantir, oui de détruire des œuvres dont le vieillissement nous répugne. Il nous arrive de ressentir un irrépressible besoin de mettre le feu à cette immense décharge artistique, comprenez-vous, Bergamme ? avait ajouté Quevedo en riant. Nul de nous ne peut l'avouer.

Et chacun de nous se dit : «Oser ! Oui, oser l'interdit ! Ah, comme nous aimerions oser !» Et je me persuade qu'à force de vivre parmi ces œuvres d'art, d'en être les conservateurs, elles nous ont communiqué leur secret : *celui d'oser autre chose que ce qui est permis...*

— Comme ce serait merveilleux ! s'était exclamé Bergamme.

— ... et puis bien sûr je me moque de moi-même, avait continué Quevedo, je me moque de mes regrets de n'être pas *moi aussi* un artiste... un de ces irresponsables... et voilà que je me mets à haïr l'Art, les artistes, à haïr ce désir d'oser autre chose... bien qu'aujourd'hui tout soit permis. Ah, Bergamme, rassurez-vous cependant, avait-il ajouté, tous autant que nous sommes dans ce Grand Musée, si nous en avions la force et le caractère nous nous ferions vos complices... tout en étant seulement capables de «détruire» ces œuvres en les immortalisant, oui, en les sortant de leur unicité...

— Pour *L'Origine du monde*, franchement, dites-moi Quevedo, avait anxieusement interrogé Bergamme, dites-moi a-t-elle déjà été passée par cette machine ?... ou est-elle encore unique ?

— Je crois pouvoir vous affirmer qu'elle est restée jusqu'à présent intacte dans son unicité originelle... Mais je dois vous mettre en garde : même si vous arriviez à décrocher ce tableau sans attirer l'attention, sachez qu'il est beaucoup plus encombrant que vous ne l'imaginez, et vu votre petite taille c'est à peine si vous pourriez le soulever...

— Et pourtant je suis bien décidé...

— Ce tableau est plus lourd que vous ne le pensez, avait insisté Quevedo.

— Oh, je trouverai bien un moyen...

— Bon ! D'accord, supposons que vous ayez réussi à sortir ce gros morceau de notre musée… Et après ? Qu'en ferez-vous ?

— Je le ferai disparaître…

— Quoi, vous le détruiriez ?

— Pas du tout ! Je le rendrai *irrécupérable*.

— Ah, bon ? Et comment ça ?

— Mais en le continuant, c'est évident !

— Vous voulez dire…

— Oui, je veux dire que je le *reprendrai* à partir de là où Courbet avait cru bon de suspendre son travail. Je *poursuivrai* ce tableau jusqu'à ce que je réussisse à faire entrer dans son espace, en plus du sexe et des hanches, la femme entière… Ça suffit comme ça, les femmes coupées en morceaux !

— C'est non seulement absurde et complètement fou, s'était écrié Quevedo, mais matériellement impossible ! Le bassin occupe toute la toile…

— C'est mon affaire, avait dit Bergamme. J'ai tout calculé et je sais parfaitement comment *reprendre* ce tableau…

— Allons, abandonnez une telle idée, Bergamme ! Personnellement, je pense que cette œuvre n'aurait jamais dû exister. Il faut bien l'admettre, si Courbet l'a peinte ce n'était *pour personne*, mais assurément *contre nous* les commissaires et les conservateurs, contre tous les historiens de l'art, contre tous les musées du monde, et aussi, dans une certaine mesure, mais cela inconsciemment, je veux bien le penser, contre tous ceux qui avaient peint, s'efforçaient de peindre et s'efforceraient de peindre après lui, et qui – malgré cette transgression ayant brisé le plus puissant des interdits – s'imagineraient pouvoir encore peindre.

— Votre aveu éclaire une de nos pulsions les plus banales."

Voilà ce que Bergamme avait répondu à Quevedo, tout en pensant à part lui que la présence démoniaque de la nature profondément destructrice de ce qui est *humain* en nous n'est pas une erreur esthétique mais au contraire une preuve de notre *humanité* qui, par un incessant désir de se délivrer de l'idée fallacieuse que nous nous faisons de *l'humain*, irait jusqu'à l'extrême limite de ce que nous nommons l'impossible... pour y trouver les jouissances esthétiques de la destruction, plus *humaines* que la fausse esthétique de la conservation – sous quelque forme que ce soit, y compris la duplication – d'un prétendu bien qui appartiendrait à *l'humain*, à *l'humanité*... et pour être plus vague encore à *l'humanisme*, oui, à cette prétendue valeur !

VIII

Après un silence, Quevedo avait dit à Bergamme :

"Ce que vous appelez mon «aveu» n'est en fait que la déduction naturelle qui vient à tous ceux qui séjournent trop longuement en intimité avec les tableaux d'un musée. Et figurez-vous que même nos gardiens ne sont pas exempts de cette universelle pulsion iconoclaste. A quoi vous figurez-vous qu'ils songent après qu'ils ont séjourné quelques années, immobiles et inoccupés, dans les salles du musée auxquelles on les tient pour ainsi dire enchaînés ? Oui, à quoi peut songer un gardien de musée de dix heures du matin à six heures du soir, assis en face de tableaux considérés comme des chefs-d'œuvre ? Communément on pense qu'il s'ennuie et que sa tête est vide. Erreur ! Autant la tête d'un gardien de prison reste vide de toute autre imagination que celle qui occupe obsessionnellement l'esprit de ceux qu'il est tenu de surveiller, autant un gardien de musée, obligé de vivre sous le «regard» d'œuvres jusqu'à présent uniques et que le temps a sélectionnées, se trouve, presque malgré lui, obligé de porter un jugement de valeur sur ces tableaux offerts à la silencieuse adoration d'une foule qui ne cesse de couler. Et ainsi, pendant des jours, des mois et des années, il supporte ce tête-à-tête muet, sans jamais réussir à établir un rapport personnel avec ces œuvres dont certains détails, demeurés jusque-là invisibles au premier venu, s'imposent peu à peu et commencent à lui taper sur les nerfs…

— Normal ! s'était joyeusement exclamé Bergamme.

— … si bien qu'il lui prend comme de petites idées fixes qui se situeraient entre le besoin, soit de destruction – mais trop d'interdits le paralysent –, soit – ce qui est plus fréquent – de transformation par retouches imaginaires… Le gardien se met alors à rêver qu'il s'est muni d'un peu de couleur, et qu'il profite du moment où ses collègues ont le dos tourné pour apporter une petite *retouche* puis une autre petite *retouche* et encore une petite *retouche*, de sorte qu'au bout de plusieurs mois si ce n'est des années, petite touche imaginaire par petite touche imaginaire, dans l'esprit aliéné du malheureux, le tableau est devenu tel qu'il l'a secrètement souhaité."

Bergamme jubilait :
"Ce que vous dites là est extraordinaire ! Il m'est arrivé à moi, *mais pour de bon*, le même phénomène avec la plupart des tableaux que je détiens dans ma mansarde. Le Van Gogh, le La Tour, le Monet… et combien d'autres ! Sauf qu'il ne s'est trouvé personne jusqu'à présent pour constater quelle fameuse *vie* je fais mener à ces toiles tombées en ma possession !

— Et cette sorte de manie d'imagination perverse finit par contaminer la plupart de nos gardiens, avait poursuivi Quevedo, sans prêter attention aux étranges paroles de Bergamme. De toute façon, comme l'ensemble des œuvres de nos musées sont douteuses, on ne sait jamais si on aimerait retoucher le vrai ou le faux. Par exemple, on vient de s'apercevoir que l'auto-portrait de Rembrandt exposé au musée de La Haye, qui passait pour l'original, serait un véri-table faux... ou disons une copie de l'original exposé au musée de Nuremberg, que l'on pre-nait jusqu'à maintenant pour sa copie... Hier, en me faisant part de cette savoureuse nou-velle, le conservateur Gerbraun m'a dit : «Il faut bien le reconnaître, mon cher Quevedo, *nous* sommes tous des cochons. Rembrandt est un cochon, tous les peintres sont des cochons, Vinci est un cochon, tous les génies de la pein-ture sont évidemment des cochons.» Avec son humour si typiquement allemand, il avait dit : «*Schwein*», bien entendu ! «Qu'entendez-vous par là monsieur le conservateur ? lui ai-je demandé, choqué par ses façons à l'allemande de *nous* qualifier. – Si nous laissons de côté la "cruauté" et la "méchanceté" dont tant d'esprit simples s'obstinent à habiller encore les actes de notre espèce lorsque ces actes sont presque aveuglé-ment transgressifs, je pense, abandonnant tous préjugés vaniteux évoqués pour satisfaire notre orgueil, qu'il faut bien admettre que nous ne sommes que des producteurs de souillures.» Comme je voulais l'interrompre, avait pour-suivi Quevedo, Gerbraun a presque crié : «Mais attendez, Quevedo, comprenez-moi : que ce soit de créer quelque œuvre ou de détruire quel-que œuvre, il y aura toujours souillure contre souillure ! Je parle bien sûr de l'acte que nous nommons artistique. Ce n'est que cela le cadeau du peintre à l'humanité ! Mon expérience d'historien de l'art et de conservateur en chef le confirme : ils deviennent peintres par impossibilité de se délivrer de l'emprise de leur enfance. Les peintres ne veulent et ne peuvent se délivrer de ce *geste* enfantin – pour ne pas dire infantile – qui est la raison de toute peinture : "offrir" ce qui sort d'eux comme la chose la plus précieuse et la plus rare à ce sexe féminin dont ils sont issus. Cette "offre" non seulement s'ajoute à toutes les "offres" qui l'ont précédée, mais si elle est vraiment originale – n'est-ce pas ce que recherche tout créateur ? – elle tendra à recouvrir, à se superposer à toutes les œuvres passées, et donc à représenter le maximum de valeur-or, pour qu'ensuite ceux qui obtiennent le droit, ou le pouvoir, ou le vaniteux privilège de posséder cette chose précieuse que le peintre a extraite de lui, puissent l'accaparer, la revendiquer, l'assimiler au point de souhaiter se faire enterrer avec elle.»"

Bergamme avait interrompu Quevedo :
"Et c'est un conservateur en chef qui vous a dit cela ?
— Textuellement ! De plus, pour confirmer ce qu'il venait de prétendre, Gerbraun m'a lu un entrefilet trouvé dans un journal allemand : *Le Randers Kunstmuseum du Danemark, ayant rendu «en très mauvais état» une boîte pleine d'excréments, œuvre du peintre Piero Manzoni intitulée* Merdes d'artistes, *versera au collectionneur qui la lui avait prêtée un dédommagement de 250 000 couronnes – à condition de la garder...* Oui, voilà ce que le conservateur Gerbraun m'a traduit d'un journal allemand qu'il avait ouvert sur son bureau, avait dit Quevedo.

— Et quel est ce peintre viennois qui avait exposé, avec beaucoup de succès, ses papiers de toilette souillés ?

— Mais notre Grand Musée a montré des choses de ce genre dans le cadre de l'exposition *Tout fait Art...* ce qui avait pas mal déprimé nos gardiens obligés de surveiller de véritables monceaux d'ordures..."

"«Voilà pourquoi je dois soustraire *L'Origine du monde*, l'enlever à votre univers muséeux», avais-je dit d'une voix énervée au commissaire Quevedo. Vous comprenez combien chaque parole que j'entendais derrière les cimaises du Grand Musée me confirmait non seulement dans mon projet mais aussi dans mon exaspération contre cette institution, et de plus contre ces gens qui, comme Gerbraun ou Quevedo, tout en critiquant cette institution, en faisaient activement partie, avait crié Bergamme, toujours étendu et gardant les yeux fermés – ce qui lui donnait l'aspect d'un vieux petit enfant mort. «Non, non ! *L'Origine du monde* ne doit pas servir de caution à de tels défis, non *L'Origine du monde* est d'une tout autre nature et surtout d'un tout autre défi ! *L'Origine du monde* n'est pas un tableau physique, c'est un tableau qui nous entraîne au fond du gouffre métasexuel, comprenez-vous ? et c'est pour cela aussi que je dois le soustraire aux spéculations des commissaires, tels que vous, Quevedo, ou tels que Gerbraun, qui le détournent pour s'en servir comme caution "d'immoralité morale", ou si vous préférez comme d'un des plus prestigieux "jalons limites" d'une transgression ouvrant sur le champ inconnu du "tout fait art", comme vous le prétendez,

vous autres commissaires… – Mais nous ne faisons que suivre les mouvements de l'art, s'était
mollement défendu Quevedo, nous assistons
ceux que vous nommez les *anartistes*…» Je ne
l'avais pas laissé achever. «Et dites-moi, Quevedo, l'avais-je interrogé d'une voix énervée
jusqu'à en avoir mal à la gorge, pouvez-vous
m'expliquer comment des types intelligents et
lucides, comme vous et Gerbraun, pouvez accepter ce que vous prétendez réprouver… – De
vivre sous le regard mort de tant de tableaux
ne peut que rendre lucide, m'avait répondu
Quevedo, avait continué Bergamme sans ouvrir
les yeux ni bouger, et être lucide n'est-ce pas
être cynique ? Sachez qu'il y a une fascination
écœurée du pouvoir… Le salaire aussi n'est pas
à négliger… Et aussi les expertises de complai-
sance… Et toutes sortes d'avantages… Bref,
avait ajouté Quevedo, l'autre jour, comme j'avais
tenté d'interrompre Gerbraun, pour protester
et dire que tous les artistes ne sont quand même
pas des *Schwein*, il m'avait dit : "Non, non, Quevedo, il n'y a de ma part aucune amertume ! Tous
les artistes, sans exception, sont des *Schwein*…
sympathiques. L'historien de l'art que je suis
l'affirme sereinement. Pour en terminer, avait
– selon Quevedo – poursuivi Gerbraun, laissez-
moi refermer le cycle de l'œuvre «offerte» par ces
cochons de peintres-enfants à une *humanité* littéralement étouffée sous la masse immense des
«cadeaux» déposés derrière eux par les artistes
qui les ont œuvrés, puis par ceux qui les auront
collectionnés puis ceux qui en auront dressé le
«scatalogue» et accumulé les commentaires. Oui,
permettez-moi d'affirmer que le tableau devient
une sorte d'arme posthume contre cette humanité, un monolithe déposé en travers de son

chemin – telle l'œuvre de Picasso, par exemple –, disant : Halte ! Au-delà de cette limite on ne peint plus ! Ici est le sommet effondré de l'Art ! Après moi on ne passe plus ! Ah ! Ah !"», continuait Bergamme sans ouvrir les yeux tout en agitant un peu sa petite main dans ma direction chaque fois que sa voix tantôt voilée et presque inaudible tantôt gutturale changeait d'intonation pour imiter soit Quevedo, soit Gerbraun soit redevenir elle-même. Ensuite, figurez-vous, que Gerbraun avait avoué à Quevedo qu'il était *lui aussi* atteint par la maladie d'iconoclastie. Il avait dit à Quevedo, qui me l'avait rapporté : «C'est un mal qui frappe immanquablement ceux qui ont pour mission de protéger, de conserver, de gardienner, de restaurer et de commenter cette "offre scatologique à l'humanité" qu'est toute peinture.» Après une légère hésitation, Gerbraun avait fait cet aveu à Quevedo : «Combien de fois, oui, combien de fois n'ai-je été horriblement tenté alors que je me trouvais seul avec un de ces accablants chefs-d'œuvre ! – Tenté de quoi ? l'avait interrogé Quevedo. – De le crever, de le détruire, d'en débarrasser l'univers, voyons ! Mais l'inhibition, le respect, le poids de ce que l'on nomme "beauté" ou "risque" ou "nouveauté" ont été jusqu'à présent plus forts que cette sublime tentation ! Alors que faisons-nous de ces peintures depuis longtemps mortes ?… et que faisons-nous aussi des œuvres novatrices d'aujourd'hui ? Lâchement nous les nettoyons, nous les passons au sèche-cheveux pour les disposer sur un petit coussin de velours afin que l'on croie qu'elles sont bien vivantes. La petite chienne nommée Peinture est morte de sa "belle mort", comme on dit, mais nous autres nous faisons comme si nous n'étions pas au courant – voilà pourquoi nous nous obstinons à toiletter son petit cadavre, à le passer au sèche-cheveux et à faire semblant de l'admirer dans son sommeil de petite chienne heureuse...» Avouez, continuait Bergamme, que de telles confidences ne pouvaient que me laisser rêveur... et surtout m'encourager à poursuivre mon but avec l'espoir d'entraîner Quevedo d'abord et aussi Gerbraun dont les névroses étaient pour le moins comparables à la mienne..."

Donc le petit Bergamme s'était peu à peu fait une place dans les coulisses du Grand Musée, où maintenant sa présence était devenue non seulement normale mais nécessaire sans que personne sache au juste pourquoi. Il passait ses journées auprès de Quevedo et de son chien clandestin qui l'avaient pris en amitié.

"Hein mon vieux Bull, tu l'aimes bien notre Bergamme !

— Houapp ! faisait Bull.

— Chut, on ne houappe pas ici !"

Après un silence, Quevedo avait continué :

"A propos, comme je vous le racontais l'autre jour, souvenez-vous Bergamme, c'était par un beau soir de juin que j'avais trouvés Bull et la petite papillon de ma propriétaire collés dans le jardin. Peut-on imaginer une petite papillon «prise» par quelqu'un d'aussi costaud que M. Bull ? Croyez-moi, c'était un spectacle effrayant que cette minuscule chienne suspendue sous le ventre de mon grand Bull.

— Houapp !

— Tais-toi et dors ! Oh, il sait de quoi je parle car ce chien n'est pas un chien normal, il comprend tout, mot pour mot ! Premier réflexe : bassine d'eau. Aucun résultat, sauf que la petite chienne se met à geindre et à glapir… aussitôt, voilà la propriétaire dans le jardin. Nous étions perdus… mais, par chance, il faut croire que d'entendre la voix de sa maîtresse avait provoqué le choc salutaire pour dénouer immédiatement ce qui fait que les chiens restent attachés l'un à l'autre longtemps après que s'est accompli ce qu'ils cherchaient à accomplir. A l'appel de sa maîtresse Fifille accourt toute joyeuse d'être délivrée… Mais ce n'est pas tout. A partir de ce moment Bull et Fifille se sont voué une haine incompréhensible, comme si la petite chienne se doutait que la portée qu'elle sentait se développer dans son ventre ne passerait pas «la porte originelle du monde des chiens» et finirait par la tuer… Je ne vous ennuierai pas plus longtemps avec cette histoire car j'entends la voix de Gerbraun… Cependant je vous dirai vite qu'en effet la petite chienne en est morte… et que, sans m'en parler, la propriétaire l'avait enterrée au fond du jardin… Figurez-vous qu'un soir, alors qu'exténué je rentrais du musée, M. Bull arrive, secouant dans sa gueule…"

"Ah, ah ! Je crois comprendre que notre commissaire en chef est en train de vous ressasser son hilarante histoire, s'était exclamé Gerbraun, apparaissant en compagnie d'une jeune stagiaire en blouse blanche. Ne vous donnez pas la peine d'aller jusqu'au bout, notre ami Bergamme en connaît la fin… Non, mon cher Quevedo, arrêtez, je ne peux entendre prononcer par vous le mot sèche-cheveux sans mourir littéralement de rire ! Imaginez-vous,

Elise, avait continué Gerbraun, se tournant vers la jeune femme – que le chien de notre commissaire en chef lui avait apporté en offrande le cadavre du petit chien de sa propriétaire...

— Non, monsieur Gerbraun, d'une petite chienne, avait dit Quevedo manifestement froissé du ton léger du conservateur.

— Oh, excusez... Ce détail m'avait échappé. Bref, croyant que son chien venait de tuer ce... cette petite chienne... qui se trouvait être la petite roquette adorée de sa propriétaire... Excusez-moi, j'en pleure de rire... Il réussit à lui faire lâcher prise et... et... il la passe au *sèche-cheveux*...

— Permettez, Gerbraun, ce n'est pas exactement comme cela que les choses ont eu lieu. M. Bull...

— Houapp !

— Ah, toi ! Silence ! Couché...

— Quevedo, vous êtes censé connaître le règlement mieux que personne ! Les chiens sont interdits dans les musées...

— En effet, monsieur, mais... mais mon chien est presque humain à la suite de certaines manipulations effectuées dans un laboratoire dont je l'ai tiré... Un jour je me permettrai de vous raconter... En tout cas, c'est tout à fait par hasard, et je dirais même forcé, que M. Bull m'a accompagné aujourd'hui.

— Je ne veux rien en savoir... et, croyez-moi, si cette histoire de sèche-cheveux ne me faisait mourir de rire, je ne pourrais ignorer... heu... Donc ignorons pour le moment... Et alors ?

— Et alors... Un soir, je rentrais du musée... Comme vous le savez, Bull, bien qu'il se fasse en ce moment tout petit sous mon bureau, est d'une taille et d'une force exceptionnelles. Par contre, ma propriétaire avait une toute petite chienne de race épagneul papillon...

— Je déteste cette race d'affreux petits chiens, s'était exclamée Elise.

— Laissez continuer, allez-y Quevedo !

— Si ridicule que cela puisse paraître, M. Bull était tombé amoureux de Mlle Fifille, et Mlle Fifille de M. Bull...

— Mais vous ne m'en aviez rien dit, l'interrompt Gerbraun, recommençant à rire. Donc vous dites, Quevedo, que Bull et Fifille...

— Parfaitement ! Et je peux vous l'affirmer : pour de bon ! Vu leurs tailles divergentes, c'était apparemment sans espoir...

— Il a dit «apparemment» !

— Absolument, monsieur, cela paraissait impossible jusqu'à ce que... un soir de juin...

— Vous n'allez pas nous dire...

— Désolé, monsieur, ils... on ne sait comment... mais le fait était là, M. Bull avait réussi à...

— Il en rajoute ! D'une fois sur l'autre, Quevedo, vous en rajoutez !

— Pas du tout. Non seulement il s'était arrangé pour la couvrir mais de plus, impossible de les décoller... leurs sexes étaient...

— Je ne peux vous croire, Quevedo ! Je vais mourir de rire. Et alors ?

— Alors, ce fut très long et pénible car la papillon était littéralement suspendue par l'arrière-train que M. Bull avait pour ainsi dire emmanché... ce qui avait pour effet d'obliger la petite chienne à courir sous lui, en brouette, avec seulement ses pattes de devant... Enfin, la nature avait eu pitié d'eux et les avait délivrés sans que ma propriétaire se soit rendu compte de la chose monstrueuse qui venait de s'accomplir dans un coin de son jardin… et surtout sans se douter, quand le ventre de Mlle Fifille commença à prendre des proportions… quel en était le coupable…

— Et elle a eu des petits ? C'est dégoûtant, s'était exclamée Elise.

— *Origine du monde* trop étroite… morte en couches. Sans que j'en sois avisé.

— Vraiment, Quevedo, vous êtes un merveilleux fou, avait gémi Gerbraun. Chaque fois qu'il revient sur cette affaire, il en rajoute… il en rajoute ! Et moi j'en meurs de rire…"

"Telle était la véritable atmosphère des coulisses du Grand Musée. Comprenez-le, Gerbraun était allemand. Et c'est à son caractère jovial que je dois d'avoir pu franchir en quelque sorte *le miroir d'Alice*, et devenir un habitué de l'envers du Grand Musée où je commençais à aller et venir librement. «B'jour, B'gamme !» Reconnaissez qu'il est toujours agréable, surtout quand on est de petite taille, d'être traité comme quelqu'un que l'on n'ignore pas. Cependant, je ne me suis jamais fait d'illusion, à part mon extrême vivacité à saisir l'occasion de mettre la main sur un tableau, j'ai toujours été un homme quasi invisible. Yvonne, Jeanine, Rita et quelques autres, toutes les femmes qui à un moment ou à un autre ont en quelque sorte frôlé ma vie m'ont amené à le penser. Je ne suis né *que* pour voler des tableaux. C'est un don, plus qu'un talent, une forme de génie que pour mon malheur j'ai toujours dû dissimuler autant qu'il était possible, et qui longtemps est resté mon secret comique et douloureux. Que de fois je n'ai pu me retenir de dire : «Mais le voleur du La Tour n'est personne d'autre que moi.» Rires indulgents. Ou : «*Le Chemin de Sèvres* de Corot, c'est moi. Le fameux Van Gogh disparu du musée d'Amsterdam, encore moi !» Rires indulgents. Et, n'était-ce pas extraordinaire ? même les femmes, qui plus ou moins brièvement se sont renversées sur mon lit, n'ont jamais voulu comprendre sur quels trésors elles m'accordaient quelques moments de répit. Non, j'ai toujours été un nain plutôt triste, oui, un petit homme profondément ennuyeux… et voyez-vous je crains que même cette authentique confession ne le soit forcément. Sauf qu'il y a eu mort d'hommes… et aussi de femmes ! Ce qui est quand même assez intrigant, n'est-ce pas ? On ne peut s'empêcher d'interroger : Alors quoi ? Comment ? Pourquoi ? Ah bon, vraiment ?"

Bergamme s'était brusquement tourné vers le mur, laissant entendre que cela suffisait pour aujourd'hui. Quant à moi, comme d'habitude, ramassant mes papiers, je m'étais levé aussi doucement que possible…

IX

Dans les premiers temps, alors qu'il n'avait pas encore pris conscience de son talent *d'invisibilité*, comme il disait, l'occasion de s'emparer d'un tableau d'Egon Schiele s'était imposée à lui. Bergamme n'avait eu qu'à le décrocher et à l'emporter sans que personne ne le remarque – comme si par la petitesse de sa taille il était devenu invisible le temps de sortir du musée et de déposer le tableau en lieu sûr. A l'inverse de *L'Origine du monde* qui n'offre qu'un sexe de femme, nu et isolé, la femme d'Egon Schiele, que Bergamme venait de voler, était pliée, tordue, dans une pose tourmentée par laquelle elle semblait arriver tout juste à tenir dans les limites de la toile. De plus, elle n'ouvrait pas seulement les jambes mais aussi les yeux car, au contraire aussi de Courbet qui avait affronté avec le maximum de violence l'interdit, Schiele s'était arrangé pour mettre sur le même plan regard et sexe – ce qui avait paru une monstrueuse erreur à Bergamme. "Bien sûr, m'avait-il avoué, j'ai succombé à la tentation de retoucher cette toile, de ne pas tout à fait en expulser le visage mais de l'éloigner de sorte que les yeux ne soient plus sur le même plan que le sexe. Mais figurez-vous que, en y travaillant et travaillant, j'ai découvert par hasard, à la faveur d'un faux jour, que

108

la femme de Schiele n'était qu'un homme, et que sous la toison un pénis avait été peint puis recouvert avec plus ou moins de bonheur. «Rien là de bien extraordinaire, m'avait répondu Gerbraun, auquel j'avais presque imprudemment parlé de ce repentir d'Egon Schiele, tous les tableaux cachent un sujet inavouable. La surface disons finale d'un tableau est en soi-même un voile, un écran dissimulant *le vrai sujet*, oui, le sujet soigneusement caché du peintre !» Voilà, ce que m'avait dit Gerbraun qui soudain semblait s'être avisé pour la première fois de l'importance de ce que je venais de lui avouer. «Mais dites-moi, Bergamme, ce tableau d'Egon Schiele où avez-vous eu l'occasion de le voir ? – Mais chez moi, avais-je répondu en riant. Je l'avais volé à Bâle. – Allons, cessez de plaisanter ! – Mais je vous assure, avais-je insisté, je l'ai décroché sans que personne ne s'interpose, et je l'ai emporté aussi tranquillement que si je l'avais marchandé chez un brocanteur. – Vraiment, Bergamme, vous êtes un merveilleux névrosé. Que vos désirs se transforment en "réalité" est un signe dont le comique ne vous échappe pas puisque à chaque "aveu" de vol vous ne pouvez vous retenir de rire...» Et je lui avais répondu, écoutez bien, m'avait dit Bergamme en entrouvrant les yeux et en poussant un bizarre gloussement : «Je ris à l'idée que personne n'accepte une chose aussi naturelle, aussi simple. Vous ne voulez vraiment pas me croire ? Degas, Van Gogh, Monet, La Tour, Corot, oui *Le Chemin de Sèvres* que toutes les brigades des fraudes artistiques recherchent, et aussi, comme je vous l'ai dit, Schiele et quelques autres... auxquels viendra bientôt s'ajouter – avant que vous n'ayez le temps de l'expulser de son *unicité* – un Courbet. D'ailleurs, avais-je dit encore avec cette sorte de volupté que procure tout exercice d'équilibre au bord de l'abîme, d'ailleurs Gerbraun, je vous invite à monter jusqu'à ma mansarde où il vous sera facile de constater que je ne mens pas.»"

Et voilà comment, un soir après la fermeture du Grand Musée, Gerbraun était monté dans la mansarde qu'occupait Bergamme.

"Ce sont donc là vos fameux larcins ? avait-il dit avec sa bonne humeur habituelle, détaillant non sans une certaine ironie les tableaux accrochés sur les murs. Voyons, Bergamme, vous ne pouvez prétendre que ce sont là des œuvres authentiques quand *moi* je ne vois que de mauvaises copies, des *imitations* assez faibles de tableaux réputés, en effet, pour avoir été volés dans différents musées."

Fouillant sous le lit, Bergamme avait extrait le Degas, le Van Gogh et le Monet sur lesquels, croyant les parachever, il s'était acharné au point de les rendre presque méconnaissables. Pour ce qui est de l'Egon Schiele il y avait longtemps qu'il l'avait jeté dans une poubelle.

"Vous ne pouvez nier, Gerbraun, que ce sont là des tableaux *vrais*.

— Brave Bergamme, avait-il répondu en lui tapotant le bras, brave, brave petit Bergamme…

— Vous êtes donc aussi aveugle que tous les autres, s'était écrié Bergamme. Il y a de cela deux ans, vivait avec moi Rita, la fameuse lilliputienne, elle non plus n'avait jamais voulu admettre l'authenticité de ces tableaux. Pourtant, quand je lui avais fait part de mon intention de dérober *L'Origine du monde*, elle s'était à tel point scandalisée qu'elle m'avait quitté... pour suivre un tout petit historien de l'art japonais qui travaillait sur *Le Cri* de Munch... répugnant tableau que j'aurais bien volontiers volé afin de *l'achever* pour de bon, celui-là !"

Comme d'habitude, Gerbraun riait, Bergamme avait ajouté :

"Pourtant je ne plaisante pas. Vous savez bien qu'il ne me déplaît pas de passer pour un nain à l'esprit déréglé. Cependant j'insiste avec le plus grand sérieux : *Le Cri*, l'admiration que cette caricature suscite montre combien les esprits communs, parvenus à cette culture dite de «masse», ont besoin de ce qui fait choc, de ce qui est dessiné en gras, pour *ressentir*."

"Accompagnez-moi jusqu'au musée", avait dit Gerbraun en descendant de la mansarde. Arrivés sur le quai au bord du fleuve, il avait posé la main sur la tête de Bergamme, comme si Bergamme n'était qu'un enfant.

"Passons sous ces arcades, voulez-vous ? Comme vous le voyez, notre Grand Musée occupe toute cette masse de bâtiments dont personne, je crois, ne connaît les limites. Cela fait des centaines de fenêtres assurément inaccessibles de l'extérieur quand on voit la hauteur de ces façades.

— Faites-moi confiance, avait crié Bergamme de sa voix un peu grinçante et sur le même ton de plaisanterie qui depuis le début s'était établi entre Gerbraun et lui. Rassurez-vous, je ne cache pas qu'avant de vous connaître et d'avoir – grâce à votre indulgence – accès aux coulisses du Grand Musée, j'avais en effet songé un moment à grimper, en m'accrochant aux drapés de ces statues, pour ensuite, en me hissant sur leurs épaules puis sur leurs têtes, atteindre la corniche qui souligne d'un bout à l'autre la volée de fenêtres par lesquelles il ne serait pas impossible d'entrer en force directement dans les salles d'exposition."

S'immobilisant, sans pour cela retirer sa main toujours posée sur la tête de Bergamme, Gerbraun avait dit :

"Ne vous méprenez pas, vu d'en bas, et par les distorsions de la perspective, cela ne semble en effet pas impossible à franchir... mais si vous calculiez en mètres ce qui vu d'ici semble des centimètres, vous vous rendriez compte de toute façon que l'homme n'est qu'un zéro par rapport à ses œuvres, et que seule une mouche serait à l'aise pour accomplir ce genre d'exploit.

— Mais ne suis-je pas *presque* une mouche ? avait crié Bergamme vers le haut, comme si Gerbraun s'était trouvé à une grande distance de lui.

— Allons, allons...

— C'est bien pour cela que j'ai fait appel à votre sympathie et que je me réjouis de pouvoir accéder librement à l'intérieur de votre musée. Grâce à vous, Gerbraun, si *L'Origine du monde* doit être dérobée, c'est évidemment de l'intérieur qu'elle le sera... oui, grâce à votre aimable complicité...

— Vraiment, avec Quevedo, vous êtes le type le plus drôle que je connaisse !

— Vous devez comprendre, Gerbraun, qu'avant d'entrer dans la place et de réussir à établir des relations privilégiées avec vous et vos collaborateurs j'avais examiné toutes les possibilités... et que faute d'en trouver d'envisageables j'en étais arrivé à me dire que d'un rapide coup de cutter j'aurais pu, sans être remarqué, vu ma taille, découper *l'objet exact du désir*... le sortir en quelque sorte de la toile et l'emporter...

— Comment ça ? s'était étonné Gerbraun, visiblement ravi de découvrir chez Bergamme ce désir d'iconoclastie. Comment ça ? Vous, Bergamme ? Détruire ? Et de plus *L'Origine du monde* ? Mais ne prétendez-vous pas que ce tableau doit exister, qu'il est même essentiel qu'il existe... sans être vu, disiez-vous ?... comme moi-même je le pense aussi. Ne prétendions-nous pas ensemble que le fait qu'il soit *su* et non *vu* suffisait pour maintenir en place toute la peinture. Si je vous ai bien compris, n'étions-nous pas d'accord sur ce point ?

— C'est tout à fait cela. Mais cependant, plutôt qu'être exposé au même titre que par exemple les cadavres écorchés de *Herr Doktor* Gunther von Hagen, je préfère voir ce tableau en quelque sorte *désorbité*... et en même temps je me disais : qu'est-ce qu'un trou au centre d'un tableau quand aujourd'hui les moyens de «réanimation» d'une œuvre sont tels que même si nous arrivions à la détruire et à la lacérer complètement...

— ... Non seulement en quelques jours l'équipe de restaurateurs, sous les ordres de Roberta, vous aura produit un «faux» qu'aucun expert ne réussirait à détecter... mais surtout, et ça vous avez raison de le craindre, rien ne prouve que cette *Origine du monde* exposée en ce moment au Grand Musée ne soit *déjà* un parfait duplicata et que nous n'ayons pas *déjà* réussi à sortir ce tableau de son *unicité*. Mais de ça, mon petit Bergamme, nous reparlerons à un autre moment."

Ayant entraîné Bergamme sur le bord du quai, de sorte qu'on puisse voir le Grand Musée avec un certain recul, Gerbraun lui avait dit : "Voyez-vous cette pâle lueur, là-haut dans les combles ? C'est là que se situe le petit bureau de notre commissaire en chef. Je suis très sensible à cette clandestinité et c'est pour cela que je ne puis trouver la force de sévir ni même réprimander cet homme si vulnérable. Je me dis que quelqu'un qui par amour pour son chien en arrive à vivre cette vie de chien, est une personne hautement comique. J'adore ce qui est comique, et c'est pour cela que je tolère de lui... comme de vous d'ailleurs... oui, je tolère ses distrayantes excentricités souvent incroyablement risibles. Je suis un homme qui s'ennuie horriblement, tout le temps et depuis toujours. C'est pour cela que j'ai quitté l'Allemagne, à vrai dire que j'ai fui l'Allemagne comme tout Allemand doué d'un peu de sensibilité fuit forcément cette Allemagne sérieuse et épouvantablement goethéenne. Alors vous comprenez que je suis prêt à toutes les indulgences envers ce qui me fait rire. Car à vrai dire ne sommes-nous pas tous de risibles fantômes ? Vivre parmi tant d'œuvres attribuées aux plus grands peintres des siècles disparus a de quoi vous rendre non seulement risibles mais de plus, bien que de «chair et d'os», comme on dit, de toute évidence risiblement i-nex-is-tants. Comment supporter que le moindre personnage sans chair ni os, figurant sur ces tableaux, soit reconnu comme une super-présence, un super-être au service duquel sont attachés d'inexistants conservateurs, de risibles commissaires et gardiens ainsi qu'une masse de jeunes restaurateurs prêts à sacrifier leur temps de jeunesse pour que *vive* et même *survive* cette sorte de fiction dont à vrai dire l'humanité n'a que faire ? Donc vous devez comprendre Bergamme combien votre arrivée intempestive, si comique, si pleine de fureur et de cris nous a été secrètement agréable et combien désennuyeuse ! Oui, un véritable soulagement ! car vos gestes, vos cris devant *L'Origine du monde*, ainsi que vos raisonnements montrant à quel point vous êtes un cinglé de peinture, ressemblaient aux gestes, aux cris et aux raisonnements que nous nous interdisons par principe en tant que conservateurs commissaires et gardiens d'un trésor… que secrètement nous haïssons. Voilà pourquoi, je dois vous dire aussi, Bergamme, que notre commissaire en chef Quevedo a tout de suite éprouvé de la sympathie pour vous. «Ce petit homme est merveilleusement fou ! s'était-il exclamé. Mais qu'il le vole donc ce satané tableau !» Oui, voilà quel cri vous lui avez arraché ! Nous avons même eu le plaisir de pouvoir plaisanter dans votre dos, tombant d'accord, comme je viens de vous le dire, avec vos prises de position contre le brouillage qui depuis quelques années prétend *faire art de tout* en nous forçant à exposer dans nos musées ce qui amuse, ce qui «fait marrer» – comme disent certains de nos *anartistes* – plutôt que ce qui pourrait rendre songeur ou inquiet sur leur raison d'être ceux qui les visitent. Mais, après tout, l'homme ne cherche-t-il pas, enfoncé dans son désespoir, à se distraire, par n'importe quel moyen, de l'inévitable fin qui l'attend ?"

"A mesure que passaient les jours, notez ceci, m'avait dit Bergamme, il faut bien comprendre que Gerbraun, au lieu de refuser mes idées qui, vous l'avez remarqué, allaient toutes contre ce qu'il représentait, se glissait dans les miennes comme si ma présence le libérait intellectuellement, lui, ainsi que le commissaire Quevedo d'ailleurs. Qu'avait-il pensé réellement des tableaux qu'il avait vus dans ma mansarde ? Il ne pouvait pas ne pas les avoir authentifiés, ne serait-ce que par les références inscrites explicitement au dos des toiles ainsi que sur les châssis. Pourquoi ne me dénonçait-il pas et faisait-il semblant de mettre en doute mes affirmations ? avait donc continué Bergamme toujours étendu dans cette affreuse cellule aux murs jadis blancs salis de griffures à hauteur d'homme. «Non, vraiment, m'avait encore dit Gerbraun, vous ne pouvez savoir combien j'ai apprécié, en les suivant sur les écrans de surveillance, les petits scandales, tellement artistiques, que vous improvisiez dans la salle Courbet.» Vous rendez-vous compte, voilà qu'il *appréciait* mes *petits scandales* qu'il trouvait *artistiques*, comme si perturber le bon fonctionnement d'un musée et proclamer des intentions iconoclastes trouvaient place dans les nombreux modes d'expression auxquels les musées s'étaient ouverts, et que mes crises, du fait qu'elles avaient lieu dans un musée, valaient au même titre que les cadavres plastifiés ou les actions introduites par les *anartistes* dans ces mêmes musées. Ainsi, peu à peu, avais-je compris que ma présence encouragée, souhaitée, au cœur de cette masse de tableaux, toutes époques confondues, faisait partie du *jeu artistique* que Gerbraun et Quevedo prenaient très au sérieux, et que mes actions ainsi que mes paroles entraient dans ce *jeu artistique dont je devenais un des éléments*. Par exemple, voilà ce qu'un autre jour Gerbraun m'avait dit, écoutez ça, et notez-le : «Bien sûr, Bergamme, *L'Origine du monde* est de loin la plus ratée de toutes les toiles ratées de Courbet. Mais même si cette toile ratée n'avait été qu'une toile à demi ratée, par son seul contenu elle dynamite toute la peinture qui se prétend "libérée" aujourd'hui. Donc de ce point de vue elle n'est pas la toile ratée qu'elle paraît être. Ce serait même la toile la plus réussie de Courbet, puisque d'être ratée est la preuve même de sa réussite. Connaissant bien *mon* Courbet, je peux vous assurer qu'il n'a jamais cherché à "réussir" un tableau mais à fermer derrière lui toutes les issues et ainsi, par ce ratage contrôlé, asphyxier définitivement quelque tentative que ce soit de faire "crier" la peinture. – Ce qu'il n'a pas réussi, hélas ! l'avais-je interrompu en jubilant, poursuit Bergamme. Oui, avouez, Gerbraun, qu'il s'est bel et bien mis le doigt dans l'œil, puisque après lui il y a eu *Guernica*, par exemple… – Puisque après lui, vous avez raison, l'ogre Picasso ne s'est pas privé de faire crier et de dévorer toute la peinture… C'est ça que vous pensez, Bergamme ? – Evidemment, lui avais-je répondu. Et non seulement de la dévorer mais surtout de la recracher en produisant une montagne infranchissable d'œuvres caricaturales dont la sauvagerie régressive a faussé ce qu'à la suite, disons des Grecs, *nous* avions nommé l'Art avec un beau A majuscule. – L'A-A-Art ! s'était exclamé en riant le conservateur en chef Gerbraun. Je pense bien que même après les ravages de cet ogre nous l'écrirons toujours et encore avec cette sacrée majuscule. Vous-même, Bergamme, n'êtes-vous pas un phénomène de l'AAArt ?

Reconnaissez que c'est cette majuscule qui nous accrédite, nous autres conservateurs, commissaires et gardiens, ainsi que nos musées surtout, débordants d'œuvres mortes mais admirablement restaurées et qui un jour seront annulées par leur multiplication... – Vous allez rire, Gerbraun, avait poursuivi Bergamme, mais la prétendue violence du tableau *Guernica* ne m'a jamais paru une bonne réponse, qu'elle soit esthétique ou éthique, aux bombes qui ont détruit le village de Guernica. Et quand, avant de mourir, Franco l'a réclamé pour ses musées, il y avait de quoi rire amèrement car, par ce geste de culture aseptisée, le vieux dictateur montrait qu'entre la réalité et la fiction figurée seule la fiction demeure. – Vous voulez dire que les gesticulations artistiques forcenées, à l'intérieur du tableau *Guernica*, effaceraient en quelque sorte le crime sanglant de Guernica ? – Oui, j'émets un doute sérieux sur la "figuration imagée" comme fixateur de la mémoire. Tout tableau, au contraire, est un écran qui, en esthétisant les faits qu'il prétend représenter ou dénoncer, les gomme avec plus ou moins d'élégance... – Mais je ne connais pas de tableau moins élégant, moins "esthétique" que *Guernica*, m'avait interrompu Gerbraun de plus en plus amusé, continuait Bergamme. – Vous vous trompez, lui avais-je répondu, dès qu'il a été peint et accepté au nom d'une éthique supérieurement humaniste, l'effort de "laideur" déployé par le peintre, l'effort de violence anti-esthétique s'est immédiatement transmué en objet "esthétique", faisant "oublier" le pourquoi de cette abominable grimace revendiquant la "laideur" symétriquement proportionnée à l'acte abominable, comme arme de protestation, pour proposer cette nouvelle forme de "beau". – Vous voulez dire qu'à partir de *Guernica* la "beauté" aurait été transmuée, d'esthétique qu'elle a toujours cherché à être, en incontestable point inesthétique… disons sur-esthétique de référence éthique sublimée. Quoi, de la pure "beauté" d'indignation politique… ou humaniste ?… – Exactement, m'étais-je écrié, continuait Bergamme, on ne critique pas *Guernica* ! On admire. On vénère cette idole sauvage sortie des ruines d'une guerre où la lâcheté des aviateurs est montrée avec la plus "belle" crudité anti-esthétique. – Le *Guernica* de Picasso ne serait donc qu'un acte dicté par un violent besoin de protestation ? C'est bien cela que vous prétendez, Bergamme ? m'avait dit Gerbraun. – Oui, violence peinte contre violence réelle, avais-je dit. Si vous voulez une image que Picasso lui-même a proposée en réponse à l'interrogation d'un nazi : "C'est vous qui avez peint *Guernica* !" Oui, Picasso n'a eu qu'à condenser à la surface d'une toile la haine crue, brute, qu'*on* avait fait exploser en lui… Voyez-vous Gerbraun, avais-je continué, dit Bergamme, si *Guernica* n'avait pas ces dimensions, il y a longtemps que je l'aurais volé. – Et pour en faire quoi ? m'avait interrogé Gerbraun en riant. – Ce que je me propose de faire bientôt de *L'Origine du monde* que j'espère dérober au monde matériel, comprenez-vous, que j'espère déposer dans l'imaginaire et la mémoire du monde comme quelque chose de su et non pas comme une chose à voir. – Vous voulez dire que certaines œuvres doivent *avoir été faites* sans pour cela nécessairement demeurer… et d'autres, au contraire, pour notre pure délectation être conservées, restaurées et définitivement expulsées de leur *unicité*, de sorte qu'elles soient partout présentes et toujours visibles ? – Non, non, pas pour être conservées à tout prix ! Les œuvres ne sont pas faites pour demeurer inertes mais pour *vivre, vivre* !... au risque de *mourir*. C'est pourquoi je ne peux m'empêcher de retoucher et surtout de *poursuivre* les tableaux que je réussis à dérober dans les musées. – Vous êtes un petit fou merveilleux, Bergamme !» avait conclu Gerbraun en me donnant une tape amicale sur la joue... Et maintenant je crois que je vais un peu dormir ; laissez-moi, soyez gentil", avait conclu Bergamme en se tournant péniblement vers le mur. M'arrêtant au moment où j'allais sortir, il avait ajouté : "Surtout pas de commentaires à propos de ce que je viens de vous confier. Soyez-moi fidèle, au mot pour mot !"

Je ne sais si à la faveur d'une réédition je ne supprimerai pas les trois quarts du dialogue précédent. Mais pour sa première divulgation je souhaite qu'il reste une trace des étrangetés qui occupaient l'esprit déréglé de Bergamme. Donc pour le présent je laisse ces délires tels que je les ai relevés à mesure que Bergamme les revivait en prenant un évident plaisir à se remettre, par ses chuchotements éteints et par ses brusques glapissements, dans des paroles depuis longtemps effacées. Oui, je tiens à restituer et à exposer sous toutes ses facettes cet "objet bizarre" qu'était la névrose de Bergamme cristallisée autour de la peinture et dont les conséquences le laissaient "hébété", m'avait-il avoué, quand il se retrouvait seul assis dans sa mansarde, face à ces tableaux dont l'appropriation l'avait conduit à vouloir en parachever certains jusqu'à les détruire irrémédiablement. "Mon cas est, sans conteste, unique ! m'avait-il dit une autre fois. *Le Chemin de Sèvres* de Corot, par exemple, rendez-vous compte, ce tableau que je déteste et que je n'avais même pas remarqué au Louvre avant d'avoir eu l'opportunité de le décrocher, pourquoi cette irrépressible envie de le kidnapper ?"

X

Gerbraun était allemand et, comme la plupart des Allemands, il manquait totalement de fantaisie et d'humour personnel. Il avait le rire facile à condition que la source de ce rire se situe à l'extérieur de lui… et si possible plus bas qu'il ne se considérait lui-même.

"N'hésitez pas à venir me déranger, disait-il à Bergamme, vous me distrayez merveilleusement du poids épuisant que je suis à moi-même. Quevedo aussi m'aide à vivre dans ce milieu austère et sans oxygène qu'est notre musée ; il a le don de me faire rire à son sujet en inventant continuellement de nouvelles catastrophes dont il serait la victime. Mais avec vous, Bergamme, il se passe autre chose. Quoi ? Je ne saurais le dire.

— Il se passe que de voir ma petite taille vous rehausse devant vous-même… et à la fois par certains côtés ma liberté serait un peu comme le rêve impossible à atteindre d'un vous-même à jamais prisonnier des écrasantes formes de respect dont vous êtes par force le gardien", avait répondu Bergamme en riant un peu trop fort.

Gerbraun n'avait pu s'empêcher de faire une grimace.

"L'idée est à la fois jolie et bien prétentieuse, mon petit Bergamme. Vous pensez vraiment que mon rêve secret serait d'être capable de m'imaginer, comme vous le faites, que je dérobe et retouche jusqu'à leur destruction les tableaux dont j'ai la charge ?

— C'est un peu ça... sauf que moi j'exécute *effectivement* certaines retouches dans la solitude de ma mansarde. Tandis que vous, c'est avec l'approbation des historiens de l'art et des critiques que vos restaurateurs défigurent les œuvres qu'ils sont censés rendre à la vie... pour ensuite les exécuter définitivement en les expulsant de leur divine unicité."

Gerbraun avait réfléchi un moment. Enfin il avait prononcé ces paroles révélatrices :

"Divine unicité ! Un bien grand mot pour ces objets périssables que sont les œuvres ! Croyez-moi, Bergamme, personne n'est plus fragile et déstabilisable que nous autres qui prétendons nous occuper de la survie de l'art. Pour la plupart, comme moi d'ailleurs, ce sont des créateurs qui n'ont pas réussi à passer à l'acte, comme on dit... et même plus précisément ce sont presque tous des peintres qui n'ont jamais peint, des artistes incapables de prendre le risque de produire de l'art... tout en sachant qu'ils auraient pu peindre et même être de véritables artistes s'ils avaient été moins *lucides*, et surtout s'ils avaient eu un tant soit peu de dimension religieuse... ou si ce n'est religieuse du moins mystique... ou au pire magique... en tout cas disons porteuse de mystère...

— En effet, Gerbraun, avait dit Bergamme ravi de pouvoir insister jusqu'à la douleur sur ce sujet... en effet, et c'est pour se venger d'eux-mêmes, de leur sensibilité déçue et de leurs incapacités à se risquer, qu'avec une patiente obstination ils mettent sur pied une sorte de stratégie *anartistique*, un jeu symétriquement inverse de celui qu'ils auraient pu jouer dans la vie s'ils avaient eu le courage du risque et de *la mise au ban des systèmes bâtis sur le trop-vite-reconnu* qui fatalement pousse toute création vers la marge... Et c'est ainsi qu'on peut les voir avancer – comme s'ils avançaient des pions sur l'échiquier – leurs *anartistes*, là où justement devraient lentement prendre place des créateurs dont les œuvres seraient «porteuses du mystère», comme vous dites...

— Allons, allons Bergamme, ne profitez pas des mots imprudents que je viens d'employer, l'avait interrompu Gerbraun, regrettant manifestement d'avoir évoqué «la dimension religieuse»... «mystique»... «magique»... «porteuse de mystère»...

— Mais, Gerbraun, je veux au contraire profiter de vos mots imprudents ! Que ce soit les dimensions mystiques ou magiques dont vous venez de parler, encore faut-il être assez lucide pour accepter les considérations irrationnelles qui confèrent de la valeur aux choses prétendument inutiles, c'est-à-dire renoncer à analyser les œuvres, renoncer à produire des certitudes là où la chose inutile parle ce mystérieux langage qu'aucun conservateur commissaire ou historien de l'art ne peut entendre. Voilà pourquoi je ne veux pas m'empêcher de retoucher et même de *poursuivre* les œuvres qu'il m'arrive de dérober dans vos musées si bien gardés. C'est ma façon vivante et bien à moi de dialoguer avec elles...

— Absurde ! Voyons, Bergamme, qui dialogue avec les œuvres ? Ne sommes-nous pas là pour qu'elles restent belles...

— ... et muettes autant que possible ?" l'avait coupé Bergamme.

Ils se trouvaient tous les deux dans le bureau de Gerbraun, et ils avaient sursauté l'un et l'autre quand la jeune stagiaire Elise, qu'ils n'avaient pas entendue approcher, s'était brusquement mêlée à leur dialogue :

"Je vous écoute depuis un moment, avait-elle dit, et je pense que vous surévaluez intellectuellement l'œuvre peinte. L'œuvre peinte nommée tableau ne peut être admise comme valeur intellectuelle ni en aucun cas comme catégorie psychologique finale... et encore moins comme jalon mystique. Oui, voilà ce que je pense ! avait déclaré la jeune stagiaire d'une petite voix presque enfantine mais terriblement péremptoire.

— Ah, c'est vous Elise, s'était exclamé Gerbraun. Mais que savez-vous de la peinture ?

— Je sais. J'observe avec une attention ironique... Je suis le cours des ventes.

— Ah, vous avez entendu, Bergamme ? Et qu'en déduisez-vous, ma jolie Elise ?

— D'abord je ne suis pas jolie... et ne veux pas l'être. D'autre part, j'en déduis que le tableau, quel qu'il soit, n'est rien d'autre que le symbole d'une sorte d'icône magique – sur ce mot je suis d'accord avec vous – dont la circulation économique devient le rituel, ou si vous préférez le cérémonial d'une relation prétendument non économique basée quand même sur l'étalon des valeurs boursières en cours."

Gerbraun la regardait, intimidé et stupéfait d'entendre de tels propos venant d'une jeune enfant commençant tout juste son stage de formation dans les coulisses du Grand Musée.

"Voyez-vous ça ! C'est jeune et ça sait déjà ! Vous n'allez pas nous dire, ma petite Elise, que pour vous les tableaux non cautionnés par les valeurs économiques… disons du moment, ne *valent* rien ! Qu'ils serviraient en quelque sorte de sur-monnaie, et qu'il en serait ainsi des œuvres produites par les artistes dans toutes les sociétés ? Si je vous ai bien comprise, c'est cela ?

— Pourquoi êtes-vous ironique avec moi ? C'est mon jeune âge qui vous fait sourire ? Et pourtant… n'est-ce pas vraiment comme ça que ça se passe ? avait-elle ajouté après avoir réfléchi un instant.

— Je trouve regrettable qu'une jeune stagiaire considère l'Art et ses œuvres comme une monnaie et non comme une chose mystérieuse venue d'on ne sait où… heu… avait balbutié Gerbraun visiblement impressionné par la force de confiance en elle-même qui émanait de cette si jeune fille.

— Je refuse d'avoir un point de vue mystique à propos de ce que l'on nomme «l'œuvre». C'est par le processus d'échange entre ce qui – tel l'argent principalement – est considéré comme utile, et ce qui – tel le tableau – doit rester à toute force inutile… mais sans pour cela être sacré ou consacré, oui, c'est par ces moyens apparemment profanes et rationnels que se fait la substitution symbolique… ou plutôt la superposition symbolique de l'inutile sur l'utile pour former une valeur faussement religieuse relevant à la fois de l'économie moderne et du culte archaïque des signes sacrés et consacrés…"

Gerbraun regardait Bergamme avec une stupéfaction jouée, un sourcil levé, le visage entier épanoui de plaisir. Puis, se tournant vers elle :

"Mais quel âge pouvez-vous bien avoir, Elise ?

— Seize ans. Pourquoi ?

— Et dites-nous, ces réflexions vous sont venues comme ça ?… si jeune… si jeune…

— Me sont venues à force d'entendre mon père parler tout seul. Il se considérait comme un grand peintre... raté. «Je suis un grand peintre... raté», disait-il.

— Mais le savez-vous ? Ce sont là les derniers mots de Van Gogh, l'avait interrompue Bergamme.

— Alors celui-là, comme peintre raté ! Il ne se trompait pas sur lui-même !

— Mais que dites-vous, Elise ? avait crié presque avec joie Gerbraun.

— N'est-on pas en train de découvrir que ses meilleurs tableaux ne seraient pas de lui mais de la plupart de ses proches ? A croire que *n'importe qui* est capable de peindre un Van Gogh, et que même son médecin – cet horrible Gachet ! – serait l'auteur de son propre portrait...

— Mais vous savez bien que les intérêts de différents experts font l'enjeu de cette lutte... avait tenté de l'interrompre Gerbraun... et quoi qu'en disent certains un portrait authentique existe...

— Je sais tout de ces gens que l'on achète non seulement avec de l'argent mais par toutes sortes d'autres monnaies aussi...

— Vous êtes trop jeune, Elise, pour...

— Pourquoi, vous qui exposez *L'Origine du monde* dans votre musée, auriez-vous peur de m'entendre nommer cette autre monnaie que Courbet ne s'est pas gêné de peindre, lui, avec un cynisme glacial où se dévoile son immense mépris pour La Femme puisqu'il na pas hésité à la réduire à une simple vulve... ou si vous préférez à une animalité que *justement* la peinture de toutes les époques s'est efforcée de transcender ?

127

— Elise, Elise ! Vous ne pouvez, à votre âge…

— Oh, vous savez, à mon âge… Je suis née quasiment dans l'arrière-boutique d'une des plus prestigieuses salles des ventes. Mon père était commissaire-priseur.

— Ne disiez-vous pas qu'il était peintre ?

— Il est mort. Il s'est tué. Il se prenait pour Van Gogh… mais un Van Gogh encore plus «raté» que le vrai… au point de ne même pas avoir réussi à peindre ne serait-ce qu'un faux Van Gogh. «J'aurais sans doute été un peintre exécrable parce que je raisonne trop juste», disait-il. C'est vrai, il raisonnait juste, et c'est grâce à lui que moi-même je raisonne juste, j'oserais dire de naissance, sur l'Art et le marché de l'art. «Ah, pourquoi me suis-je fourvoyé dans le monde de l'Art ? ne cessait-il de répéter. Ah, pourquoi ai-je participé avec tant de légèreté à ce commerce de *choses et de trucs* qui ont tué ce que la peinture avait d'inexplicable ?» Oui, voilà ce que ne cessait de répéter douloureusement mon père… jusqu'au jour où il s'est tué. Et c'est à la suite de ce suicide que j'ai décidé de devenir historienne du marché de l'art.

— Devenir historienne du marché de l'art ? Voyez-vous ça ?

— Mais oui, pas comme vous, prétendument historien d'un Art prétendument pur, d'un Art pour l'Art ! Non, moi je veux pousser jusqu'à ses limites l'analyse critique de l'économie de l'art… ce «lucre dégoûtant», comme disait mon père… lequel cependant ne s'était pas privé de s'enrichir considérablement à la bourse des œuvres grâce à ces *choses et ces trucs* – qu'il détestait – au mépris de la peinture d'Art – qu'il vénérait – jusqu'à s'être détruit lui-même, haineusement – comme s'il avait voulu, à travers lui, assassiner définitivement l'idée sublimée qu'il se faisait de la peinture.

— Vous entendez ça ? Bergamme ! avait dit Gerbraun. Selon notre jeune Elise, nous voilà donc tous au chevet de cette chère Peinture moribonde, plus impatients les uns que les autres de lui administrer le coup de grâce.

— Ah, non ! Permettez, Gerbraun ! Je vous interdis de vous moquer de ce que dit cette jeune fille… avait lancé Bergamme, élevant exagérément la voix.

— Allons, du calme, Bergamme ! s'était inquiété Gerbraun.

— Oh, ça, sûrement pas ! Comment garder mon calme ? La psychologie du *donneur* est essentiellement féminine – et c'est pour cela que je comprends et respecte l'amertume de cette jeune stagiaire ; la psychologie de la possession et du *prendre* est essentiellement masculine – ce qui lui donne doublement raison. Personne ne mérite les tableaux car les tableaux portent en eux quelque chose d'inconnaissable… Ce que cette jeune femme nomme «l'économie de l'art» n'est rien d'autre que le viol du *don* par l'institution de l'intérêt… et c'est de cela qu'elle est, sans s'en rendre compte, profondément blessée… La substitution du temps cumulatif contre le temps du plaisir…" Sur ces mots, Bergamme s'était laissé tomber à terre secoué par d'effrayantes convulsions.

"Ensuite, m'avait dit Bergamme, je ne me souviens plus très bien, non, je ne me souviens de rien… Quelques jours après, alors que j'étais revenu le voir dans son bureau, Gerbraun m'avait confié : «Savez-vous, je suis passionnément curieux d'Elise la jeune stagiaire. Son agressivité à l'égard de ceux qui ont encore foi en l'importance de l'Art est symptomatique. Rien n'est plus délicieux que le nihilisme des très jeunes filles quand elles se prétendent intelligentes et donc "libérées". Avez-vous remarqué ses chevilles frêles, ses poignets frêles ; je trouve de telles marques de fragilité irrésistibles chez une si jeune gamine qui ne cesse par ailleurs de montrer les dents et de sortir ses petites griffes. En même temps son extraordinaire maturité est effrayante.» Voilà, m'avait dit Bergamme, comment ont commencé entre Gerbraun et Elise cette sorte de rapport particulier – bien que très banal – qu'on voit souvent se nouer entre un homme mûr, socialement prépondérant, et une jeune fille étonnée d'être soudain traitée en femme alors qu'elle n'est pas encore tout à fait préparée aux marchandages sexuels de ce père de substitution. Combien il doit être flatteur pour une gamine à peine sexuée qu'un tel homme se montre *protecteur*, attentif envers «cette enfant», qu'il hausse du jour au lendemain à son niveau, provoquant chez la jeune fille une sorte d'exultation de se découvrir un pouvoir sexuel illimité sur cet homme notoirement inaccessible. Mais très vite cette exultation se transforme en une amertume capricieuse. Car la jeune fille, traitée maintenant en femme-enfant, sait mieux que quiconque *où* se situe exactement *l'origine* de son pouvoir, et combien ce pouvoir est précaire puisque le travail du temps efface jour après jour l'enfant pour ne laisser à la surface que la femme devenue vite importune. Ça, voyez-vous, toutes les jeunes filles le *savent* de savoir inné, avait poursuivi Bergamme qui à mon grand étonnement s'était animé au point d'en avoir les pommettes roses. Et c'est ici que prennent place toutes les ambivalences entre l'aimer et le haïr, vous devez facilement le comprendre, vous qui êtes écrivain ? Gerbraun ne sait même plus lui-même s'il aime ou hait cette femme-enfant qui, dès qu'elle a jaugé l'ascendant si rapidement pris par elle sur le conservateur en chef du Grand Musée, devient insupportablement tyrannique et, identifiant l'amour avec le bien... et la haine avec le mal, *se sait* chaque jour plus odieuse car s'enfonçant chaque jour davantage dans cette position fausse où la voilà maintenant emprisonnée par et avec Gerbraun. On prétend que l'homme est naturellement bon et paisible et que sa conduite agressive est uniquement le résultat de frustrations détermi-nées par l'environnement. Personnellement je doute de sa prétendue bonté et de sa paisibi-lité. Je pense que l'homme est frustré dès que sa conscience s'éveille, non pas encore à l'en-vironnement mais à soi. Dès qu'il se sent, voilà déjà qu'il n'a pas assez ! Assez de quoi ? Il ne le sait pas. Pas assez, jamais assez ! C'est d'agres-sion innée que l'humanité est remplie, et la seule alternative qui s'offre à elle c'est évidem-ment soit de diriger cette tendance vers l'exté-rieur et détruire les autres, soit de la tourner vers l'intérieur et se détruire elle-même. Et il en va ainsi de chaque individu. Car, comme il en adviendra fatalement de l'humanité, l'individu sait qu'il va mourir. Et c'est de vie que nous n'avons pas assez en naissant, comprenez-vous ? Dès l'instant de la naissance, la seule chose que nous *savons* c'est que déjà nous commen-çons à mourir, oui, nous ne *savons* rien d'autre

131

de la vie que la mort ! Que désirait Gerbraun d'Elise ? De quoi n'avait-il jamais assez si ce n'était du philtre anti-mort de la vivante jeunesse de cette Elise qu'il voyait à la fois plus enfant que femme quand elle allait et venait par les couloirs du Grand Musée, et plus femme qu'enfant quand il réussissait à l'entraîner et à l'étendre à plat dos dans quelque coin sombre des «plombs» – comme vous l'apprendrez par la suite…" Voilà ce que m'avait dit, en ricanant, Bergamme ce jour-là avant de me prier de le laisser.

Donc, dès le premier jour, Gerbraun s'était senti mis en infériorité par cette jeune stagiaire qui lui avait déclaré :

"Je ne suis pas d'accord avec le rôle des conservateurs de musée, je conteste votre travail, celui de Roberte et de ses équipes d'intervention d'urgence, ainsi que le travail de tous ceux qui participent à cette prétendue conservation du «beau» à partir de ce que nous ont légué les peintres. Vous autres vous consacrez… et même le jour où vous réussirez à détruire l'unicité des tableaux vous ne ferez que les consacrer et les conserver quand même en prétendant par leur multiplication les rendre plus sûrement immortels.

— Mais pas du tout, pas du tout ! s'était exclamé Gerbraun. Je suis tout aussi critique que vous, Elise, mais…

— Je vous dis que vous consacrez, avait-elle insisté. Et dans ce processus de consécration accordant évidemment une valeur imaginaire aux œuvres divinisées, sorties des mains faiseuses d'or des artistes, votre rôle à vous autres conservateurs… et notre rôle d'historiens de l'art aussi, consiste à brouiller, à estomper autant que possible cette relation entre l'utile et l'inutile en leur substituant une unité autrement plus insaisissable, et donc sacrée, que vous nommez «La Beauté» et que vous êtes prétendument les seuls à pouvoir distinguer, et donc à savoir nommer. Voilà exactement quel est votre rôle pernicieux, Gerbraun, quand seule la valeur-or importe véritablement…"

En rapportant par la suite cette conversation à Bergamme, Gerbraun avait ajouté :

"Je vous avoue, Bergamme, que j'étais ravi d'entendre une jeune stagiaire contester notre rôle avec cette franche vivacité.

— En un certain sens elle ne se trompe pas, avait dit Bergamme. Comme il n'est pas forcément nécessaire d'aimer l'or pour devenir spéculateur, il n'est pas forcément non plus besoin d'aimer l'art ou ce qu'on nomme la «Beauté», avec majuscule à l'allemande, pour en être les experts.

— Vous voulez dire, l'avait interrompu Gerbraun, vous prétendez, Bergamme, que notre rôle serait, au nom de la modernité intelligente, de séculariser le sacré en le versant dans un fétichisme culturel qui met à la portée des groupes d'aveugles – comme vous ne cessez de qualifier ces gens encombrant nos musées – une vision de l'utile et de l'inutile réunis dans des œuvres consacrées par cette bourse des valeurs que sont nos gloses et nos commentaires de toutes sortes ?" Voilà ce qu'au grand étonnement de Bergamme lui avait dit Gerbraun, qui n'en restait pas là : "Selon l'historien de l'art que je suis, il ne me semble pas possible que «l'amour des œuvres artistiques» subsiste et se perpétue sans que le fétichisme de la valeur boursière qu'elles représentent ne se manifeste sous une forme ou une autre. En cela je suis d'accord avec cette étonnante Elise... et je le lui ai dit. Je lui ai dit aussi : «Vous devez comprendre, Elise, que les œuvres qui par nos soins seraient en quelque sorte mises à l'abri et donc prétendument extraites du système des valeurs, ou disons définitivement "gelées" dans les refuges-prisons que sont nos musées, oui, ces œuvres seraient, on pourrait dire, *embellies* par la régulière montée des taux d'intérêt d'un petit contingent d'œuvres laissées libres de vagabonder sur le marché de l'art.» Et cette étonnante jeune fille m'a répondu, continuait toujours Gerbraun : «Certains économistes, dit-on, refusent d'admettre que l'intérêt est le prix de l'argent, mais ce qu'il est moins facile de contester c'est le lien étroit entre le taux de l'intérêt que représente la continuelle montée en valeur des œuvres et leur montée en *beauté*. En somme, *l'argent ouvre les yeux...*» Voilà ce qu'elle m'a dit ! N'est-ce pas merveilleux de trouver une phrase d'un tel cynisme dans la bouche d'une si jeune enfant !

— Votre Elise a tout à fait raison, avait dit Bergamme. C'est là un phénomène éminemment psychologique... et sacré. Comme les corps vivants évoluent sans cesse, l'œuvre d'art, pour rester vivante, doit évoluer en valeur économique... puisqu'elle est morte définitivement dans son apparence, puisqu'elle est momifiée dans la *beauté*. Dites-moi, pour quelle autre raison, croyez-vous, rendrais-je à la liberté les tableaux que j'arrive à arracher aux cimaises de vos musées ? En les kidnappant, je les remets en vie.

— Vos délires de rapt m'enchantent, comme ils enchantent Elise à laquelle j'ai tout raconté au sujet des mauvaises copies qui encombrent votre mansarde...

— Je m'abstiendrai de relever vos provocations, avait répondu Bergamme en se renfrognant.

— A part ça, je vous donne raison sur bien des points, continuait Gerbraun, et principalement sur ce que vous venez de dire à propos de «la vie des œuvres d'art». Seule une continuelle évolution en valeur économique peut garantir solidement leur réelle survie. En effet, si *tous les chefs-d'œuvre* du patrimoine humain ne sont pas solidement à l'abri derrière les barreaux de nos musées, c'est pour que cette masse de *beauté* incarcérée dans nos musées soit sans cesse en quelque sorte réactivée par la continuelle montée en valeur des chefs-d'œuvre, disons jumeaux, que volontairement nous autres conservateurs, commissaires et experts agréés nous ne préemptons pas et laissons dériver d'une collection à l'autre, et dont la circulation sur le marché ne passe évidemment pas inaperçue... n'excitant que plus les curieux que l'on peut voir en groupes compacts encombrer nos salles... D'autre part, je dois l'avouer ici, avait conclu Gerbraun, ces tableaux que nous laissons divaguer nous sont une source immense de revenus car ils ne peuvent changer de main sans passer par toute une série d'authentifications d'experts qui d'un trait de plume *assassinent* sans scrupule une œuvre de valeur ou *rendent à la vie boursière* un faux notoire. Et pourquoi «dupliquerions»-nous les

135

œuvres de nos musées si ce n'était pour laisser prendre les plus vertigineuses valeurs aux œuvres demeurées en liberté économique ? Bien qu'enfoncés profondément dans ce trafic, croyez-moi, Bergamme, nous restons tous, vous pouvez le constater, d'une parfaite lucidité."

"Voilà quel genre d'étrange conversation nous avions, Gerbraun et moi, dans son bureau derrière les cimaises du Grand Musée. Et je souhaite vivement que vous en transcriviez chaque mot", m'avait dit Bergamme. Soudain, entrouvrant les yeux il m'avait fixé un instant d'un regard d'un bleu délavé, immédiatement recouvert par les peaux molles de ses paupières. "Si je me permets de rapporter aussi précisément la substance de ces conversations c'est pour que vous compreniez mieux le pourquoi de mon obsession au sujet de *L'Origine du monde*. Plus que jamais j'étais décidé à mettre effectivement hors circuit ce tableau. Ni Gerbraun ni Quevedo ni cette jeune Elise au cynisme enfantin ne prenaient au sérieux mes menaces. Seule la restauratrice en chef Roberte semblait chercher à comprendre ce que j'entendais par «dérober *L'Origine du monde*». Mais patience, je vous parlerai d'elle plus loin."

LIVRE II

— *(…) Combien de jouissance sur ce morceau de toile ! s'écria*
Porbus.
Le vieillard absorbé ne les écoutait pas, et souriait à une femme
imaginaire.
— *Mais, tôt ou tard, il s'apercevra qu'il n'y a rien sur la toile,*
s'écria Poussin.
— *Rien sur ma toile ? dit Frenhofer en regardant tour à tour*
les deux peintres et son prétendu tableau.

BALZAC, *Le Chef-d'œuvre inconnu.*

I

Maintenant, Bergamme avait ses entrées libres au Grand Musée, même en pleine nuit, souvent il lui arrivait de s'introduire sans bruit par une petite porte donnant sur l'entresol d'où il lui était facile de monter par les coursives métalliques jusqu'aux combles – là où campait le commissaire en chef Quevedo. Peu à peu, il avait réussi à se lier d'amitié avec lui. En effet, Gerbraun avait raison, Quevedo aimait à parler de lui-même dans les termes les plus dérisoires. Il se considérait comme un homme ridiculisé par la "fortune" et ne cessait de le dire avec une jubilation à la fois comique et désolante :

"Rien de ce que j'entreprends ne se développe normalement, avait-il dit à Bergamme, un soir alors qu'ils se trouvaient seuls tous les deux dans les combles du musée. Imaginez qu'il m'est arrivé dernièrement de capturer, au Portugal, une grande couleuvre verte que mon chien avait légèrement blessée en voulant jouer avec elle..."

Je ne tiens pas à encombrer ces pages avec des "histoires" qui ne feraient que nous détourner inutilement de notre sujet... mais je ne peux cependant passer sur des faits révélant la personnalité d'une des victimes des bizarres événements qui endeuillèrent le Grand Musée. Donc le commissaire en chef Quevedo se trouvait au Portugal... "où j'aime, avait-il dit à Bergamme, passer quelques jours de temps en temps pour oublier l'ambiance crépusculaire de ce musée"... Cette couleuvre qu'il avait capturée était de l'espèce "verte" et mesurait pas loin de deux mètres. Non sans une furieuse résistance de la part du grand reptile, Quevedo avait réussi à l'introduire dans un sac en plastique, avec l'intention de le déposer chez un vétérinaire afin qu'il le soigne et lui redonne la liberté. Mais voilà que par une étourderie incompréhensible il oublie ce sac dans le coffre de la voiture de location... qu'il rend, sans plus y penser, à l'agence à laquelle il s'adresse chaque fois qu'il va passer quelques jours dans son pays d'origine. Rentré sous les combles du musée, il repense soudain à la couleuvre honteusement oubliée dans le coffre de la voiture. Au téléphone, l'employée de l'agence lui dit ne pas l'avoir trouvée. Le sac était vide, et pas de couleuvre ! Quelque temps après, de nouveau Quevedo retourne au Portugal où, comme d'habitude, il loue une voiture par son agence habituelle. Evidemment, le hasard ne pouvait faire autrement que de lui offrir la même voiture...

"Ne vous impatientez pas, Bergamme, avait dit Quevedo en riant de lui-même, si je vous raconte cette stupide affaire, c'est pour vous donner un aperçu des absurdités qui sans cesse se mettent en travers de mes comportements et du moindre de mes gestes. Donc, je loue cette voiture, qui se trouve être la même pour la seconde fois... Et figurez-vous, Bergamme, que le lendemain matin, en sortant de ma chambre d'hôtel, au moment où j'allais prendre la voiture, je vois, roulée au soleil sur le capot, la couleuvre… qui instantanément disparaît quelque part du côté du moteur. J'imagine qu'après s'être évadée du sac elle avait trouvé, dans une partie inaccessible du châssis, un coin tiède où se réfugier et où, depuis, elle devait vivre clandestinement. Exactement comme moi, avec Bull, dans ces combles, avait ajouté Quevedo en riant.

— Et alors ? l'avait interrogé Bergamme.

— Alors rien… Je me suis empressé de rendre la voiture à l'agence…

— Sans signaler la couleuvre ?

— Bien sûr, sans en parler… hélas ! avait répondu Quevedo d'un air lugubre. Pendant quelque temps la voiture avait servi normalement, je suppose… *avec la couleuvre clandestine*… et personne ne s'en était aperçu… jusqu'au jour… jusqu'au jour où… «sans qu'on puisse l'expliquer, m'avait dit l'employée de l'agence, alors que la voiture roulait sur une ligne droite, il s'est produit un horrible accident»."

Quevedo s'était tu quelques instants.

"Je m'étais bien gardé de révéler quoi que ce soit, mais depuis je me considère comme directement responsable de la mort des passagers de *ma* voiture, que l'apparition de la couleuvre, alors qu'ils roulaient à pleine vitesse, avait dû affoler."

Après un autre silence :

"Avouez, Bergamme, que je suis un homme poursuivi par une poisse bien singulière", avait conclu le commissaire en chef Quevedo en jubilant, avec des plis amers sur tout le bas du visage.

"Maintenant, il est temps que je vous parle de Mlle Roberte, la restauratrice en chef du

Grand Musée, m'avait dit Bergamme, alors que j'étais revenu le voir dans sa petite cellule où comme d'habitude il gisait les yeux fermés. Notez-le, c'était un dimanche ; j'étais monté, selon mon habitude, jusqu'aux combles du musée, pensant trouver Quevedo mais il n'était pas là, sans doute avait-il été promener son chien sur les berges du fleuve. Au moment où j'allais repartir, voilà que dans une des étroites coursives je m'étais heurté à Roberte. «Venez mon petit Bergamme», m'avait-elle dit, rieuse, en m'entraînant dans une des parties reculées des combles où elle voulait me montrer plusieurs tableaux posés sur des chevalets. Il y avait là un tableau que je n'ai jamais aimé et que j'aurais volontiers volé pour le continuer, je parle de *La Gouvernante* de Chardin. Il y avait aussi le fameux *Homme au verre de vin* de Fouquet, *Le Port de Honfleur* de Jongkind, et surtout un tableau que j'ai toujours rêvé *d'inachever* : *La Guinguette* de Van Gogh. Voyant mon étonnement, continuait Bergamme, Roberte m'avait dit : «Comme aujourd'hui nous sommes dimanche et que mes équipes de restaurateurs sont au repos, je vais en profiter pour vous montrer jusqu'où va notre sollicitude envers les œuvres dont nous avons la charge. Gerbraun a dû vous dire combien nous étions à la fois heureux et inquiets de voir nos musées débordés par les foules – car la peinture est évidemment faite pour être regardée… sans pour cela devenir prétexte à encombrement. Que l'on passe devant les œuvres… merveille ! Mais sans trop s'y arrêter. Voilà pourquoi bientôt seront installés le long des cimaises des tapis roulants afin que nul ne s'attarde inutilement, et surtout ne puisse revenir sur ses pas pour

142

examiner plus longuement les œuvres. Comprenez, Bergamme, m'avait encore dit Roberte, un peuple immense attend, l'humanité entière attend dehors que l'espace nécessaire pour passer devant les chefs-d'œuvre auxquels elle a droit soit libéré. Le seul problème, c'est que le nombre est forcément destructeur. Pour pallier les oxydations provoquées par tant de respirations, nous avons tout tenté jusqu'au jour récent où une nouvelle technique de conservation est venue résoudre non seulement ce problème mais *tous* les problèmes soulevés par tant d'œuvres qui ne cessent de se détériorer. Cette nouvelle technique de conservation va nous permettre de les répliquer jusqu'aux plus secrètes de leurs molécules. – Donc ce que m'a dit Gerbraun est vraiment vrai ? – Ce qu'il a eu l'imprudence de vous révéler est vraiment vrai. – Alors c'en est fini de l'œuvre unique ? – Fini à jamais… Mais une fois répliquée, qu'allez-vous faire de la peinture originale ? – Je vais vous avouer une chose que Gerbraun ne vous a sûrement pas dite : le processus par lequel l'œuvre est répliquée en autant d'autres elles-mêmes n'a qu'un seul inconvénient… à vrai dire un avantage : c'est de dissoudre l'original… – Comment ça ? Roberte ! Plus d'original ?» Vous comprenez, avait encore dit Bergamme, combien les révélations de Roberte m'étaient insupportables à entendre. «Mais alors, Roberte, si l'humanité détruit ses chefs-d'œuvre pour les répliquer c'est qu'elle s'apprête à disparaître ! – Evidemment, mon petit Bergamme. Notre tâche n'est pas de préserver l'humanité mais de conserver en les multipliant les œuvres qu'elle a sécrétées depuis qu'elle a été capable de défier… quelque chose qu'elle ne connaît pas elle-même.»

Bergamme avait laissé un silence :

"Voilà comment l'idée m'est confusément venue de détruire le Grand Musée... avec ceux qui en avaient la charge. Mais assez pour aujourd'hui ! Laissez-moi."

C'est ce dimanche-là qu'entre Roberte et Bergamme s'était établie une sorte d'intimité qu'il me sera difficile de préciser dans ces écrits car Bergamme laissait dans le vague certains détails, se contentant pour les suggérer d'un bref sourire doux et enfantin, bien inhabituel chez lui.

"Mais alors, avait-il dit à Roberte, des gens comme moi n'ont que faire en ce monde...

— Vous parlez de ces fous rêveurs de tableaux ?

— Je parle de ces fous voleurs de tableaux...

— Ah, Bergamme, vous êtes adorable ! J'aime votre forme d'intelligence. Laissez-moi vous prendre sur mes genoux et vous faire une bise. Comme je vous aime beaucoup et que je trouve vos idées de vols extrêmement comiques, je vais vous confier un grand secret. Le but des responsables du patrimoine artistique de l'humanité est de faire peu à peu oublier que les *images* reproduisant les œuvres les plus célèbres déposées dans nos musées proviennent d'un «travail humain» ; qu'à l'origine de ces *images* se trouvent de véritables tableaux peints par des artistes réels, qui ont existé pour de bon avec leurs incertitudes et leurs névroses... et que toutes ces œuvres sont le résultat d'une rupture de l'équilibre établi entre une terrible tension intellectuelle et la possibilité d'une décharge instinctuelle de cette tension. Oui,

Bergamme, avait continué Roberte, toutes nos activités autour des œuvres tendent à les rendre claires et sans histoire. Ce sont des tableaux, de «belles» surfaces peintes et non le résultat d'une inquiétude sans cesse en mouvement... et encore moins la recherche maladive d'une santé psychique de malades psychiques – et donc par conséquent constituant en elles-mêmes un symptôme de maladie. Bien sûr nous le savons, cependant cela ne doit pas être pris en compte : chaque tableau, chaque œuvre d'art d'un certain niveau n'est que la tentative désespérée d'un grand malade psychique de s'en sortir. Mais nous sommes là pour distraire de ce que ces œuvres contiennent réellement, et surtout du fait qu'elles sont des œuvres originales dont l'unicité beaucoup trop fragile et périssable ne pouvait que peser de plus en plus sur nous autres conservateurs et restaurateurs à mesure de leur vieillissement... Jusqu'au jour très proche, et auquel nous nous préparons fébrilement, où nous sera enfin offerte la possibilité de rendre quasi immortelles non pas ces œuvres dont nous avons la charge mais les présentations ou si vous préférez *les images* qu'elles donnent d'elles. En elles-mêmes, je veux dire par leur matérialité elles ne sont qu'insupportable encombrement ! Seul ce qu'elles «montrent» importe... Vous avez vu ce qui se passe dans nos «plombs» ? Montons-y, voulez-vous ? Reconnaissez, Bergamme, que cet immense amalgame écrase, décourage et, sachez-le, a toujours découragé les successives générations de conservateurs qui, devant une telle masse de chefs-d'œuvre transformés en pourriture, constatant leur impuissance, par une sorte d'instinct de survie, ressentent une brusque érotisation, de violentes pulsions, des poussées de désir qui sembleraient remonter du fond de l'être biologique... si bien que devant ce désastre d'œuvres naufragées il leur faut immédiatement libérer un puissant flux de vitalité, là, immédiatement sur place. Voilà pourquoi ces niches pour ainsi dire creusées à même la masse de tableaux. Venez, étendons-nous ici un moment sur ces matelas jetés à même le sol. Avouez, mon petit Bergamme qu'il est agréable de se trouver seuls, un dimanche, allongés dans les combles de notre musée...

— Je ne peux y croire, avait murmuré Bergamme, presque sans souffle.

— Mais laissez-vous aller, mon petit Bergamme, ne vous recroquevillez pas, allongez vos petites jambes, oui, comme ça, tout contre moi...

— Attendez, Roberte, vous êtes en train de me brouiller la cervelle...

— Mais pas du tout, mon petit Bergamme...

— Si, je vous assure ! Je ne peux croire à la réalité de cette tâche de duplication à laquelle vous prétendez être sur le point de vous livrer avec vos équipes.

— Mais pensez à autre chose, Bergamme... ne pensez à rien... mettez votre joue ici et... chut !

— Mais si toute unicité est détruite là où justement elle ne peut être remplacée... là où elle s'était réfugiée...

— Allons, Bergamme, avait murmuré Roberte, du calme ! Fermez les yeux et laissez-vous aller ! Ne trouvez-vous pas excitante l'idée d'être enveloppés par tant d'œuvres condamnées bien que signées des plus grands noms de la peinture ? Posez votre joue là, oui là !

— Non, non ! avait presque crié Bergamme. Ah, Roberte !

— Calmez-vous, mon pauvre petit", avait chuchoté Roberte, le maintenant ferme contre son ventre. Lui caressant les cheveux d'un geste apaisant, elle avait soudain demandé s'il était vrai, comme le lui avait affirmé Gerbraun, qu'il peignait de maladroites répliques des tableaux volés depuis ces dernières années dans les musées.

"Le conservateur en chef Gerbraun n'a évidemment pas les yeux en face des trous, avait dit Bergamme d'une voix énervée. Pour un conservateur historien de l'art c'est plus que déplorable. Il a osé vous dire : «maladroites répliques» ?

— Je crois… peut-être mauvaises copies… Je ne me souviens pas des termes exacts.

— Quand je vois dans quelle confusion de commentaires, de répliques mortelles, de caches secrètes et de tombeaux vous êtes en train de précipiter la peinture, je comprends que Gerbraun ait été dans l'incapacité de distinguer le vrai du faux. Je n'ai jamais rien copié mais *inachevé, continué, renforcé dans leur unicité* les tableaux que j'ai réussi à sauver de la mort muséeuse, comprenez-vous Roberte ?

— Comme vous êtes drôle et charmant, mon petit Bergamme !

— Oui, comprenez-moi, Roberte, passer devant un tableau… et vivre avec lui ce sont deux choses bien distinctes. J'en ai fait l'effrayante expérience. Vivre avec *Le Chemin de Sèvres* de Corot, par exemple, est une torture de tout moment. Au début, vous vous trouvez étonné d'avoir réussi avec cette facilité à décrocher, désencadrer, découper délicatement les bords de la toile sans mordre sur la peinture… et d'emporter, grâce à votre petite taille et *au vu de tous* cette œuvre… la rendant du coup bien sûr trop célèbre. Maintenant la voilà accrochée au mur en face de votre lit… elle est là, mieux qu'au Louvre, dans l'intimité d'un collectionneur secret, en compagnie d'un La Tour et de quelques autres chefs-d'œuvre sauvés par les soins d'un homme peut-être petit mais combien plus sensible à lui seul que des millions d'autres !…

— Ah, vous êtes vraiment attendrissant, avait dit Roberte, pressant Bergamme par brusques petits à-coups dans ses lingeries parfumées. Vous rendez-vous compte de ce que vous dites ? *Le Chemin de Sèvres ?* Gerbraun m'a affirmé qu'en effet il en avait vu chez vous une pâle réplique que vous vous seriez amusé à rehausser… «Bergamme est un petit homme tout à fait singulier, m'a dit Gerbraun, avait poursuivi Roberte, il veut tellement être le voleur des tableaux dont il a accroché les copies sur ses murs qu'il vaut mieux ne pas le dissuader de son rêve. Tout le charme de ce petit homme vient de cet émerveillement, de cet extraordinaire contentement de soi de se croire celui qui a réussi ces vols impossibles», voilà ce que m'a dit de vous Gerbraun, avait ajouté Roberte en riant.

— Mais il est vraiment par trop allemand ! s'était écrié Bergamme, s'arrachant du corps de Roberte. Que lui faut-il ? Des certificats d'authenticité ? Moi Bergamme, j'ai volé une bonne quinzaine de tableaux dans différents musées français, suisses, hollandais et allemands. Mon seul échec je l'ai douloureusement subi en Espagne. Bien sûr, une *Scène de la vie espagnole* de Goya n'aurait pas dû présenter plus de difficultés que *La Meule de foin* de Van Gogh ou cet affreux *Chemin de Sèvres* de Corot... mais voilà, les Espagnols sont des gens incroyablement méfiants et surtout tellement cruels qu'ils vont jusqu'à fixer les tableaux de leurs musées avec des équerres en acier et de longues vis cannelés en spirales inversées de sorte que dans le petit affolement du rapt il ne vous vient pas à l'idée de manipuler le tournevis dans le sens inverse de la normale... et c'est comme ça que le tableau reste inébranlablement à son poste et qu'il n'y a plus qu'à courir le plus près possible du sol pendant que ça se met à sonner de tous côtés...

— Ah, mon petit Bergamme, vous êtes d'une adorable drôlerie ! Je comprends pourquoi Ernesto Quevedo s'est pris pour vous d'une amitié tout à fait étonnante et inattendue venant d'un homme comme lui, misanthrope, pessimiste, amer, parfois même méchant. «Avez-vous vu Bergamme aujourd'hui ?» s'inquiète-t-il presque anxieusement pour peu que vous ne montiez pas le voir comme d'habitude. Même son chien, selon Ernesto, se serait attaché à vous. Tout le monde vous aime au musée car votre continuelle mauvaise humeur à l'égard des commissaires, des gardiens et des conservateurs, nous réconforte tous pour la simple raison que nous détestons notre fonction, oui, que nous détestons cette masse morte de chefs-d'œuvre qu'il nous faut à tout prix sortir du temps... à vrai dire de la vie ; nous détestons ces hordes de gentils crétins qui piétinent dans nos salles, ne sachant quels tableaux méritent leur admiration, s'émerveillant d'en reconnaître certains pour les voir régulièrement reproduits, comme je l'ai déjà dit, sur leurs boîtes de détergent ou de fromage. Et en même temps rien n'est plus émouvant que de constater combien leur inculture est chargée d'énergie, combien ces groupes humains qui arpentent nos salles sont en travail de sublimation…

— Quoi ? Que dites-vous, Roberte ? De sublimation ?

— Doucement, Bergamme, doucement, ne vous énervez pas… Sublimation, absolument ! Si la sublimation est bien cet usage que fait de l'énergie corporelle une âme qui s'isole du corps, c'est bien de sublimation qu'il s'agit. Ces visiteurs de nos musées ne donnent-ils pas tous, autant qu'ils sont, l'impression d'oublier qu'ils ont un corps ? Rien que pour cela, oui pour que l'humanité, comme le dit Horace, «élève ses sublimations jusqu'aux étoiles», nos travaux de conservation par la multiplication méritent d'être menés le plus vite possible à terme… puisqu'en dupliquant les œuvres, restées jusqu'à présent enfermées dans leur unicité, nous les sortons en quelque sorte de leurs *corps*, nous les anéantissons pour n'en garder à vrai dire que l'*âme*… même si le prétexte de cette sublimation se confond avec les étiquettes de certaines boîtes de camembert reproduisant un Vermeer ou un Fragonard…"

II

"Le soir même, Roberte était montée dans ma mansarde, m'avait dit Bergamme une autre fois, alors que j'étais revenu prendre des notes au bord de son lit de malade. Ça, vous devez l'écrire scrupuleusement, entendez-vous ? car pour moi cette visite de Roberte reste un des plus délicieux souvenirs concernant *L'Origine du monde* et les tragiques événements qui se préparaient autour de ce maudit tableau..." Après avoir laissé un silence pendant lequel je m'étais bien gardé de bouger, il avait continué : "«Mon petit Bergamme, je veux voir ces chefs-d'œuvre que vous prétendez avoir volés», m'avait-elle dit de son irrésistible voix de jeune femme un peu trop en chair dont la gorge très blanche, presque nacrée par le bleuté des veines que l'on devinait sous la peau, offrait aux sens l'avant-goût... Mais suffit ! Mon but n'est pas de vous décrire ici par le détail les aspects aussi bien positifs que négatifs de ma vie privée. Donc, acceptez que je saute... que je reprenne un peu plus loin... pour ainsi dire *après*... au moment où, levant les yeux sur le La Tour accroché au mur faisant face à mon lit, Roberte m'avait dit : «Mais je connais ce tableau, n'est-ce pas le La Tour que toutes les brigades spécialisées dans la recherche des œuvres d'art disparues s'efforcent de retrouver ? – Ah, avais-je presque crié avec soulagement, ah, vous voyez bien, Roberte, que je ne mens pas ! – Copie presque parfaite… avait-elle murmuré comme pour elle-même, agenouillée, à demi nue sur mon lit, et cherchant ses lunettes dans son sac. – Comment ça ? j'avais crié. Presque, dites-vous, Roberte ? Comment ça copie ? – A part la main et les plis de la robe qui me paraissent avoir été rajoutés, l'ensemble est d'une assez belle fidélité. – Mais vous ne voyez pas que *c'est le vrai* La Tour ? avais-je crié encore. Je l'ai volé à Lyon il y a trois ans et depuis je vis avec… sans grand plaisir… mais sans grand déplaisir non plus. La main et les plis de la robe sont de moi. Je n'ai pu m'empêcher de *poursuivre* ce tableau par ces quelques retouches… – Ah, vous êtes trop drôle, Bergamme ! Je dois le reconnaître, vous êtes très doué comme copiste. – Vous doutez ? l'avais-je interrompue. Eh bien que dites-vous de ceux-là ?…»"

Alors Bergamme avait tiré de sous le lit *son* Van Gogh "complété" par lui… puis *son* mauvais Degas… puis *son* Monet détruit… ainsi que plusieurs toiles de petits maîtres "volées dans différents musées de province", avait-il avoué à Roberte, qui lui souriait avec gentillesse, appuyée à un oreiller, ses beaux bras blancs croisés derrière la tête :

"Le Van Gogh, volé à Amsterdam, vous le reconnaissez, j'espère ? avait dit en jubilant Bergamme. Mis à part le soleil en train de se coucher derrière la meule de foin que j'ai cru bon de rajouter…

— De toute façon peu de Van Gogh sont authentiques. Autant votre La Tour est réussi, autant ce Van Gogh, comme tous les Van Gogh, sans exception, a l'air non seulement d'un mauvais faux mais d'une médiocre copie d'après un médiocre faux...

— Mais il est authentique ! A part *mon* soleil vermillon..."

Roberte ne l'écoutait plus. S'étant saisie du Degas elle le détaillait de près.

"Etrange, étrange...

— Quoi ? Qu'est-ce qu'il y a ? Pourquoi étrange ?

— Il y a... on dirait que deux peintres ont tenté cette copie...

— Juste ! s'était écrié Bergamme. Sauf que l'un des peintres c'est Degas lui-même... et que l'autre c'est moi-même ! Donc pas de copie ! Je pensais pouvoir améliorer le dessin de ce bras et aussi l'emboîtement du pied que je trouve vraiment bien médiocrement posé... Et voilà que pour finir j'ai tout gâché, non ? Ne dirait-on pas un Lautrec ?

— Bergamme, Bergamme, vraiment je vous adore ! Vous êtes vraiment merveilleux de naïveté et de drôlerie !

— Roberte, vous ne voulez donc pas me croire ? Tenez, emportez ce tableau au musée... et passez-le à la lampe... Je prends un risque terrible mais je ne peux supporter votre scepticisme ! Et que dites-vous de ce Monet que j'ai honteusement détérioré ?

— Monet ? Où Monet ? Je ne vois que des traces de colère et d'impatience... Cette toile ressemble plus à une plaie ouverte qu'à un quelconque tableau...

— Ah, vous voyez ! qu'est-ce que je vous disais ? C'est vrai, je n'ai pas ménagé le couteau à palette..."

Heureusement pour Bergamme, Roberte n'avait pas emporté le Degas – ce qui pour lui aurait été catastrophique car les rayons ne pouvaient pas ne pas révéler l'authenticité du tableau et la vérité des affirmations de Bergamme quant aux retouches qu'il avait irrespectueusement osées sur lui.

Une autre fois, alors que Bergamme se trouvait par hasard seul avec elle dans l'atelier de réanimation d'urgence, Roberte lui avait tout à coup parlé de Gerbraun :

"Cet homme est terriblement instable, je vous préviens mon petit Bergamme, et vous devez vous méfier de l'indulgence qu'il semble avoir pour vous. Tant que vous l'amuserez, contre toutes les consignes de sécurité, il vous laissera aller et venir dans les parties interdites de notre musée. Mais attention ! il peut se changer d'un instant à l'autre en véritable tyran. Et je ne vous parlerai pas ici de son comportement avec nous autres les femmes placées sous sa dépendance ! De même avec le commissaire Quevedo, on ne sait pourquoi il suffit qu'il l'aperçoive pour qu'il se mette à rire de ce rire si particulier qui, quant à moi, m'horripile… et tout à coup ne voilà-t-il pas qu'il se met en colère, et le malmène, lui reprochant avec des mots humiliants de le distraire et de l'amuser plus qu'il n'est «correcte». Mais ce que je déteste surtout chez lui, c'est cette bizarre manie qu'il a de lire ses journaux allemands et de vous en traduire à tout propos certains articles. Hier, par exemple, voilà qu'en dehors de toute nécessité professionnelle, il me retient dans son bureau : «Asseyez-vous Roberta. – Pas Roberta, Roberte ! – A votre guise, Roberta…» Et il se met à me traduire un article au sujet d'une femme qui, en Serbie, aurait pénétré *nue dans une église* qu'elle aurait saccagée *souillant l'autel et les icônes*, avait insisté Gerbraun, me fixant droit dans les yeux en descendant effrontément d'un regard glissé, très lent et appuyé, de haut en bas de mon corps, puis remontant encore plus lentement, comme s'il le détaillait et le palpait sous mes habits. «Et qu'ont fait les prêtres serbes ? a-t-il continué, insistant, *ils ont consacré à nouveau leur église*, oui Roberta, ils sont repartis de zéro dans leur dialogue avec la Force Divine !» Comme il se taisait exprès, attendant visiblement que je réagisse, je lui ai dit : «Mais pourquoi me racontez-vous ça, Gerbraun ? Je me fous de vos prêtres serbes et de leur église ! – Moi de même, Roberta, m'a-t-il répondu, mais ce dont je ne me fous pas c'est de *la femme nue et du fait qu'elle ait trouvé bon de souiller l'autel ainsi que les icônes*.» L'autel et les icônes ! Une femme nue ! Qu'entendait-il par là ? Me reprochait-il de diriger les équipes de restauration – dont la plupart des spécialistes sont des jeunes femmes, oui des *expertes nues sous leurs blouses* ? Dans son esprit, nous les femmes, «nues sous nos habits», en restaurant les toiles de maîtres promises à la *duplication*, en prenant sur elles ce pouvoir à la fois de destruction et d'éternisation, ne souillons-nous pas, nous autres femmes, la peinture… en fait, «l'autel» et ses «icônes» ? Plus précisément, reprochait-il à La Femme que je suis, ainsi qu'à mes collaboratrices, de se mêler de ce qui relèverait du domaine de L'Homme exclusivement : «l'Autel», les «Icônes», le «Culte», «l'Art» ? En me déshabillant du regard, ne sous-entendait-il pas, ne voulait-il pas me dire avec ses yeux de cochon apparemment pleins de douceur... et si durs pourtant au fond de la pupille, que nous autres femmes ne sommes bonnes qu'à ça : servir de prétexte à l'acte de peindre – masculin par essence –, producteur des «icônes» obsessionnelles tirées du désir frénétique de possession que leur inspirent nos corps *originels* insupportablement nus sous nos habits ?"

"Imaginez avec quelle joie j'écoutais Roberte, poursuivait Bergamme toujours immobile sur son lit, et gardant les yeux fermés. Seule une femme pouvait exprimer si intensément, avec une telle précision le *pourquoi* de toute peinture – cette folie de captation du corps féminin par sa réplique figurée. «Roberte, lui avais-je dit dans un état d'exaltation extrême, Roberte, vous rendez-vous compte de la force de ce que vous venez d'exprimer ? Bien sûr que nous autres les hommes nous sommes obsédés par l'idée que vos corps de femmes sont là, nus, quoi que vous fassiez, oui toujours nus, à portée du geste primitif qui voudrait en toute occasion lacérer vos habits, vous *mettre à nue*, comme par *Le Grand Verre*, ce marieur des échecs avec la peinture – que se voulait Duchamp – s'est amusé à le crier à toutes les "mariées" et à tous "les célibataires, même" qui ne peuvent qu'être peintres ou, comme lui, iconoclastes... Toute la peinture du monde, oui, tout ce qui a été peint depuis le début des temps n'est que votre sexe nu sous un voile toujours et toujours redéchiré, comprenez-vous, Roberte, comprenez-vous ? Et ce voile c'est nous autres, les hommes, qui l'avons jeté

sur vos corps *originels sexués* pour nous maintenir en obsession de déchirement et d'adoration.
Car nous ne pouvons adorer que ce qui est
caché… soit Dieu… ou vos corps mystérieusement sexués placés à l'origine du monde jusqu'à l'intolérable pour nous autres hommes !»"

"Oui, avait poursuivi Bergamme, voilà ce que
j'avais dit à Roberte ! Et que faisait-elle ? Elle riait
de moi ! «Vous riez, lui avais-je dit encore, parce
que vous êtes gênée par cette vérité, cette évidence : les peintres ne pensent qu'à vos corps
mystérieux et cachés, et plus précisément à votre
sexe mystérieux et caché, les collectionneurs ne
pensent qu'à vos corps et à votre sexe mystérieux et cachés, les commissaires et les conservateurs de musée ne pensent, eux aussi, qu'à vos
corps sexués mystérieux et cachés, et bien sûr les
visiteurs des musées n'ont d'yeux que pour ce
renflement fendu, qui se dérobe, en vos corps
mystérieux et cachés sous la pellicule vernie des
œuvres exposées… Et c'est pour cela que moi,
Bergamme, je me suis introduit dans le Grand
Musée, avec le but unique de décrocher du
visible *L'Origine du monde*… Et donc de rendre
au caché cette représentation… de sorte qu'enfin
les peintres puissent peindre de nouveau, puissent représenter l'irreprésentabilité de ce que
vous nous dé-robez sous vos robes !» Voilà ce
que j'avais dit à Roberte ! Et maintenant laissez-
moi", avait conclu Bergamme en se tournant
comme d'habitude vers le mur.

Mais, au moment où j'allais me lever du tabouret près de son lit, Bergamme m'avait soudain

retenu par le bras : "Comprenez, je ne le nie pas, Roberte minimisait l'importance de ce que je lui disais... tout en sachant son importance et donc la minimisant par ma non-importance. J'étais ridicule une fois pour toutes. Un nain ! N'était-ce pas pour cela qu'on me tolérait dans les coulisses du Grand Musée, comme les rois toléraient leurs Fous lilliputiens auxquels ils donnaient une licence illimitée de parole ? Et n'était-ce pas pour cela que Roberte, ostensiblement, ne me traitait pas en nain mais en enfant fou qu'elle ne se gênait pas de cajoler dangereusement et d'embrasser sur les banquettes des salles de restauration et de réanimation d'urgence pendant la pause de midi, quand ses équipes de futures «cloneuses» en blouses claires étaient descendues dans la cafétéria du Grand Musée ?"

"Sachez, mon petit Bergamme, avait encore dit Roberte, en vous citant cet article de *la femme nue souillant l'autel et les icônes* d'une église serbe que Gerbraun m'avait lu l'autre jour, je voulais vous mettre en garde contre cet homme qui semble vouloir se servir de vous... A quoi ? Je ne le sais pas. Mais sûrement vous utiliser... A quelle fin ? Je ne le sais pas. En vous ouvrant la porte dérobée de notre musée, il a un but car jamais cet Allemand d'une «connerie» parfois inquiétante ne fait une chose «pour rien». Je me souviens, une autre fois, avait continué Roberte tout en caressant la tête de Bergamme, oui, je me souviens, il avait tenu à me lire – et c'était à votre propos mon petit Bergamme – un de ces articles, toujours puisés dans ce journal allemand qu'il savoure en poussant des exclamations ravies. «Ecoutez ça Roberta, m'avait-il dit. – Pas Roberta, Roberte ! – A votre guise Roberta. Ecoutez-moi ça : *Un type qui se faisait appeler Kid, imbattable au poker, lassé de vaincre tous ses adversaires, s'était pris d'une véritable passion pour ce jeu… mais en solitaire ou pour mieux dire : lui contre lui. Le jour où on le retrouva suicidé dans un hôtel sordide de Las Vegas, il venait de perdre contre lui-même : un full aux dix s'étalait sur la table, en face de son cadavre qui n'avait en main qu'un brelan d'as.* Eh bien Roberta, avait-il continué, je suis comme ce Kid, sauf qu'au lieu du poker c'est avec les œuvres des maîtres du passé que je joue, je les joue de même que ce Kid, en solo, c'est-à-dire moi contre moi.» Comme je m'étonnais, ne comprenant pas où il voulait en venir, il m'avait dit encore : «Roberta, il faut que vous le sachiez : ce Bergamme, si je le laisse errer dans notre musée ce n'est pas par hasard ni seulement parce qu'il m'amuse mais pour une raison beaucoup plus compliquée. Déjà quand il faisait du scandale dans la salle Gustave Courbet et qu'il était évident que c'était à *L'Origine du monde* qu'il s'en prenait, j'avais été passablement intrigué… mais quand à force de répéter ses provocations quotidiennes, et que, dépassant toutes les bornes du tolérable, sa présence m'avait obligé à prendre la décision de le faire traîner jusqu'à mon bureau, j'avais eu comme une commotion : ce Bergamme, c'était moi sans être moi, comprenez-vous Roberta ? m'avait dit Gerbraun, continuait Roberte. En le poussant à s'expliquer, et que peu à peu ses motivations et son but s'étaient précisés, il m'avait bien fallu admettre que c'était un peu comme si c'était moi-même qui soudain disais tout haut à moi-même : "Vas-y, ose !" Et voyez-vous, Roberta, le fait qu'il soit moi, mais en nain, ne fait qu'accuser d'une manière aberrante dans mon esprit cette impression de mauvaise symétrie.»"

"Ce que vous me rapportez là, Roberte, s'était exclamé Bergamme, ne m'étonne nullement. Moi-même j'ai dit maintes fois, comme en plaisantant, à Gerbraun : «Je sens que vous m'enviez ma liberté due à ma singularité, Gerbraun, je sens que vous aussi vous trouvez ignoble et humiliant pour Courbet que l'on se permette d'exposer *L'Origine du monde* au même titre, oui, sur le même plan que les œuvres de provocation imaginées par nombre de nos *anartistes* contemporains... et que certains commissaires exploitent ignoblement, comme cette idée de proposer pour l'exposition *Les Limites de l'Art* de confronter *La Pissotière* dite *Fontaine* de Marcel Duchamp avec *L'Origine du monde*, justement ! Entendant par là que l'objet et l'œuvre étaient complémentaires en quelque sorte sexuellement, et donc provocatrice par leur *lucidité*.» La chance a voulu, avait continué Bergamme, qu'un peintre, trouvant répugnante cette «contestation officielle», ait eu l'humour et l'élégance de pisser dans cette *Pissotière*... tout en lui tapant dessus avec un marteau, détachant un morceau de l'émail, et ainsi la rendant momentanément impropre à tout projet d'exposition.
— Je sais, je suis au courant, lui avait répondu en riant Roberte, on a beaucoup parlé en effet de cet «horrible acte d'iconoclastie», comme les journaux l'avaient nommé non sans une certaine emphase, il paraît que le provocateur a été sévèrement puni...

— Quinze mois de prison ferme, avait glapi Bergamme, et quelque chose comme trente mille francs d'amende.

— Normal, s'était réjouie Roberte. On ne s'en prend pas à un trésor culturel de cette importance... bien que ce soit payer un peu cher si ce n'était qu'une pissotière seulement... Sauf que là, c'était *La Pissotière*, nommée *Fontaine*, de Marcel Duchamp.

— Eh oui, avait dit en jubilant Bergamme, de plus en plus excité : *La Pissotière ! La Pissotière* officielle du vieux provocateur officialisé qui, en consacrant l'objet le plus vil et le plus puant de la vie urbaine, autorisait, incitait ceux qui viendraient par la suite à se débraguetter, à prendre justement un marteau et à taper... tout en arrosant l'objet pour le rendre à sa première destination. C'est évidemment ce qu'aurait fait le même Duchamp «jeune» s'il s'était trouvé en face de ce ridicule monument vénéré aujourd'hui par la classe non cultivée mais culturisée des commissaires et des conservateurs..." Oui, voilà ce qu'avait dit Bergamme à Roberte.

"Bergamme, Bergamme, vous m'enchantez, s'était écriée Roberte, lui entourant le cou de ses bras blancs. Doucement, ne vous énervez pas, mon petit Bergamme ! Tenez, buvez ce verre d'eau. Vous prenez trop au sérieux toutes ces questions d'éthique dont à vrai dire nous nous foutons, nous autres les ultimes gardiens du patrimoine artistique de l'humanité. Que ce soit *L'Origine du monde*, ou le plus librement peint des *Nymphéas*... ou même la *Bethsabée* de Rembrandt, sachez qu'aujourd'hui – une fois *La Pissotière* admise dans nos musées – nous voilà bien obligés de considérer toutes ces œuvres exclusivement comme des «faits artistiques» au même titre que cette *Pissotière* dont vous avez la faiblesse de vous offusquer. Ce ne sont plus là que les points limites de la spéculation intellectuelle artistique, en quelque sorte «chosifiée». Finie *la* Question ! Ne reste que la transgression. L'humanité a osé jusque-là, puis jusque-là... et c'est cette limite, ce jalon posé sur le vide de l'univers que nous sommes chargés, nous autres les responsables du Grand Musée, de préserver, de sauver du néant." Voilà ce que Roberte avait dit ce jour-là à Bergamme.

III

Plus tard, alors que j'étais revenu dans sa cellule :

"Vous comprenez bien, m'avait dit Bergamme, s'énervant soudain tout en gardant les yeux obstinément fermés, que tous ces gens, aussi bien Roberte, ou Gerbraun, ou même Quevedo, oui que toute cette racaille muséeuse ne pouvait imaginer ce qu'est *véritablement* la peinture ; quelle est sa *véritable* raison d'être ; pourquoi l'humanité n'a pu se passer d'inventer la peinture, et surtout par quelle mystérieuse nécessité n'a-t-elle pu faire autrement que de la privilégier, presque plus que la musique, dans l'ordre de ses préoccupations." Après un assez long silence il avait ajouté : "Il existe un mot, pourtant courant dans le langage parlé, que de nombreux dictionnaires n'ont cependant pas jugé bon de consigner : *inatteignable*. Reconnaissez que cette expression pourtant si précise pour dire que l'indicible a quelque chance d'être communiqué… mais heureusement jamais atteint, oui reconnaissez que si ce terme a souvent été rejeté de la longue liste des mots qui nous représentent, c'est qu'il signifie la raison d'être de l'art, et principalement la raison d'être de la peinture qui, par une alchimie secrète et incompréhensible, réussit à matérialiser cette tension vers l'*inatteignable* tout en sachant qu'elle ne l'atteindra jamais, évidemment... pas plus que la musique ne l'atteindra bien que l'immatérialité de la musique veuille nous faire croire qu'à travers elle le «divin» a été quelque fois atteint, quand à vrai dire elle ne peut réussir tout au mieux qu'à déclencher une sorte d'orgasme des nerfs auditifs... alors que la peinture, elle, si elle excite les nerfs optiques, ce ne sera jamais pour vous donner cette sorte d'illusion hystérique qui vous ferait croire que l'*inatteignable* a été un tant soit peu atteint."

Voilà mot pour mot ce qu'à mon grand étonnement m'avait dit Bergamme.

Il s'était agité un moment, repoussant les draps sales et tachés, ce qui avait découvert ses jambes trop petites marquées de brûlures encore mal cicatrisées. Il avait ajouté :

"Sachez que l'illusion du «divin», principalement dans la musique, n'est qu'une illusion «divine» inventée par Satan. La musique n'est qu'une fleur de vanité ; elle a la fâcheuse conséquence de faire croire à un monde intérieur de la grâce, alors qu'en vérité l'homme reste irrémédiablement attaché à la présence extérieure des œuvres. La musique donne l'illusion qu'il y aurait d'un côté ce monde de l'esprit... que l'illusoire orgasme des nerfs auditifs aurait réussi à *atteindre*, et de l'autre celui de la chair signifié par la boueuse matérialité de la peinture dans laquelle l'esprit «divin» ne peut que s'enliser... comme le démontre si bien *L'Origine du monde*. Comprenez alors qu'il était urgent de soustraire à sa figuration en quelque sorte trop évidente… ou si vous préférez de déréaliser *L'Origine du monde*, de sorte que cette œuvre rejoigne l'univers satanique et abstrait de la musique. Que cette œuvre reste *sue* mais plus jamais *vue*. Disons, pour préciser, qu'il était urgent que moi Bergamme j'accomplisse ma mission, c'est-à-dire décrocher et emporter au plus vite ce tableau pour le *continuer* loin des regards, avant que Roberte et son équipe ne le déchoient de son unicité."

Il avait réfléchi un moment puis, comme s'il se moquait de lui-même, il avait eu cette sorte de gloussement intérieur qui presque toujours précédait la venue de sa parole quand elle se faisait presque inaudible :

"Maintenant j'allais et venais dans les combles du Grand Musée sans que personne ne se préoccupe de moi. Il m'arrivait même parfois de m'endormir au fond d'une de ces niches dont je vous ai parlé, forées aurait-on dit entre les tableaux mis au rebut, que les gardiens et les commissaires avaient aménagées pour leurs rendez-vous secrets. Sans tenir à entrer dans le détail d'intimités qui ne regardent personne, un jour cependant je dérangeai dans la pénombre quelqu'un que je n'avais encore jamais vu mais dont j'avais entendu parler. Au léger bruit de mes pas, un homme aux cheveux blancs et hirsutes avait brusquement sorti la tête de sous un édredon. La tournant vers moi il s'était écrié : «Ah, c'est vous enfin ! Non, non, ne partez pas ! Vous êtes bien ce Bergamme, que tout le monde adore ici.» L'inconnu semblait content d'avoir été surpris par moi dans cette partie des «plombs». Quelqu'un d'autre se dissimulait près de lui sous l'édredon fleuri. «Quevedo m'a parlé de vous. Vous ne me connaissez pas, Bergamme, avait-il continué, s'asseyant sur sa couche, tout en gardant étroitement contre lui l'édredon coincé entre son menton et sa poitrine. Mon nom est Alf mais tout le monde m'appelle Le Crapaud car comme vous devez le savoir les crapauds ont une peau extrêmement sensible aux variations hygrométriques. Etant responsable des appareils d'hygrométrie du Grand Musée, rien d'étonnant que je réponde bien volontiers à un tel surnom. C'est une tâche terrible que d'être hygrométreur, elle vous requiert autant le jour que la nuit. Nous n'avons ici que des hygro-mètres à cheveux ; ce sont les plus précis – bien qu'ils aient été inventés il y a plus de deux siècles – mais aussi les plus fragiles.»"

"Imaginez, m'avait dit Bergamme, entrou-vrant les yeux, que ces appareils antiques utili-sent le raccourcissement d'un cheveu, autant que possible de femme, dégraissé, qui, se des-séchant plus ou moins selon le degré d'humi-dité ambiante, entraîne une aiguille, laquelle indique avec une précision extraordinaire la quantité d'eau contenue dans l'air. Ce Crapaud que personne n'appelait Alf bien qu'il s'appelât Alf, était un type tout à fait... comment dire ?... spécial. Avant tout un érotomane obsessionnel comme seuls certains vieillards arrivés au bord de l'impuissance peuvent le devenir. Il pour-suivait Roberte, ses jeunes assistantes, ainsi que les nombreuses théseuses américaines ou japonaises qui venaient parachever leurs thèses dans les coulisses du Grand Musée. Mais comme jamais il n'arrivait à obtenir ce qu'il recherchait auprès d'elles, c'est aux femmes de ménage qu'il s'en prenait, réussissant, par le prestige de sa fonction, à les entraîner, sans qu'elles résistent trop, jusque sous les «plombs» où il les persuadait de quitter leurs vêtements et de s'étendre près de lui dans ces niches forées au cœur des chefs-d'œuvre moisis dont le Grand Musée ne savait plus que faire...» Bergamme s'était arrêté, et, comme il le faisait toujours, m'avait tourné le dos, signifiant ainsi que cela suffisait pour aujourd'hui.

Mais continuons sans lui :

"Près de moi, sous cette couverture, avait dit Le Crapaud, s'adressant toujours à Bergamme, se trouve Josette Goldmiche, ma première assistante. C'est elle qui tient à jour les grands cahiers d'archives où sont notées pour ainsi dire heure par heure les variations thermiques des salles de notre musée. Bien que cela n'en ait pas l'air, notre travail est extrêmement fatigant ; voilà pourquoi, à intervalles réguliers, nous montons sous les «plombs» prendre quelques instants de repos. Donc ne vous étonnez pas, Bergamme, et considérez comme toute naturelle notre présence sous cette couverture. Cependant je vous signale qu'il serait inutile d'en aviser Gerbraun. C'est un homme tellement à cheval sur le règlement qu'il serait capable de nous mettre un blâme à l'allemande ce qui aurait une incidence fâcheuse sur nos salaires. De venir se délasser sous ces «plombs» est cependant toléré quand ce sont les gardiens ou les petits sous-commissaires qui, profitant en quelque sorte de leur insignifiance, s'envoient en l'air avec une théseuse japonaise ou une obèse américaine qu'ils réussissent à détourner d'un groupe et à persuader de grimper jusqu'à ces combles obscurs. Mais en ce qui nous concerne moi, ou Josette Goldmiche, il est évidemment préférable qu'on ne nous surprenne pas dans une de ces niches où les responsables d'un certain niveau évitent autant que possible de s'aventurer…"

Soudain, de dessous l'édredon une voix de femme avait dit en riant d'un rire frais et d'une jeunesse inattendue :

"N'écoutez pas le vieux Crapaud ! Il vous raconte n'importe quoi ! Tout le monde sait que Gerbraun lui-même n'hésite pas à monter prendre du bon temps ici même sous ces «plombs». Qui ne prend du bon temps dans ces «plombs» ? Hein Alf ?

— Doucement, Josette, doucement, je vous en supplie !"

Après avoir hésité un instant, Alf le Crapaud avait ajouté :

"Bien qu'il soit préférable de ne pas attacher d'importance aux bruits qui courent… c'est en effet un bruit qui court, comme on dit…

— Mais ils me réjouissent, avait dit Bergamme d'une voix agitée, et je serais ravi d'en savoir plus sur Gerbraun…

— Ah bon… Eh bien sachez donc qu'en effet l'autre jour un de mes collaborateurs en hygrométrie aurait surpris Gerbraun ici même avec la jeune stagiaire Elise…

— Mais pourquoi racontes-tu ça ?" avait dit Josette Goldmiche, émergeant de dessous l'édredon.

Je suspends un instant ce dialogue pour préciser que la fois suivante, alors que Bergamme continuait ses confidences, il m'avait précisé que Josette Goldmiche était tout le contraire de la femme que l'on pouvait s'attendre à trouver sous l'édredon des "plombs" en compagnie du vieil Alf, dit Le Crapaud : "Mieux que belle, avait dit Bergamme, entrouvrant les yeux, elle était jolie de visage et sublime de corps. Je ne vous en dirai pas plus !"

Donc sans se laisser interrompre par Josette Goldmiche, Le Crapaud avait continué :

"«Sur le moment, m'a dit Félix mon jeune collaborateur en hygrométrie, j'ai été effrayé de surprendre le conservateur en chef Gerbraun couché dans une des niches des "plombs" avec Elise, la stagiaire. Mais au contraire – et cela je ne l'ai compris que plus tard, a précisé mon jeune collaborateur Félix, continuait Alf le Crapaud – d'avoir été surpris avec Elise, lui, le conservateur en chef du Grand Musée, dans la situation précaire, tout juste tolérée quand c'étaient de *jeunes* débutants, au lieu de l'abaisser le haussait dans sa propre considération à un niveau sexuel pas du tout de son âge. N'aurait-il pas été plus simple pour lui de se retirer avec la *jeune* stagiaire Elise dans le petit studio aménagé en garçonnière derrière son bureau où se trouve évidemment le lit de repos d'usage ? De plus – m'a encore dit mon jeune collaborateur – oui, de plus, que moi, un *jeune* hygrométreur inexpérimenté et nouvellement embauché au Grand Musée, surprenne M. Gerbraun couché sous cet édredon sordide avec une *jeune* stagiaire, dans cette sorte de trou qui paraît creusé avec les ongles à travers les tableaux que l'humidité, le temps, la lèpre dévoreuse de pigments ont collés entre eux, le remplissait, envers lui-même ainsi que vis-à-vis de moi – a encore dit mon apprenti hygrométreur – d'un évident surplus de prestige. Il n'était donc pas ce conservateur "normal" que l'on pouvait imaginer. En lui la sexualité était restée en quelque sorte adolescente ; oui, à travers Elise il faisait encore partie des *jeunes*. Quoique conservateur en chef… et, malgré ce titre, n'était-il pas encore plein de fantaisie dès qu'il était question de séduire une *jeune* stagiaire, et surtout, malgré le sérieux de sa fonction, demeuré en esprit de *jeunesse*, de spontanéité, presque de précarité puisqu'il ne redoutait pas de monter s'encanailler dans les "plombs" ?» Voilà, avait ajouté Le Crapaud, avec quelle finesse m'a parlé ce jeune hygrométreur auquel il faut bien reconnaître un don de psychologue tout à fait étonnant. «Mais non, jeune homme, lui avait dit Gerbraun, m'a encore rapporté mon collaborateur en hygrométrie, vous ne nous dérangez pas du tout ! Elise et moi, nous étions montés jusqu'à ces "plombs" pour tenter de nous rendre compte de l'étendue du désastre qui semble, avec le temps, avoir annulé définitivement la plupart des œuvres entassées dans ces greniers. La culpabilité cumulative bouleverse tous les rapports que nous entretenons avec ce monceau de peintures et d'objets dits "d'art" car nous ne pouvons cacher la honte et même le dégoût qui se saisit de nous devant ce trop d'œuvres… et même de chefs-d'œuvre qui sans cesse viennent grossir les réserves du Grand Musée.» Voilà comment Gerbraun avait parlé au jeune hygrométreur qui me l'a rapporté mot pour mot, avait dit Alf le Crapaud.

— Mais pourquoi colportes-tu ces ragots ?

— Voyons, Josette, pour le plaisir, voyons ! Rien n'est plus agréable que de trouver un interlocuteur aussi attentif que ce M. Bergamme. Mais ce n'est pas tout, continuait le vieil Alf, ce n'est pas tout ! «Cesse de te plaindre, Gerbraun, avait dit Elise toujours allongée sous l'édredon, m'a encore rapporté mon jeune collaborateur. Les comptes ne seront jamais soldés. – Comment ça, ma petite Elise ? – Tu le sais parfaitement, Gerbraun, avait-elle répondu d'une voix agressive. – Mais je ne sais rien… Elle est vraiment trop drôle, cette petite Elise, avait ajouté Gerbraun, tentant de plaisanter. – Ah non, assez de petite Elise !» avait presque crié Elise."

"Et là, à ma grande stupéfaction, avait dit Bergamme, Alf le Crapaud m'avait rapporté en quelque sorte de deuxième main cette phrase d'Elise la stagiaire : «Le temps cumulatif offre une solution nouvelle qui consiste à accumuler les preuves d'expiation, c'est-à-dire : l'excédent économique dont le Grand Musée s'enrichit… sans s'enrichir évidemment.» J'avais trouvé cela tellement beau, continuait Bergamme, que j'avais interrompu l'hygrométreur en chef Alf pour crier d'une voix excessivement énervée : «Mais cette Elise avait entièrement raison. Comprenez, Alf, que le prestige et la puissance, toujours attachés aux arts, s'obtiennent évidemment non en donnant mais en prenant, oui, en possédant. Qu'importe à Gerbraun si tous ces tableaux, ces œuvres, ces produits du désir et de la névrose des peintres sont en train de pourrir sous ces "plombs", en chargeant ce trésor maudit sur les épaules de l'institution muséeuse, il se débarrasse de l'individu qui, lui, serait encore capable de vivre avec le poids expiatoire que représente chacune de ces œuvres, et surtout de les faire vivre par son regard silencieux. Ce musée est une vaste entreprise de déshumanisation à laquelle tous ceux qui y travaillent participent, qu'ils le veuillent ou pas. Voilà, je vous préviens, Alf, pourquoi je suis ici ! avais-je ajouté en criant plus fort qu'il n'était nécessaire. J'accomplirai la mission pour laquelle j'ai abandonné tout autre projet et à laquelle je me consacrerai avec tous les risques que cela peut présenter ! – D'accord, d'accord, Bergamme, m'avait répondu le vieil Alf en riant. Allez-y, emportez-la votre *Origine du monde* !» Le Crapaud se moquait évidemment de moi avec une arrogance et un mépris que seul un homme couché contre le corps d'une femme peut se permettre envers un homme seul tel que je l'étais sous ces «plombs». Recouverts jusqu'aux épaules par l'édredon déchiré et crasseux, Le Crapaud et Josette Goldmiche m'observaient, toujours allongés l'un contre l'autre sur l'espèce de paillasse traînant à même le sol. Moi, j'étais resté exprès debout, les dominant de toute ma petite hauteur, ce qui les obligeait à me parler en renversant un peu la tête. Cependant, malgré ma position dominante, Alf le Crapaud s'obstinait à vouloir garder le dessus. Bien qu'en dessous de moi, il me parlait comme s'il se tenait au-dessus de moi."

Brusquement, Josette Goldmiche avait repoussé Alf :

"Ah non, c'est assez pour aujourd'hui !"

Et, ne faisant aucun cas de la présence de Bergamme, elle s'était dressée, nue, sans la moindre gêne, comme si elle était seule et que personne ne pût la voir… ou plutôt comme s'il lui était parfaitement naturel de se montrer dévêtue à quelqu'un qui lui était étranger. Elle avait ramassé ses vêtements, et sans ajouter un mot elle était sortie de cette espèce de grotte formée par la masse des tableaux à l'abandon.

"Cette jeune femme, qui se déplaçait nue devant le prodigieux chaos de tableaux accumulés sans ordre sous les «plombs» du Grand Musée, offrait certainement une des plus belles visions pour un «fou de peinture» comme moi, m'avait dit Bergamme. Il faut que vous compreniez que, sans le désir à la fois admiratif et jaloux que les peintres ont toujours porté au corps féminin, pas d'œuvres peintes. Que ce soit Roberte, Elise, Josette ou les petites retoucheuses restauratrices des équipes dirigées par Roberte… ou même les nombreuses visiteuses qui vont comme en hypnose dans les salles du Grand Musée, pour les peintres, ce sont avant tout et toujours des corps de femmes nues sous leurs habits qui se déplacent devant les tableaux exposés."

Bergamme s'était assis sur le lit, me priant de remonter un peu le tas de chiffons qui lui servait d'oreiller. Puis continuant : "Je ne sais qui disait : *Quelle psychologie n'est pas glandulaire ?* Eh bien je prends le risque d'être traité de «psychologue glandulaire». *Lieu de l'incarnation, le corps féminin sécrète tous les poisons et tous les délices,* disait ce même quelqu'un. Permettez-moi d'approuver cela aussi et d'ajouter : *Cette merveilleuse chair sécrétant évidemment les poisons*

de la pensée mais avant tout les délices de l'art.
Et voyez-vous, ce que je reprocherai à Courbet
c'est d'avoir peint une bouche de chair quand
toute œuvre d'art est spécifiquement de la
pensée transmuée en ce quelque chose qui ne
peut être nommé car ce quelque chose, dès
qu'il a été mis en art, est autre chose que ce qui
est. Oui, en isolant et en saisissant photographiquement cette bouche de chair, Courbet croyait
innover quand en vérité il tirait l'art hors de ce
quelque chose d'autre que ce qui est. Oh, il
savait bien, avait continué Bergamme, rejetant
la tête en arrière et gardant les yeux fermés,
qu'en cadrant photographiquement cette bouche
originelle il annonçait à plus ou moins brève
échéance la fin de toute peinture... oui, cette
peinture qui prétendait jusque-là incarner
avant tout une idée de l'être dans l'art et ses
représentations ! Par la projection idéale de cet
idée de l'être, qui s'est nommé «humain», par
cette représentation d'elle-même «l'humanité» a
de toute évidence toujours cherché en quelque
sorte à s'allumer au désir transcendé de son
propre spectacle. Et c'est bien pour saboter
cette construction physique de «l'humain» par
ses artistes, pour saboter sa projection divinisée
que Courbet a peint cette *Origine du monde* que
moi, Bergamme, je séquestrerai dans ma mansarde, m'étais-je dit en voyant la gracieuse
nudité de Josette se déplacer devant le chaos
de tableaux pourrissant sous les «plombs» du
Grand Musée. Et je me demandais *qui* a fait de
cet animal vertical l'inventeur de sa propre image
idéale ?... *Qui sinon les peintres ?...* Mais je
vois que je vous ennuie... et moi-même je suis
bien fatigué. Et maintenant je vous en prie,
laissez-moi !»

IV

"Alors ? avait dit Gerbraun le lendemain matin, croisant Bergamme dans les coursives menant aux combles du Grand Musée, alors est-il vrai que vous auriez surpris Le Crapaud et Josette Goldmiche dans une des niches des «plombs» ? Que ces petits *Schwein* fassent ce qu'ils veulent à condition de ne pas être pris sur le fait... et surtout qu'ils ne se dissimulent pas derrière des calomnies prétendant que *tout le monde*, à un moment ou à un autre, monte s'envoyer en l'air dans ces «plombs», sous prétexte que la densité des œuvres accumulées en ce lieu provoquerait des poussées instinctuelles irrésistibles dues à leur fréquentation...

— Pourtant, avait répondu Bergamme, fatale est cette exaspération communiquée par la peinture à ceux qui vivent en trop grande intimité avec elle !

— Fatale ? Croyez-vous vraiment ?

— Dans la mesure où l'art a pour fonction de rendre public le contenu de l'inconscient collectif...

— Vous prétendriez donc, si je vous comprends bien, Bergamme, que l'art révélerait l'inconscient à la conscience plus sûrement que... la psychanalyse, par exemple ?

— Sans aucun doute ! L'art serait en quelque sorte le résultat de l'irruption de l'inconscient dans le conscient.

— Donc selon vous, de là nous viendrait cette charge d'anxiété érotique que nous subissons tous si violemment dans les coulisses du Grand Musée ?

— Je n'en doute pas, et je dois vous avouer que moi-même…

— Ah, Bergamme, Bergamme, vous êtes un petit fou merveilleux !"

Prenant un air embarrassé et soupçonneux, Gerbraun avait ajouté, cherchant ses mots :

"Vous voulez dire… que vous-même… vous-même, Bergamme…

— Je veux dire qu'en moi-même, en effet, le travail de refoulement devant cette masse écrasante de tableaux annihile mes facultés les plus simples, les plus primitives. Aussitôt que je pénètre dans votre Grand Musée je me sens encore plus diminué que je ne le suis et voilà qu'une étrange exaspération m'étouffe. En moi les valeurs se brouillent, et je comprends que tous autant que vous êtes derrière ces cimaises vous entriez en confusion…

— Savez-vous ce que m'a dit Elise, tout à l'heure ? «Tous, vous confondez art, éros et argent.» Et comme je m'étonnais, elle a ajouté : «Cette confusion entre art, éros et argent vous porte à un tel degré d'exaspération que vous n'avez pas d'autre solution que d'aller vous envoyer en l'air, comme vous dites tous, dans ces niches sous les "plombs" où l'énergie physique mobilisée en vous tous – que vous soyez conservateurs, commissaires, restaurateurs ou gardiens – pour maintenir le refoulement de vos désirs fondamentaux peut enfin se libérer sous les édredons crasseux de ces combles...» Avouez, Bergamme, que cette jeune Elise a une vision particulièrement originale de l'art et de ceux qui...

— Ce que dit cette Elise... Je viens de vous le dire, moi-même je ressens comme un agréable malaise érotique dès que je pénètre dans l'envers de votre musée...

— D'accord, d'accord, Bergamme, nous sommes tous des anxieux de l'art. Et, quoi qu'elle prétende, Elise elle-même est une grande anxieuse de l'art. On ne peut trouver jeune fille plus perverse, à la fois rebelle et bizarrement conforme. Je vais vous faire un aveu, Bergamme, mais gardez-le pour vous : cette obsédée du marché de l'art est une *obsédée* de... du... du contact, eh oui, figurez-vous mon petit Bergamme ! Une enragée comme je n'en ai jamais connu. C'est elle qui m'a à toute force entraîné dans ce lieu dégradant où je n'aurais pas aimé être surpris par Quevedo ou Roberta... et encore moins par Le Crapaud, vous pouvez l'imaginer."

Comme Bergamme voulait parler...

"Non, non, attendez ! Vous avez été mis au courant par cette mauvaise langue d'Alf le Crapaud. Bon ! Que ce soit vous, Bergamme, qui sachiez ne me dérangerait en rien. Je suis sûr de votre discrétion. Mais que le petit hygro-métreur l'ait rapporté au Crapaud... qui s'est empressé de vous le redire me déplaît car je sais que Quevedo cherchera à en tirer avantage."

"Vous allez penser, m'avait dit Bergamme, que je n'ai pas à vous révéler par le détail ces conversations qui devraient rester ignorées et surtout ne pas devenir de l'écrit. Mais en souhaitant vous faire le récit sincère de mes vols et de mes crimes, je m'étais promis de *tout dire*, principalement à propos de l'art, et du climat dans lequel il baigne derrière les cimaises des grands musées en ce premier quart de millénaire."

"Sachez-le, avait dit Gerbraun, entraînant Bergamme vers l'escalier métallique permettant d'accéder aux combles, maintenant que vous êtes au courant de mes liens intimes avec elle, oui sachez que cette jeune Elise me stupéfie par son extraordinaire lucidité et son mépris des valeurs disons *humanistes* que nous ne pouvons ne pas défendre. «Le choix est simple, m'avait-elle dit l'autre jour, ou bien nous acceptons la névrose culturelle de la civilisation dans laquelle nous sommes immergés ou alors nous revendiquons l'identité structurelle et fondamentale de notre propre névrose qui me semble infiniment plus riche.» Avouez, Bergamme, qu'il est rare de rencontrer une femme jeune d'une telle lucidité. «En ayant accepté de diriger le Grand Musée, m'avait-elle dit encore, tu es entré dans la névrose universelle, t'épargnant la peine de créer, comme ce bizarre Bergamme… – oui, vous pouvez prendre cet air furieux, mon cher Bergamme, elle vous donne en exemple !… – t'épargnant de créer ta névrose personnelle…»

— Je refuse qu'elle me cite en exemple !!! avait crié Bergamme. Nul n'a le droit de m'enfermer dans la forme qu'il perçoit de moi, comprenez-vous Gerbraun !

— Du calme, du calme, Bergamme, voyons !

— Ma prétendue névrose vous apparaît comme une névrose quand à vrai dire ce sont vos constructions sociales qui offrent l'exemple même de phénomènes pathologiques. Ma prétendue névrose n'est qu'un signe de refus devant cette maladie dont le nom est «civilisation pathologique» car c'est ainsi que tout esprit lucide devrait définir en termes médicaux et scientifiques *vos* systèmes.

— Cessez de vous agiter comme ça, murmurait entre ses dents Gerbraun en maintenant ferme Bergamme contre lui. Cessez, Bergamme, la balustrade est fragile, vous pourriez nous faire basculer par-dessus bord..."

"Je me souviens vaguement que nous nous trouvions sur une petite plate-forme métallique servant en quelque sorte de palier entre deux volées de marches métalliques elles aussi. Mon agitation faisait trembler toute cette construction rapportée, semblable à un Meccano, ce qui évidemment effrayait Gerbraun dont la tête se tournait sans cesse derrière lui vers le puits de cinq étages au-dessous... ce puits dont je vous reparlerai plus loin", m'avait dit Bergamme, émettant cette sorte de rire intérieur pareil à un gloussement d'oiseau.

Quand un peu plus tard, dans le bureau de Quevedo, il avait repris conscience, il s'était aperçu qu'on l'avait enfoncé dans un fauteuil et que Bull lui léchait les mains.

"Vous devriez vous abstenir de faire du scandale dans les coursives du musée, avait dit Quevedo d'une voix apaisante. Vos cris s'entendaient jusque dans la salle Courbet. Les gardiens ont dû aider Gerbraun à vous traîner jusqu'ici. Tenez, c'est du thé brûlant. Cela vous fera du bien.

— Désolé ; je ne me souviens de rien.

— Reposez-vous, buvez votre thé. Ensuite je vous conseillerais de rentrer dormir chez vous.

— Je ne supporte plus ma mansarde. Depuis que Roberte y est venue je m'y sens mal à l'aise… à vrai dire j'ai peur des tableaux qui s'y trouvent. Tels qu'ils étaient je ne les supportais pas… et tels que je les ai retravaillés ça ne va pas non plus… Jamais je n'aurais dû les montrer à Roberte.

— Mais aucun tableau ne va, pour peu que l'on vive intimement avec lui. Et que dire des copies ou des reproductions ! En effet, Roberte m'a parlé de ce qu'elle aurait vu dans votre mansarde.

— Ce n'est pas son *regard* sur ces tableaux qui m'a déplu mais le fait qu'elle se soit étendue sur mon lit *sous* ces tableaux, et qu'elle les ait *vus* sans vraiment les voir. Comment vous expliquer cela, Ernesto ? avait encore dit Bergamme, hésitant.

— Expliquez, expliquez, Bergamme, vous savez bien que vous me distrayez toujours agréablement."

Après un silence assez long :

"Bien, puisque vous y tenez je vais tenter un exemple : supposons qu'effectivement il existe une Intelligence Universelle – nommons-la Dieu pour simplifier. Supposons donc que cette Intelligence ne fait rien d'autre, *à plein temps d'avant, de maintenant comme d'après*, qu'harmoniser les mouvements de l'immense mécanique universelle. Vous imaginez bien, n'est-ce pas, que l'infini de l'espace et du temps rempli de galaxies et de systèmes compliqués suffit à occuper ce *plein temps* d'un Dieu géomètre grand manipulateur de la matière...

— En effet, avait dit Quevedo, amusé, tel que vous nous le proposez, votre Dieu a de quoi s'occuper...

— Supposons maintenant que quelque part, dans une minuscule faille, un repli secret de cette matière, *quelque chose* d'invisible pour ce Dieu géomètre et physicien, oui quelque chose «a pris», quelque chose dont il ne pouvait soupçonner l'existence... existence ! voilà un mot qui m'a échappé, puisque seule la matière, disons minérale, existait... oui, un quelque chose, rien qu'un peu de vie, un insignifiant accident de cette matière, un accident infime duquel Dieu qui sait tout n'a pas eu connaissance puisque cet accident infime n'existera que pour s'effacer comme il est venu...

— Vous voulez parler de notre histoire...

— Je veux parler de l'histoire du vivant qui va de la première molécule disons «sensible» jusqu'à cette aberration qu'est la pensée aussitôt née qu'anéantie par la marche ininterrompue de la matière manipulée par un Dieu qui, en toute innocence, n'a rien su de cette pensée, de ce regard sur Lui...

— Vous voulez dire qu'il y a eu vie une fraction d'instant, qu'il y a eu conscience une fraction d'instant, comme ça, pour rien, juste quelque chose de témoin, quelque chose d'ignoré aussitôt anéanti...

— Oui, c'est exactement cela : quelque chose comme un bref éclair de pensée pour rien qui aurait été disons étonnée... pour rien, pour personne... et que par manque de temps cette pensée n'aurait pas réussi à se donner un sens puisque aussitôt anéantie... non par Dieu – puisqu'Il ignorait qu'elle ait eu lieu – mais par l'infini mouvement de cette géométrie, ce chaos impensable... Eh bien, la visite de Roberte dans ma mansarde a agi sur moi comme si le Dieu – *moi* en fait ! – dont je viens de vous parler s'était avisé, après coup, qu'Il avait *été vu* sans être vraiment *vu*... Autant la visite de Gerbraun m'a été indifférente, autant celle de Roberte m'est insupportable car son regard *a vu* sans avoir vraiment *vu*. Et, bien qu'elle ait quitté ma mansarde, la présence de Roberte est restée dans ma mansarde, comprenez-vous ?

— Non, dit Quevedo, je ne suis pas sûr de bien comprendre... Vous voulez dire que ce Dieu entièrement voué au minéral, apprenant qu'Il a été *vu* pendant une fraction de seconde...

— Exactement, avait crié Bergamme de cette voix trop perçante quand il s'excitait, exactement ! Ce Dieu s'était désintéressé à jamais du vaste système dont Il tirait sa raison d'être. Non, je ne retournerai plus dans ma mansarde, au besoin je me cacherai dans les «plombs» plutôt que de me charger de nouveau de tous les tableaux volés qui l'encombrent.

— Figurez-vous, Bergamme, avait dit Quevedo, qu'il m'est arrivé aussi de connaître la tentation... Certains tableaux, en effet, s'offrent à vous et vous sollicitent. Que de fois n'ai-je rêvé à cette sorte de défi contre ce musée que je déteste et dont je suis le prisonnier... mais aussi envers moi-même un peu comme ces caissiers sans histoire qui brusquement, après une vie de loyaux services, comme on dit, *voient* tout à coup l'horrible injustice de leur sort alors qu'ils sont en train de manipuler des sommes énormes. Mais voilà, comment faire le saut ? Comment accomplir le premier pas ?

— Merveilleux ! Ah, merveilleux !" s'était exclamé Bergamme.

Mais Quevedo ne l'écoutait pas, continuant :

"J'aimerais savoir par quel geste, si petit soit-il, commence la transgression ? Vous avez les clés du coffre, vous savez combien de liasses attendent dans ce coffre, vous savez comment, à quel moment agir et où disparaître... N'êtes-vous pas le maître du jeu puisque vous avez la confiance de vos supérieurs ?

— Ernesto, vous êtes merveilleux ! s'extasiait Bergamme.

— Eh bien non ! l'employé fidèle est resté fidèle trente, cinquante ans à compter toujours et à toujours recompter des monceaux d'argent dont on ne lui accorde que des miettes à la fin de chaque mois... Ce que je vous dis là est une banalité, je le sais, et pourtant qui reconnaîtra qu'à force d'être en intimité avec lui cet argent lui appartient aussi sûrement que sa propre peau.

— Evidemment qu'il lui appartient, exultait Bergamme, à condition d'accomplir le geste le plus naturel, le plus simple, le plus... enfantin en quelque sorte.

— Exactement, s'excitait Quevedo, pour l'enfant il n'y a pas de fruit défendu, vous avez raison, Bergamme, au contraire même, tous les fruits du monde, tout ce qui brille, tout ce qui chatoie appartient à l'enfant qui avec naturel et candeur allonge la main pour prendre ce qui le séduit... mais voilà, c'est qu'on lui tape sur les doigts... fort, très fort, de plus en plus fort...

— Depuis combien de temps êtes-vous commissaire ?

— Je ne sais plus… Vingt, trente ans… Après avoir été responsable en province d'un petit musée archéologique où ne se trouvaient que des tessons… dont, je peux vous le dire à vous, Bergamme, je n'avais pu me retenir de chaparder quelques-uns.

— Mais c'est splendide ! Alors, avouez-le, il vous est bien arrivé d'avoir la tentation d'emporter chez vous un des tableaux dont vous avez la garde, non ?

— Evidemment ! Quel commissaire, quel gardien même ne souhaiterait s'approprier une des œuvres qui traînent dans l'un ou l'autre des coins obscurs du musée auxquels ils sont enchaînés… non pour en jouir mais pour se venger de l'état d'assujettissement auquel ce tableau ainsi que tous les autres le condamnent."

Après un instant de silence, Quevedo avait ajouté, baissant la voix et remuant à peine les lèvres :

"Je peux même vous faire l'aveu que par deux fois j'ai emporté chez moi des tableaux… pour voir si j'en étais capable… si la chose pouvait se faire… mais toujours une force contre laquelle je ne pouvais me rebeller m'obligeait à les restituer…"

Après être resté encore silencieux un moment, Quevedo avait ajouté :

"Je vais vous faire une risible confession. Du temps où je possédais un chez-moi, Roberte m'avait fait cadeau d'un tableau de ce musée… Attendez, attendez, Bergamme, ne vous excitez pas comme ça ! Pas tout à fait un vrai… mais quasiment le vrai pourtant.

— Vous voulez dire un des produits de cette nouvelle machine à dupliquer ? Donc elle existe, elle fonctionne ?

— Par pitié ne criez pas comme ça, vous me transpercez les oreilles ! Oui, il s'agissait là d'un des premiers essais de doublé… C'était encore à l'époque où nos laboratoires cherchaient sans avoir réussi à dégager un sens vers lequel orienter leurs travaux. Mais dites-moi, Bergamme, qui vous a mis au courant de cette nouvelle machine ?

— C'est Roberte elle-même. Pourquoi ?

— Je vous conseille de vous taire sur ce sujet. Roberte a donc eu l'imprudence de vous révéler notre prodigieux secret…

— Auquel je ne peux croire vraiment. Détruire définitivement l'unicité des œuvres d'art… pour ensuite en murer à jamais les originaux dans des abris souterrains… Non, je ne le croirai jamais !

— Murer les originaux ? C'est encore Roberte qui vous a dit cela ?

— C'est en effet Roberte…

— Voilà bien une idée qui, par sa bonté, lui ressemble. Elle vous a raconté n'importe quoi. Il n'est pas question de préserver ce qui est authentique mais au contraire de multiplier au maximum les œuvres de sorte qu'il n'existe plus d'original, que tout devienne *du pareil*…

— Mais alors les originaux ?

— C'est sans doute cruel mais ils sont destinés à disparaître, ils se seront décomposés, en quelque sorte ils auront fondu pendant le processus de numérisation car en les dupliquant la machine ne peut faire autrement que de désagréger les œuvres originales en autant d'atomes que leur matière en contient… puisque, en ayant analysé leur programme moléculaire, elle aura acquis la capacité de les reconstituer artificiellement autant de fois qu'il sera par la suite nécessaire.

— Vous voulez dire, Quevedo, vous voulez dire…

— Qu'enfin les chefs-d'œuvre, en perdant leur unicité physique, en perdant leur fragilité, y gagneront une totale immortalité. Plus rien ne pourra les atteindre puisqu'ils *seront* autant de fois qu'il sera désiré qu'ils soient… *sans plus être*, enfin !… N'est-ce pas l'exacte définition de l'immortalité ?"

V

"Les révélations de Quevedo, autrement plus précises que celles de Roberte ou de Gerbraun, à propos du programme de réplication des tableaux confiés aux soins de l'équipe du Grand Musée, avaient provoqué en moi un sursaut de dégoût et d'effroi. Donc là était leur but ! Non pas de produire un double de chaque tableau mais «Mieux que cela, m'avait dit Quevedo : *répliquer le tableau lui-même en lui substituant sa représentation ou si vous préférez sa présence rendue indestructible, éternelle, et surtout multipliable au besoin à l'infini, comme les biologistes le font des corps vivants»*, voilà ce que m'avait dit Quevedo, vous rendez-vous compte ? «Jusqu'à présent, nos techniciens n'ont réussi que du presque vrai mais très bientôt il est certain que nous aurons à notre disposition des tableaux répliqués plus identiques que ne peuvent l'être biologiquement les fameux clones humains, qui eux vieillissent et meurent plus vite que le vivant normal. Pour la peinture, il semble que ce sera une victoire totale sur l'anthropie, à tel point que l'accélérateur de particules AGLAÉ, effectuant une analyse intégrale de l'œuvre dupliquée, ainsi que sa stratigraphie profonde, ne pourra distinguer ce *pareil* de l'œuvre authentique défunte dont rien de palpable ne sera

187

demeuré. Enfin l'unicité aura été à jamais effacée, détruite, oubliée ! – Mais Quevedo, ce serait là un crime intellectuel impardonnable envers l'humanité ! avais-je crié en m'agitant, avait poursuivi Bergamme toujours couché immobile et les yeux fermés. – Du calme, Bergamme, doucement, répétait Quevedo en me tenant fermement par le poignet, là, restez comme ça ! – Mais ne vous rendez-vous pas compte, Ernesto, que n'importe quoi sera "vrai" sans l'être vraiment ? – Ça peut se comprendre comme ça, m'avait-il répondu, mais on pourrait le dire autrement : le vrai aura été anéanti ainsi que le faux. Il y aura du quelque chose autant de fois que l'on en aura envie. Et il en sera des choses comme de l'être humain – quand le processus de vieillissement accéléré aura été court-circuité – ou des animaux : un monde sans "original", enfin ! – Plus de particulier, plus d'unique, plus de déviants, plus de fous et bien sûr plus de nains ? Les choses, les êtres, et par conséquent les sentiments désoriginalisés ? m'étais-je révolté. – Enfin, oui ! avait dit Quevedo en riant, évitant de remarquer l'allusion grossière à mon état. – Donc l'humanité en aura terminé une fois pour toutes de l'unicité de Dieu ? ou du nain, ce qui revient au même. – Peut-être, pourquoi pas, j'imagine… avait balbutié Quevedo, qui avait ajouté d'une voix hésitante : Vous savez, Bergamme, Dieu, croyez-vous que dans toute l'histoire de l'homme il se soit trouvé une seule fois quelqu'un d'assez simple pour y croire vraiment, à son unicité ? A mon avis l'unicité de ce Dieu dont vous parlez n'a existé que dans l'imagination de ceux qui l'ont inventé en sa "personnelle et triomphante unité", pour reprendre les termes de cette vieille bigote de propriétaire qui du temps où je vivais sur son jardin ne manquait aucune occasion d'évoquer "le Foyer", "la Source" qui se trouveraient "partout, disait-elle, parce que Dieu, dans Son unicité se situe nulle part et donc partout". Une nuit, justement, avait poursuivi Quevedo, continuait Bergamme toujours étendu immobile sur le dos, une nuit, le neveu de cette vieille bigote s'était mutilé atrocement. Eh bien, elle n'avait rien trouvé de mieux que de prétendre qu'il avait agi sur l'ordre de Dieu... du Dieu unique... Mais je vous raconterai la suite plus tard», s'était arrêté Quevedo car Gerbraun avait surgi, une lettre à la main : «Ecoutez ça, mes amis, avait-il lancé en entrant, mon collègue le conservateur du musée d'Edimbourg propose à notre Grand Musée, dans le cadre bien sûr des échanges culturels internationaux, une prestation d'une merveilleuse originalité, dit-il. Il s'agit d'une jeune artiste canadienne à laquelle le gouvernement écossais vient d'allouer vingt-cinq mille livres de subvention pour analyser des sueurs et ainsi créer artificiellement des odeurs de sportifs qui seront vaporisées lors d'une exposition prévue en avril à Edimbourg. Ce conservateur écossais souhaiterait que ces "odeurs-tableaux", comme il les appelle, ces "œuvres modernes", dit-il encore, soient exposées dans notre Grand Musée de sorte qu'on les vaporise justement, entendez-vous Bergamme, dans la salle Gustave Courbet, "en complément, dit-il toujours dans sa lettre, au fameux chef-d'œuvre *L'Origine du monde* auquel Courbet n'avait pu évidemment, à l'époque, accoupler cette fragrance particulière propre d'ailleurs à toutes les «origines du monde», que cet «art nouveau» ne pourra qu'enrichir d'un surcroît de modernité".» Après être resté un moment à me dévisager silencieusement d'un air ironique et bienveillant, Gerbraun avait ajouté : «Alors, Bergamme, je parie que vous allez encore vous énerver et nous dire qu'une telle proposition ne fait que vous confirmer dans votre projet de kidnapper *L'Origine du monde*, non ? – Je vous avouerai, Gerbraun, qu'il n'est possible d'échapper à la folie manipulatoire de gens comme vous, conservateurs, commissaires, historiens de l'art et gardiens de musée qu'en admettant que moi, de même que je suis nain, je suis le seul fou parmi vous… ce qui est tout à fait satisfaisant. – Bergamme, Bergamme, vous êtes en effet un fou merveilleux !… et même acceptez que je vous le dise comme un compliment un nain merveilleux, et je dirais *unique* au monde, s'était exclamé Gerbraun. C'est vous en personne que nous devrions exposer. Qu'en pensez-vous Quevedo ? – Oh moi, monsieur le conservateur, avait dit Quevedo, entrant dans le jeu de Gerbraun, moi je ne pense rien. Moi je suis commissaire en chef et j'ai bien assez d'ennuis comme ça pour ne pas me mêler de décider s'il est bon qu'un sympathique fou se trouve en liberté parmi nous. – Mais avouez qu'il nous distrait agréablement et que depuis son apparition dans les coulisses de notre musée l'ambiance a bien changé, non ? – Il est vrai que sa continuelle exaspération a quelque chose de sympathique pour des gens comme nous écrasés par un devoir auquel à vrai dire nous ne comprenons rien. Mais qui comprend quelque chose à quoi que ce soit ?… A propos, justement d'y comprendre quelque chose à ce que nul ne peut comprendre, j'étais en train de me rappeler un événement tout à fait navrant qui s'était produit, figurez-vous, à l'époque où j'étais encore locataire de ce jardin où Bull avait… – Vous entendez, Bergamme, m'avait dit Gerbraun en riant d'avance, voilà que notre Ernesto est sur le point de nous faire mourir de rire ! Racontez, racontez ! Allez-y Quevedo ! Ne vous gênez pas, racontez-nous encore une fois comment vous avez passé au sèche-cheveux le cadavre de la petite papillon de votre propriétaire… – Non ce n'est pas de cela qu'il s'agit mais de ce qui est arrivé au neveu de ma propriétaire… – C'est bien celle de la petite chienne ? – Celle-là même, monsieur !» Et figurez-vous, avait dit Bergamme, que le commissaire Ernesto Quevedo nous avait raconté une histoire tellement horrible que vous me permettrez de la remettre à la prochaine de vos visites car je suis fa-ti-gué, oui, très, très fatigué…"

Mais sans attendre davantage, voilà la suite telle que je l'ai recueillie quelques jours plus tard de Bergamme :

"Le neveu de la propriétaire de Quevedo, m'avait dit Bergamme, vivait dans une annexe au fond de ce même jardin où la promiscuité était telle, avait précisé Quevedo, que sans le vouloir on entendait tout ce qui s'y disait. Voilà les faits bruts, tels que Quevedo les a vécus en auditeur et témoin privilégié, et tels qu'il nous les a racontés, à moi et à Gerbraun, avait poursuivi Bergamme. Un soir il entend des cris, des pleurs… et soudain la jeune femme du neveu de sa propriétaire hurle par la fenêtre que son mari s'est pendu. Par chance, Quevedo ainsi que quelques voisins immédiatement accourus réussissent à le décrocher à temps et à le réanimer. Le jeune homme était au désespoir, prétendant que son enfant aurait été d'un autre."

191

"Ah, ah, Ernesto, coquin de Quevedo, s'était exclamé Gerbraun avec sa lourdeur habituelle. N'est-il pas aussi comique que son chien Bull ? Avouez, Bergamme ! Mais continuez, Ernesto, continuez !

— Par chance, nous réussissons à le dépendre à temps. Une fois le jeune homme ranimé, nous le laissons avec sa femme, persuadés qu'elle finira par le calmer et par le rassurer. Hélas, nouvelle scène. Et voilà que, cette fois-ci, le neveu de ma propriétaire se coupe le pénis... et le jette dans le jardin.

— Quoi ???

— Oui, monsieur Gerbraun, dit Quevedo, si incroyable que cela paraisse ! Il faisait nuit. Aux cris de la jeune femme nous accourons tous une nouvelle fois, munis de lampes de poche. Et nous nous mettons à chercher.

— Quoi ? Le pénis !? balbutiait Gerbraun, riant aux larmes.

— Oui, monsieur, dans l'espoir qu'avec un peu de chance il pourrait lui être réimplanté...

— Ah, attendez un instant, Ernesto je vous en supplie, je vais étouffer de rire. Et alors ? Ah, pitié, j'en pleure...

— Eh bien, malgré tous nos efforts, nous ne l'avons jamais retrouvé. Jamais on n'a pu savoir si c'était Bull ou...

— J'ai compris, hi, hi ! Si c'est votre Bull ou la petite papillon de la propriétaire qui... Reconnaissez, Bergamme, que notre commissaire en chef est encore plus cinglé que nous tous... Allons, Quevedo, avouez-le, vous l'avez inventée, cette histoire ?

— Détrompez-vous, monsieur Gerbraun, ce n'est pas une histoire mais un événement terrible dont je peux vous prouver l'authenticité

en retrouvant les articles parus dès le lendemain dans la presse... Sauf les chiens évidemment, nul n'a bien sûr osé mentionner les
chiens...

— Et le neveu de votre propriétaire ?

— Il a survécu, malheureusement pour lui,
car il était écrit que son sort serait encore plus
atroce...

— Vous n'allez pas nous dire...

— Ce qui s'est passé par la suite défie toute
imagination, comme on dit. Le raconter serait
déjà blasphémer contre l'espèce humaine, et
nous devons bien reconnaître que l'inhumain
peut parfois chez les humains atteindre...

— Allons, avait interrompu Bergamme, brusquement très agité, nous savons tous que ce
que nous nommons «l'inhumain» est le propre
de l'homme, alors que «l'humain»...

— Par pitié, Bergamme, avait supplié Gerbraun, par pitié assez de considérations. Laissez
donc Quevedo nous raconter... Il me semblait
que l'on ne pouvait aller au-delà dans l'horreur.

— Détrompez-vous monsieur Gerbraun.
Donc, tant bien que mal le pauvre garçon se
remettait de sa mutilation, passant cependant
le plus clair de son temps dans des instituts
psychiatriques dont il ne sortait qu'à bicyclette
pour se rendre auprès de sa femme et de sa
petite fille qu'il adorait... bien qu'il doutât plus
douloureusement que jamais de sa paternité.
Mais ce n'est pas tout...

— Ce n'est pas tout ? Mais que pouvait-il lui
arriver de pire ? Nous sommes impatients...

— Il se trouve donc que sa jeune femme, sans
doute détraquée par les chocs successifs que
représentaient cette pendaison puis cette mutilation effectuées devant elle et sa petite fille..."

Le commissaire en chef Quevedo avait hésité :
"Je ne sais si je dois me permettre de continuer... C'est que là nous atteignons aux limites
extrêmes de l'horreur... et je crois que seules
les *Chroniques italiennes* de Stendhal osent
décrire de tels cas limites de cruauté humaine...
Non, je vous épargnerai... Trop c'est trop !

— Allons, Ernesto, allons ! Racontez, je vous
l'ordonne !

— Bon, c'est comme vous voudrez... Comprenez donc que ces chocs insupportables attei-
gnirent la jeune femme au plus intime de sa
raison... bien que la raison, nul ne sait quand
nous pouvons être formels sur son existence et
si même il n'est pas normal qu'une part d'incer-
titude demeure à propos de cette nébuleuse
que nul n'a réussi à cerner, quoique certains
chercheurs aient paraît-il entrevu sur leurs
écrans quelque chose qu'ils ont nommé : «l'ombre
de la pensée»... N'est-ce pas merveilleux ! Donc
on peut supposer que cette «ombre de la pensée» serait presque comme la matérialisation de
la raison et donc de la déraison...

— Plus vite, Ernesto, au fait, au fait ! Je dois
retourner dans mon bureau ; on m'y attend. En
deux mots !

— Impossible, monsieur Gerbraun, car ce
que fit la jeune femme est réellement diabolique... A ce propos Tchekhov, je crois, raconte
qu'en Russie s'était produit un crime d'une telle
vilenie que les gens ne pouvant croire à la réalité d'un si répugnant forfait préférèrent acquit-
ter l'assassin plutôt que d'admettre qu'un être
humain avait pu en arriver à le commettre...

— Ernesto, cessez vos évitements... Au fait !
Au fait !

— Il m'est très difficile, je l'avoue, d'en arriver au fait car, comme on le sait, toute action

diabolique, bien que naturelle aux humains, demande beaucoup de temps, de patience et de ruse. Donc permettez-moi d'en remettre le récit à plus tard. Je vois d'ailleurs sur les témoins de vidéosurveillance que notre musée est plein, principalement la salle Gustave Courbet où nous attendons aujourd'hui un contingent important de visites guidées…"

Ce jour-là, bien que curieux d'apprendre de quelle façon la jeune femme du neveu de l'ex-propriétaire de Quevedo avait pu agir "diaboliquement", Gerbraun était descendu dans son bureau, plus pour montrer son agacement contre le commissaire en chef que par nécessité. Etant le supérieur de Quevedo, il ressentait une indéniable humiliation à paraître suspendu aux récits évidemment exagérés de son subalterne, récits indignes de la curiosité du conservateur en chef d'un des plus prestigieux musées du monde. Cela dit, et pour ne plus revenir sur des événements qui n'ont rien à voir – tout au moins directement – avec cette chronique relatant les méfaits de Bergamme, je me permets, en anticipant un peu, de rapporter tout de suite ce qu'Ernesto Quevedo, pour satisfaire aux questions morbides et exigeantes de son supérieur hiérarchique, avait raconté au sujet de la jeune femme du neveu de sa propriétaire.

"Comme par hasard, je me trouvais dans le petit bureau de Quevedo quand le lendemain Gerbraun était revenu pour quémander la suite restée en suspens, m'avait dit Bergamme. «Alors, mon cher Ernesto, avait-il avancé en hésitant et

ne sachant manifestement par quel biais ramener le commissaire en chef sur le sujet. Alors,
Ernesto, je vois que notre ami Bergamme ne
vous quitte plus. Que lui racontez-vous encore ?
Figurez-vous que ce matin, accompagné d'Elise,
j'ai fait la tournée des salles où, malgré la vigi-
lance de nos hommes, principalement dans la
salle Courbet, des graffitis obscènes ont encore
été tracés au stylo-feutre, sur les murs, bien sûr
autour d'un certain tableau que je m'abstiendrai de nommer devant notre ami Bergamme…
– J'espère très bientôt le soustraire à ces sortes
de commentaires, avais-je rétorqué d'une voix
que je m'efforçais, comprenez-le, de rendre
calme et sans trace de colère. Rien de plus
naturel qu'un sexe entrouvert suscite un réflexe
primitif d'appropriation ou de désapprobation
selon le degré de frustration culturelle ou de
désir d'expression devant le silence et la fixité
immuable du mystère que représente déjà *toute
peinture*… et d'autant plus celle-là, évidemment… – Rien n'est plus détestable aussi,
avouez-le, Bergamme, m'avait coupé Gerbraun,
que ce besoin de manifester sa satisfaction ou
sa désapprobation devant une œuvre. Toute
cette semaine nous avons eu des groupes guidés venus de l'Est et, croyez-moi, ce sont sans
exception tous des cochons – comme la fois
précédente il avait dit *Schwein* –, oui, de véritables porcs, ce qui prouve bien que l'Est en
son entier est peuplé de porcs qui ne voient
que cochonneries partout et dans tout. Autant
les groupes guidés européens sont bêtement
attentifs jusqu'à la religiosité, autant ces groupes
guidés venus des *schweineries* de l'Est sont
chahuteurs, buveurs de bière, et prodigieusement
obscènes dans leurs graffitis, qu'ils soient tracés

en gothique ou en cyrillique… – Quand ce n'est encore que du graffiti en écriture ! s'était exclamé un gardien, passant brièvement la tête par la porte. – Mais que foutez-vous là ? avait dit Gerbraun. – Je traînais dans le coin et je n'ai pu me retenir d'entendre. – Mais vous, vous n'avez pas à vous mêler de notre conversation, avait dit Gerbraun, continuant : L'écrit, que ce soit en gothique moderne ou en cyrillique moderne, reste quand même plus ou moins indéchiffrable, mais quand ces *Schwein* osent se manifester par des dessins… à vrai dire une seule et unique sorte de dessin… alors là nous ne pouvons que vous donner raison, Bergamme ; et si ce n'était une puissante inhibition motivée par la position que nous occupons dans la machine muséale… ou si vous préférez muséeuse, comme vous dites, il y a longtemps que nous aurions retiré du visible ce tableau encore si puissamment provocateur. Et figurez-vous, tout à l'heure, pendant que les gardiens effaçaient les graffitis sur les murs autour de *L'Origine du monde*, je repensais à ce que vous disiez, oui, vous Bergamme, à propos de "l'humain" et de "l'inhumain". Dessiner ou écrire des *schweineries* autour de *L'Origine du monde* est-ce "humain" ou "inhumain" ? Quand sommes-nous "humains" et quand sommes-nous "inhumains" ? – Mais rien n'est plus humain que de dessiner des petits sexes bandés autour de *L'Origine du monde*, lui avais-je répondu en gardant autant que possible mon sérieux tout en donnant des tapes sur le museau de Bull qui faisait quelques tentatives énervées sur ma jambe. – Ah, vous trouvez, Bergamme ?… avait dit Gerbraun. A la réflexion, en effet, par exemple le chien de notre ami Quevedo aurait été bien incapable

197

de se manifester aussi explicitement auprès de la petite papillon. Et donc pour rester en quelque sorte dans votre pensée : "l'inhumain" serait ce qui – comme ce pauvre Bull – n'aurait pas la capacité de dessiner toutes sortes de petits sexes bandés sur les murs autour d'une papillon qu'il convoite. C'est bien cela ? Qu'en pensez-vous Ernesto ? – Heu… Pas tout à fait ça, monsieur… et même pas du tout, avait dit Ernesto Quevedo. Car pour être plus exact nous devrions dire plutôt que seul est spécifiquement "humain" ce que nous pouvons désigner comme "inhumain" et en cela je rejoins à cent pour cent Bergamme. Il en est de même pour les lois qui nous maintiennent dans notre rôle "d'humains" en désignant "l'humain" par ce qu'elles interdisent en le nommant "inhumain" – car nous sommes évidemment tout ce que ces lois interdisent et non pas ce qu'elles permettent en ne le nommant pas. – Entièrement d'accord avec vous, Quevedo ! avais-je crié très au-dessus de ma voix. – Attendez, Bergamme, moins fort s'il vous plaît, vous nous faites mal aux oreilles ! Vous voulez dire, Quevedo, qu'elles circonscrivent "l'humain" dans et par ce que nous nommons son "inhumanité" ? – Exactement, monsieur. L'homme véritable se trouve en quelque sorte prisonnier de son innommabilité. Ou si vous préférez de son "inhumanité", comme on dit.»"

"Si je vous ai rapporté cette intéressante conversation, m'avait dit Bergamme, c'est qu'en écoutant Quevedo je découvrais chez cet homme si secret une extraordinaire proximité de pensées avec les miennes, ce qui, vous devez l'imaginer, me laissait espérer d'intéressantes surprises en ce qui le concernait. Evidemment je ne me trompais pas ! Sauf, comme vous allez le voir, que sa mort prématurée – et tout aussi difficilement explicable que celle du Crapaud ou du jeune Félix son adjoint en hygrométrie – a rompu le passionnant dialogue à peine ébauché entre nous… Mais assez pour aujourd'hui !"

"Mais votre pessimisme est épouvantable, Quevedo ! avait continué Gerbraun.

— Rien ne m'autorise à être optimiste à propos de celui qui s'est nommé l'Homme. Les animaux ne sont pas «inhumains» – bien qu'ils soient non humains par essence ; seul l'Homme est «inhumain» puisqu'il ne s'est pas donné la peine de placer «l'humain» dans une projection idéale de lui-même mais au contraire dans ce monstrueux portrait de «l'humain» que dessine la liste abominable de ses crimes que ses lois énumèrent très précisément.

— Et le Christ, alors ? Sa parole ne dit-elle pas plus souvent : «Tu feras», que «Tu ne feras pas» ?

— Mais le Christ n'était évidemment pas «humain». Je veux dire qu'il n'était pas complètement issu de l'humanité. Du moins le prétendait-il… et certains, encore aujourd'hui, le prétendent.

— Pour le coup, mon cher Ernesto, pourrait-on dire qu'en subissant volontairement la crucifixion, il se serait placé plus près de la désolante passivité de l'animal – qui depuis «la nuit des temps» se laisse sélectionner exclusivement dans un but sacrificiel – plutôt que du côté de l'homme sacrificateur par excellence ?

— Je vois ça un peu comme ça, en effet, monsieur. En tout cas il me semble que par une exigence inouïe de sa volonté le Christ s'est efforcé de rester plus près de l'enfant, avait dit Quevedo d'un air étrangement pénétré, puisque l'enfant est incontestablement plus près de «l'innocence» animale que de la conscience de l'homme fait. Tant que l'enfant de l'homme est encore un petit animal, il y a un peu d'espoir... Et croyez-moi, je ne dirai pas comme le Dr Freud : «quelle sale bête que l'homme» mais quelle sale espèce que l'humaine. Au moins les bêtes, elles, elles ne savent pas.

— Houapp ! avait fait M. Bull sous le bureau.

— Ah, toi, tais-toi ! Ne voilà-t-il pas qu'il m'approuve. Je vous le dis, il ne manque pas une seule de nos paroles... et dans l'intimité, croyez-moi, la parole ne lui manque pas ! Un jour je vous raconterai l'extraordinaire histoire de Bull, comment certains vivisecteurs en ont fait un chien positivement humain, et pourquoi – grâce à une femme surnommée La Falaise – ce chien singulier est devenu mon compagnon d'infortune – permettez-moi cette expression.

— Et si auparavant vous finissiez de nous dire ce qui est arrivé au neveu de votre propriétaire, avait dit Gerbraun, presque suppliant. Savez-vous que depuis hier je repense souvent à son geste en me disant : Non ce n'est pas possible, Quevedo a inventé. Et en même temps je me dis : Non une chose pareille ça ne s'invente pas.

— Et vous avez raison. Comme promis je vous montrerai les articles mentionnant dans le détail sa pendaison et l'ablation de son pénis par ce garçon, que sa femme avait poussé au désespoir. Mais déjà bien avant qu'il ne se mutile, ce garçon tenait des propos pour le moins étranges. Comme sa tante, ma propriétaire, il était plus que religieux...

— Qu'entendez-vous par *plus que religieux* ? l'avait interrompu Bergamme.

— Oh, il vivait à côté, comment dire ? Il avait tendance à interpréter chaque incident de sa vie comme s'il résultait d'une sorte de rêve mystique. Il citait très souvent cette phrase de la Genèse : «Dieu a créé l'homme à Son image, Il l'a créé mâle et femelle.»

— Et alors, avait dit Gerbraun, vous pensez qu'il s'était mutilé pour... heu... se rapprocher en quelque sorte du féminin ?

— Non, pas exactement, je n'affirmerais pas qu'il s'était mutilé pour illustrer cette phrase de la Genèse mais cependant quand il lui a fallu commettre un geste frappant en direction de sa femme, il semblerait que de se démasculiniser lui soit venu en quelque sorte tout seul...

— Et alors ? Nous sommes impatients ! Et qu'a donc fait sa femme ? Vous nous avez laissé entendre...

— Eh bien, maintenant puisque vous y tenez, je vais vous faire part de la plus extraordinaire vilenie qu'un être humain puisse commettre sur un autre."

Après un silence :

"Dès le moment où ce jeune homme s'était mutilé, sa femme sembla désespérée, disait-elle, principalement pour l'avenir de leur petite fille dont le père enfermé depuis dans une clinique psychiatrique semblait n'avoir aucune chance de se rétablir, tout au moins mentalement, de l'atrocité qu'il avait commise contre lui-même. Voilà quelle raison cette femme donna quand elle se décida à souscrire «sur la tête» de son malheureux compagnon une très forte assurance.

— Vous voulez dire…

— Exactement, monsieur, elle avait mis à un très haut prix la vie de celui qu'elle appelait obstinément le père de son enfant. De sorte que s'il lui arrivait malheur, je veux dire un accident, elle devait toucher une prime considérable, quelque chose comme trente millions de francs si ce n'est plus…

— Pour une somme pareille vous avez quelque chance de mettre la main sur un *vrai* Van Gogh, avait dit Gerbraun, un peu rêveur. En effet, c'est placer très haut le prix d'un homme singulièrement diminué.

— C'est bien ce que tout le monde pensa sur le moment. Enfin, pour ne pas traîner plus longtemps, je vous dirai qu'elle trouva un type assez faible et influençable pour foncer, au volant d'une voiture volée, sur l'homme mutilé. Comme tous les après-midi, le malade avait pris l'habitude de sortir de sa clinique pour faire un peu d'exercice à vélo. Rien ne fut plus facile que de le renverser dans une allée déserte et de disparaître, le laissant pour mort.

— Si ce n'est que cela, mon cher Ernesto, les journaux sont pleins de tels faits divers…

— Un instant de patience, monsieur, rien n'est plus banal, en effet, si ce n'était que *cela*. Mais voilà, il se trouve que le malheureux n'avait été *que* très sérieusement blessé à la moelle épinière. Bref, le voilà donc paralysé à vie… et de plus privé de la parole… Mais attendez ! Ce n'est pas tout. Le pire est à venir.

— Ah, non, Ernesto ! Le sort de ce jeune homme est suffisamment… disons original. Si vous en rajoutez, notre sensibilité ne l'acceptera pas. La mesure n'est-elle pas déjà largement dépassée ? Pendu. Plus de pénis. Paralysé. Muet… Et quoi encore ?

— C'est loin d'être tout. Figurez-vous que sa femme…

— Quoi, sa femme ? N'était-ce pas suffisant ? Allons, finissons-en ! s'était soudain irrité Gerbraun.

— Une autre fois, monsieur. Vous avez raison. Trop c'est trop, comme on dit. Et pourtant…

— Quoi donc ?

— Et pourtant il ne faudrait pas perdre de vue l'assurance…

— Ah, bon ! L'assurance vie !

— Au point où en étaient les choses, il fallait bien qu'il meure. Et c'est effectivement ce qui arriva. Profitant de ce que ce pauvre type ne pouvait ni bouger ni s'exprimer, elle l'étouffa proprement en lui maintenant la figure enfoncée dans un oreiller…

— Je ne veux pas vous croire. Une telle somme d'abominations ne peut s'abattre sur le même être, s'était révolté Gerbraun.

— Pourtant je n'ai rien ajouté ni retranché de la réalité. Tout cela s'est effectivement produit dans le jardin où je vivais.

— Et la jeune femme ?

— J'ai appris récemment qu'elle avait mis fin à ses jours, comme on dit, dans la cellule où elle attendait d'être jugée."

"Ah, voilà Roberta, s'était exclamé joyeusement Gerbraun. Je regrette que vous ne vous soyez pas trouvée avec nous car Quevedo nous a, cette fois je vous assure, menés au fond du gouffre… ou si vous préférez de ce qu'il est humainement possible pour atteindre l'extrémité du mal… De plus, tout ça d'une misogynie…

— De ce qu'il est convenu d'appeler «le mal», l'avait interrompu Bergamme. De toute façon, le non-bien n'a pas de limite… à quel moment devient-il «le mal» ? Quant au mal, je doute que les femmes réussissent jamais à dépasser les horreurs commises par les hommes…

— En effet, avait dit Quevedo, je doute que ce soient là les limites… et même qu'il puisse y en avoir pour nous autres les hommes ! L'humanité est malade mais elle ne veut pas le savoir.

— Malade, croyez-vous ? avait dit Roberte avec sa bonne humeur habituelle. Malade par rapport à quel état, à quelle santé ?

— Pourquoi me regardez-vous comme ça, Roberte ? s'était exclamé Bergamme.

— Parce que vous avez toujours un petit air fâché qui, figurez-vous, me ravit. Quel est ce philosophe fou qui prétendait que l'humanité aurait un urgent besoin de médecins et d'infirmières qui soient eux-mêmes malades ? Ne sommes-nous pas justement ces médecins, ces infirmières malades affectés à une tâche que seuls des médecins et des infirmières malades seraient en état d'accomplir ?

— Vous avez raison, Roberte, avait crié Bergamme de sa petite voix gutturale, les musées sont remplis des preuves de la grande maladie qui fait de nous ce qu'on appelle des «humains». Rembrandt… comme Beethoven ou Shakespeare…

— Justement, à propos de ces grands malades plus «humains» que n'importe quel «humain», tout à l'heure, je lisais dans cette feuille allemande un petit entrefilet particulièrement excitant pour un conservateur, avait dit Gerbraun, tirant de sa poche son habituel journal. Ecoutez ça, permettez que je vous en traduise le contenu : «*Je ne veux pas vous déranger, juste un petit cadeau*», *s'est excusé, mardi 22 juin, un vieil homme venant offrir au musée d'Oldenbourg un Rembrandt grand comme la paume d'une main*. Eh bien, mes amis, moi je sais de quel Rembrandt il s'agit. Personne ne l'a jamais vu mais on sait qu'il existe. On dit qu'il représenterait la main ouverte du peintre. Que le vieil homme en question l'ait déposé avec une telle discrétion, et presque avec honte, au musée d'Oldenbourg est émouvant, n'est-ce pas ? Ce Rembrandt, bien que très petit, est peut-être le plus «grand» de tous les Rembrandt. Ce petit tableau est un «grand» tableau au même titre que *L'Origine du monde*, du temps où ce tableau, n'étant pas visible, était réputé pour être un «grand» tableau...

— Ah, enfin, cette main de Rembrandt a fini dans un musée ! s'était exclamée Roberte.

— Comment, Roberta, vous saviez qu'un tel tableau existait ?

— Je connais, en effet, très bien ce petit tableau, et je peux vous dire, Gerbraun, qu'il n'aurait rien de bien original si la main en question avait figuré la main gauche du peintre mais voilà, moi je sais pour l'avoir vu et même restauré, il y a de cela quelques années, que ce tableau représente *la main droite du peintre*. Les hasards du métier m'ont permis d'approcher ce tableau que très peu de gens ont eu l'occasion de voir et encore moins d'étudier car son propriétaire refusait farouchement de le montrer au grand jour.

— Vous dites : la main droite du peintre ? s'était étonné Gerbraun.

— J'ai en effet dit : la droite.

— Mais si c'est la droite…

— Exactement, c'est qu'il l'aurait peinte de la gauche. Voilà un fait peu connu, avait poursuivi Roberte. L'œuvre de Rembrandt se divise en plusieurs périodes. Il faut que vous appreniez, cependant, qu'il y a le Rembrandt des œuvres «de jeunesse» – dites *de la main droite* – et l'autre Rembrandt, l'immense : celui qui se placerait au-delà de la maturité – celui *de la main gauche* – c'est-à-dire le sublime peintre de son propre déclin qui nous a donné les peintures inégalables dites de «vieillesse» – non par leur facture car aucune œuvre n'a atteint sur le tard une telle fraîcheur, une telle spontanéité mais par la détresse existentielle des derniers autoportraits montrant un homme manifestement accablé par les maux de l'âge et les inévitables angoisses de sa mortalité… Mais ce qui vous saisit surtout sur ce visage aussi émouvant que celui d'un vieux chien, visage qu'il n'a plus cessé de peindre jusqu'à sa mort, c'est en quelque sorte cette mise à nu montrant avec une indécence unique l'émotivité qui tient constamment certains vieillards au bord des larmes… car tous les ultimes portraits de Rembrandt montrent le bouleversant visage d'un vieil homme retenant ses larmes…

— Mais, Roberta, avait interrompu Gerbraun en riant, jamais je ne vous ai entendue parler peinture avec autant d'émotion.

— Je ne parle pas «peinture», comme vous dites, mais d'un phénomène dont par un hasard étrange la peinture s'est faite le palpable témoignage. On dit que la main serait le prolongement direct du cerveau… et même en ferait partie par la singularité de ses réseaux nerveux. Les peintres – il faut bien leur reconnaître cet

207

avantage sur les autres hommes –, au contraire des artisans ou des travailleurs, laissent sur ce support qu'est la toile la trace nerveuse, presque électrique, de ce que nous pouvons nommer *la pensée humaine en mouvement*. Et justement dans le cas de Rembrandt, à analyser ses œuvres dites de jeunesse, on voit par l'élégance et la maîtrise avec lesquelles sa main dépose une trace peinte sur la toile que cet artiste peut peindre ce qu'il veut avec la même insouciante élégance qu'il met à se parer, à boire ou à séduire."

Après un silence assez court :
"Et puis voilà qu'un jour il y a comme un arrêt. La touche change du tout au tout. L'œuvre se transforme… et ici commence le Rembrandt d'au-delà de la peinture. Sa main laisse une trace inconnue jusque-là. De la trace physique nous voilà passés à la trace métaphysique.

— Ah bon ! Vous rendez-vous compte, Roberta, de l'énormité de ce que vous nous dites ? Comme si la peinture pouvait laisser une trace métaphysique ! Comme si ce qui est métaphysique pouvait laisser une quelconque trace à la surface de ce monde !

— Nommez-le comme vous le voulez mais il arrive parfois que *l'indicible* soit en quelque sorte cristallisé dans ce que nous nommons «la peinture». Et l'extraordinaire, c'est que cette *main droite* peinte par Rembrandt dit très claire-ment qu'à un certain moment le peintre vieillis-sant avait renoncé à l'élégance et aux facilités d'une facture qu'il ne maîtrisait que trop bien. Attendez, attendez, Gerbraun, sachez que pen-dant le court moment où ce petit tableau a été à ma disposition, je l'ai passé à la lampe ainsi que par divers autres tests... et figurez-vous qu'il m'a révélé son secret et surtout le grand secret de toute l'œuvre finale de Rembrandt...

— Ah bon ? Dites-nous ça, Roberta.

— Ne prenez pas ce ton ironique, Gerbraun, acceptez que parfois une femme puisse vous surprendre.

— Mais voyons, je l'accepte avec joie. Alors ce secret ?

— Eh bien, sous cette main droite peinte par Rembrandt, la lampe a révélé la main gauche inachevée du peintre... comme si Rembrandt avait soudain fait passer son pinceau d'une main dans l'autre, et qu'en changeant de main le sens de sa peinture s'était lui aussi retourné. Car en effet, à partir de *ce moment* – oui, *ce moment* ! on pourrait dire gravé dans l'épaisseur de ce petit tableau –, Rembrandt n'a plus peint que de la main gauche, de sorte que restent à jamais ensevelies dans sa droite devenue inutile toutes ses fabuleuses facilités. Disons que, ce jour-là, Rembrandt s'est coupé la main droite.

— Si cela est vrai... vous remettez en question toute...

— Mais, Gerbraun, bien sûr que cela remet en question toute la peinture... bien sûr que cela est vrai ! avait crié Bergamme avec une espèce de joie féroce, bien sûr qu'un Rembrandt a compris, *lui*, qu'il devait s'amputer mentalement de la main droite pour pouvoir saisir cet insaisissable. De même qu'en musique, seul un Beethoven se condamnant à la surdité pouvait, en coupant ses nerfs du plaisir des sons extérieurs, saisir cet *indicible* que nous apporte – comme l'a fait aussi désespérément Rembrandt – toute son œuvre ultime.

— Ah bon ? Alors, selon vous toute œuvre d'une certaine élévation... ou si vous préférez d'une certaine profondeur serait le résultat d'une *perte des moyens*... disons *habituels* ?

— En effet, d'une *perte des moyens habituels*, comme vous le dites si bien, Gerbraun.

— Et cette *perte* serait donc une perte matérielle devenue un *gain* permettant à ce qu'on prétend définir comme étant l'âme de s'isoler du corps ? C'est bien cela, Bergamme ?

— Parfaitement ! Il ne peut y avoir beauté suprême, cette beauté qui est esprit de joie, d'exaltation... et à la fois d'un désespoir qui vous donne le sentiment d'être soudain au-delà de ce qui est humain, oui nous ne pourrions atteindre ce qu'on nomme «le sublime» sans cette *perte des moyens habituels* que notre corps utilise comme un *gain*."

Après un silence, Bergamme avait ajouté criant presque d'exaltation :

"Et cet état de «sublimation», je peux vous dire que je l'ai touché quand, seul dans ma mansarde, j'ai tenté de *poursuivre*... ou si vous préférez *d'inachever* la plupart des tableaux que j'ai volés dans vos musées... Et souvent même il m'est arrivé d'avoir la sensation de léviter, je vous assure... de m'élever physiquement au-dessus du sol... et donc au-dessus de la toile que je retouchais... bref, d'être Dieu !

— Allons, Bergamme, laissons de côté ces fantasmes usés. Quel fou ne se prend pour Dieu ?

— Au contraire, Gerbraun, avait dit Roberte, ce que vous nommez les fantasmes usés de Bergamme, nous devons les prendre comme une leçon d'intelligence pure car l'intelligence pure est en principe pure folie divine. Et c'est bien de cette pure folie divine d'intelligence apportée par Bergamme... comme naguère par Nietzsche-Dieu, que nous avons besoin pour comprendre quel est le sens de notre tâche."

"Vous pensez bien que je ne me laissais pas prendre aux flatteries de Roberte. Si bien que le lendemain je ne pus m'empêcher de le lui laisser entendre : «Je te remercie de tout le bien que tu sembles me vouloir, lui avais-je glissé alors qu'elle me forçait, comme cela arrivait de plus en plus souvent, à m'allonger contre elle sur une des paillasses des "plombs", mais tu dois savoir, Roberte, que ce que tu as dit hier à Gerbraun de ma "pure folie divine" m'a laissé à la fois étonné et surtout en désagréable position vis-à-vis de lui ainsi que de Quevedo qui lui aussi a été témoin de tes paroles. – Mais en quoi t'ai-je desservi, mon petit Bergamme ? Il me semble qu'au contraire en exaltant ta "pure folie divine", en la mettant sur le même plan que le principe de pure intelligence, je les obligeais à reconnaître ta merveilleuse originalité et l'importance pour nous de ta présence dans les coulisses du Grand Musée. "Ne voyez-vous pas, avais-je dit à Gerbraun, que Bergamme est en train de rendre nos âmes à nos corps, de nous rendre à nous-mêmes et de dépasser ainsi l'état d'aliénation de soi auquel la gestion de l'art nous a tous menés «depuis que l'art n'est plus l'aliment qui nourrit les meilleurs»", comme l'avait dit avec une étrange amertume ce grand peintre moderne, démolisseur de toute la peinture, dont je t'épargnerai le nom beaucoup trop vulgarisé aujourd'hui. Car tu dois savoir, Bergamme, m'avait encore dit Roberte, qu'après que nous nous sommes séparés, hier soir, j'avais demandé à Gerbraun de m'accorder un court entretien à ton sujet. – Comment à mon sujet, Roberte ? m'étais-je écrié surpris et mécontent. – Attends, calme-toi mon petit Bergamme, m'avait-elle dit en m'étouffant presque entre ses beaux bras blancs marbrés de veines azurées. Comprends qu'il fallait à tout prix que je lui fasse admettre qu'à travers toi nous avions quelque chance de dégager une pensée plus serrée… ou disons plus inventive au sujet des œuvres auxquelles nous finissons par ne plus rien comprendre à force de les étudier, de les disséquer…» Je ne l'avais pas laissée achever : «Et de souhaiter inconsciemment les anéantir, Roberte, reconnais-le, en les expulsant de leur unicité.» Voilà ce que je lui avais dit, à la belle et irrésistible Roberte, alors que nous nous trouvions allongés presque l'un sur l'autre dans une des niches des «plombs». Bien sûr, comme d'habitude, elle m'avait fait taire par un baiser… et ce qui s'ensuit." Après un silence assez long, Bergamme avait ajouté dans un chuchotement irrité : "Mais cela m'appartient et, bien sûr, il est inutile que vous le mentionniez dans vos notes. Cependant n'oubliez jamais que chaque fois que j'en avais l'occasion je dénonçais avec insistance cet abominable projet auquel ils travaillaient tous sans se rendre compte à quel point il était annonciateur de catastrophe."

VII

Quelque temps plus tard, alors qu'il se dirigeait comme chaque jour maintenant vers le bureau d'Ernesto Quevedo, Bergamme avait été arrêté par l'hygrométreur en chef Alf le Crapaud.

"Petit Bergamme, lui avait-il dit, presque en chuchotant, je dois vous mettre en garde contre les agissements de Gerbraun. Votre innocence risque de vous procurer pas mal d'ennuis car Gerbraun joue de votre innocence d'homme-enfant avec un cynisme intolérable. Je vous conseillerais, tant qu'il n'est pas trop tard encore, de ne plus revenir au Grand Musée. Vous n'avez rien à faire ici parmi ces gens qui sous prétexte d'être des «amis de l'Art», comme ils le disent, en sont les pires ennemis. Seule ma fonction dans ce répugnant Grand Musée est amie de l'Art car avant tout un tableau a besoin d'une parfaite stabilité hygrométrique, et si moi je reste à ce poste terriblement déprimant c'est uniquement par amour de l'Art, et à cause de ma profonde conviction que tous ces tableaux doivent survivre *malgré* ceux qui se trouvent en ce moment aux postes de conservateurs en chef, de commissaires en chef et d'historiens de l'Art. Comprenez que depuis que l'art a été nommé Art, il s'est toujours trouvé de ces dangereux prétendus amis de cet art nommé

Art pour installer leurs pièges à l'ombre des chefs-d'œuvre. Qu'est-ce que l'Art ? avait continué l'hygrométreur, entraînant Bergamme en direction de son petit bureau, l'Art n'est après tout qu'une tension de l'inconscient vers ce que nous nommons la réalité... ou si vous préférez une irruption de l'inconscient dans le conscient. L'Art doit s'imposer malgré notre prétention à dominer la réalité, malgré l'hostilité de la réalité envers lui, et surtout l'hostilité de la raison qui est elle-même asservie à cet abominable principe de réalité. Voyez les nombreux tableaux suspendus aux murs de cette salle à l'atmosphère imprégnée d'une humidité pareille à celle qui recouvrait le monde au moment de l'éveil du vivant. Ce sont des œuvres moribondes dont je maintiens la survie par des procédés anciens que je suis un des derniers à utiliser encore aujourd'hui. «A quoi bon, Alf, me dit toujours Gerbraun, mais à quoi bon maintenir en fonction ces salles d'humidification quand, vous le savez, ces tableaux sont destinés à disparaître pour faire place à de nouveaux eux-mêmes immortels, cette fois, et surtout réplicables pour ainsi dire à l'infini !» Comme vous, Bergamme, je déteste ces gens dont les doigts collent aux œuvres et qui vivent dans l'impatience de voir ces œuvres abolies en une prétendue immortalité. C'est la mortalité des œuvres qui, en les rendant pathétiques par cette mortalité, fait que nous ne pouvons y renoncer. Non, nous n'y renoncerons pas, justement parce qu'elles sont fragiles, affreusement mortelles, et que nous devons en les humidifiant, en les maintenant dans une atmosphère d'extrême subtilité, participer nuit et jour à leur présence quasi vivante puisque promise

214

à la mort ! L'Art, dis-je et redis-je sans arrêt à Gerbraun, à Mlle Roberte, ainsi qu'à ce naïf Quevedo, oui, leurs dis-je et redis-je, l'Art porte un masque, un déguisement qui *fascine et déroute notre raison.* Ce masque si séduisant est le résultat de la tension qu'il suscite en nous, exactement comme le font les rêves... sauf que l'Art tient du conscient et surtout des ambiguïtés du jeu de l'esprit et de l'intelligence, alors que le rêve ne procède absolument pas du jeu et encore moins de l'ambiguïté de l'intelligence. Quoi qu'on en ait toujours pensé, le rêve ne connaît pas le double langage alors que les œuvres de l'art exigent une double si ce n'est une triple lecture. Mais cependant le merveilleux des œuvres mortelles c'est qu'elles peuvent s'évanouir, se dissoudre, comme s'évanouit, se dissout le rêve... tout en amenant l'inconscient à la conscience – ce que le rêve ne réussira jamais, malgré les affirmations de ceux qui croient aux prétendus messages de l'au-delà infiltrés dans les images du rêve pour nous mettre en garde face aux variations de la réalité. L'Art, dis-je et redis-je sans cesse à Gerbraun, à Mlle Roberte, ainsi qu'à votre ami Quevedo nous permet de nous réapproprier les anciennes libertés aujourd'hui perdues. Le fait de nous trouver en face d'œuvres qu'un geste pourrait détruire nous rend heureux qu'elles aient survécu...

— Pas d'accord avec vous, Alf, avait soudain coupé Bergamme qui non seulement ne disait rien mais semblait ne pas écouter les explications de l'hygrométreur.

— Je m'en doute bien, avait réagi Alf en riant, surtout si ce que vous prétendez est vrai à propos de certains tableaux mystérieusement

215

échoués dans votre mansarde... et que vous retoucheriez jusqu'à destruction, m'a-t-on dit...

— Moi, je *poursuis*, mais cependant je pense que la destruction d'une œuvre peut porter en elle et même transfuser aussi par ce geste destructeur assez de forces pour que soit suscité, autrement peut-être et par ailleurs, de la création sous une forme encore indéterminée...

— Bergamme, vous croyez vraiment à ce que vous dites ?

— Absolument !

— Que détruire équivaudrait en quelque sorte à créer ?...

— N'est-ce pas l'exacte définition de la vie qui n'est rien d'autre qu'une transfusion du vivant par la médiation de la mort ?

— Ah, comme il est agréable d'entendre, ici, dans cet envers du Grand Musée, de telles paroles ! s'était écrié Alf le Crapaud, se baissant à la hauteur de Bergamme pour le saisir par les deux épaules.

— Je dirais que détruire plutôt que conserver *à tout prix* peut aider à élargir le champ de la création. Grâce à leur séduction, avait poursuivi Bergamme, les œuvres nous aident à nous épargner le déplaisir de ne croire et de ne compter que sur l'utile. Ainsi nous permettent-elles d'avoir le bonheur libératoire de considérer l'inutile comme plus nécessaire que l'utile, comprenez-vous ? Mais dès le moment où ces œuvres, nées de l'exaspération solitaire de l'artiste jouant du défi, se trouvent réunies en ces cimetières de l'art décrétés d'utilité sociale que sont devenus les musées modernes – où, de plus, ce qu'on nomme les «produits dérivés» finissent par avoir plus d'importance que les œuvres elles-mêmes –, il est évident que l'ange exterminateur doit fatalement intervenir...

— Vous, Bergamme ? Vous, bien sûr ! l'avait interrompu Le Crapaud se mettant sur les genoux pour rester avec plus de commodité à la hauteur de Bergamme. Ses yeux brillaient de joie contenue.

— En effet, moi ! Pourquoi pas moi ?... Mais pourquoi pas vous aussi, Alf ? Toute situation fermée appelle et provoque ses anges exterminateurs. Ils sont nécessaires, ils sont attendus comme l'élément gratifiant perturbateur, et donc libérateur. Voulez-vous venir jusqu'à ma mansarde ? J'ai confiance en vous. Venez, Alf, et vous verrez ce que peuvent devenir des œuvres vraiment libérées, oui, des œuvres retournées à l'inachevé ; le contraire même de ces tableaux plongés dans l'enfer du dé-fi-ni-tif auquel Gerbraun et ses collaborateurs prétendent les destiner.

— Quevedo m'avait parlé de vous comme du petit homme le plus distrayant ayant jamais pénétré dans l'envers d'un musée...

— Ce qu'il est lui-même pour Gerbraun...

— Ce qu'il est pour Gerbraun, en effet... et ce pourquoi Gerbraun le garde malgré les incroyables entorses qu'il se permet envers le règlement. Vous ne pouvez imaginer à quel point la présence de son chien Bull complique ma tâche d'hygrométreur. Comme je vous l'ai déjà expliqué lors de notre première rencontre dans les «plombs», à la lettre, tout mon système d'hygrométrie ne tient qu'à un cheveu. Il suffit de peu de chose pour détraquer mes petites machines, qu'en particulier la présence de poils de chien affecte catastrophiquement. Mais pour rien au monde je n'irais m'en plaindre à Gerbraun qui serait trop heureux de me traiter de délateur."

"Comprenez bien que les comportements de ces gens, enfermés presque en permanence derrière les cimaises du Grand Musée, ne pouvaient que prendre les formes les plus provocatrices pour moi, m'avait dit Bergamme, une autre fois. La perte de l'innocence nécessaire qui aurait pu les pousser à se donner joyeusement à un tel métier faisait en tout cas de chacun d'eux mon ennemi... ou plutôt l'ennemi de tous les créateurs qui depuis l'aube de l'Art s'étaient péniblement hissés au-dessus d'eux-mêmes, comme on dit. Et en même temps cette perte d'innocence, qui commençait à me les rendre plus odieux que ces insectes plats qui vivent aplatis justement derrière les tableaux, m'encourageait dans ma réfutation des prétendues valeurs qu'ils s'apprêtaient définitivement à mettre en place. Sans le savoir, ils m'autorisaient à laisser s'épanouir ce qu'ils nommaient un peu légèrement ma «folie»... qui n'était qu'indignation. La «folie» de ce moi, nommé Bergamme, les arrangeait ; n'*éclairait*-elle pas leurs agissements sous l'angle idéal pour eux ?... – mais aussi, sans qu'ils s'en doutent, pour moi, en me confortant dans ma mission exterminatrice –, puisque, en étant ce risible nain détraqué qui leur apportait un peu de distraction dans leur travail, je leur permettais de parler, en jouant les cyniques devant ce tiers prétendument innocent, de la mise en place de nouvelles formes de vulgarisation de l'art où toute manifestation, pourvu qu'elle soit décrétée par eux pour artistique, valait d'être exploitée. Tels qu'ils m'apparaissaient maintenant, j'aurais pu les détruire tous sans le moindre remords, je vous assure – ce que j'ai fini par accomplir, comme vous allez le voir. Ils n'avaient rien à faire dans les coulisses du Grand Musée, non ils n'étaient évidemment pas de ceux dont la présence à de tels postes trouve sa raison d'être dans ce qu'on nomme «l'amour de l'Art». A part le vieil Alf, dit Le Crapaud, dont la tâche d'hygrométreur et aussi la personnalité complexe liée à cette tâche préservatrice commençaient à me faire espérer un complice… Quand on songe qu'il est parfois préférable de détruire que de ne conserver seulement que la pellicule des apparences – ainsi qu'ils s'apprêtaient tous à le faire pour les œuvres qui leur avaient été confiées – comprenez la légitimité de ma mission de nain exterminateur."

Soudain Bergamme avait poussé quelques geignements et m'avait demandé de l'aider à se redresser. Il sentait l'aigre comme tous les malades qui ne sortent plus de leur lit. Il agitait ses jambes trop courtes. Vues de près leur peau était par endroits comme gaufrée par de grandes brûlures mal cicatrisées. Ses tempes brillaient de très fines gouttes de transpiration. J'allais me retirer car il n'ouvrait pas les yeux et semblait s'être assoupi mais à peine eus-je fait quelques pas qu'il me pria de rester :

"Et maintenant, écoutez ceci, avait poursuivi Bergamme de sa voix affaiblie, bien que par moments glapissante. Après avoir fermé avec soin la porte de son bureau, Alf le Crapaud m'avait dit : «Bergamme, savez-vous *qui* est Gerbraun ? Bien sûr que vous l'ignorez. Et savez-vous pourquoi *lui* plutôt qu'un autre se trouve à la direction du Grand Musée ? Vous ne le savez pas ; moi non plus, mais un jour ça se saura car à mon avis il n'a pas les compétences nécessaires pour faire un bon conservateur en chef. De plus, on m'a dit que Gerbraun ne se nommerait pas vraiment Gerbraun mais Braun, et qu'il aurait rajouté ce Ger par une sorte de coquetterie germanique dont la raison m'échappe évidemment. D'autres pensent que son prénom serait Guer et que Gerbraun viendrait du rapprochement de ces deux syllabes. On dit beaucoup de choses comme ça à propos de notre conservateur qui de plus ne se nommerait pas *que* Gerbraun ou Guer Braun mais aussi, en plus, d'un nom banalement français derrière lequel il se dissimulerait de temps en temps pour signer certains articles rendant compte des dernières ventes d'art contemporain. On dit d'ailleurs que cette seconde identité lui permettrait de prendre des libertés inouïes avec le marché de l'art... et ainsi de s'enrichir considérablement en secret... ce qu'un conservateur en chef ne pourrait s'autoriser sans être rapidement exclu de la profession. – Vous prétendez qu'il touche des commissions occultes sur les ventes de certains tableaux dont il aurait aidé à gonfler les cours ? m'étais-je étonné, dit Bergamme. – Oh, je ne me permettrais pas d'insinuer de telles choses ! Je ne fais que répéter ce qui se chuchote derrière les cimaises de notre musée. On dit aussi que, sans lui et certaines des tractations qu'il aurait personnellement menées avec l'ultime possesseur de *L'Origine du monde*, ce tableau n'aurait jamais fini sur les murs de la salle Gustave Courbet.» Imaginez mon émotion d'apprendre un détail aussi surprenant ! continuait Bergamme. «Comment, avais-je dit, l'ultime possesseur de *L'Origine du monde* n'aurait donc pas légué librement ce tableau au Grand Musée ? – Oh, vous savez, je ne fais que répéter ce qui se dit ! Pour ce qui me concerne, en tant qu'hygrométreur, je sais que *L'Origine du monde* est un tableau en grand danger de déshydratation et que la salle Gustave Courbet est une salle dont la plupart des tableaux seraient condamnés à tomber en poussière par dessiccation si rien n'était radicalement fait pour les maintenir *en vie*... ou si vous préférez dans une atmosphère compatible avec les mauvais pigments que Courbet – tout comme la plupart des peintres du XIXe siècle – employait. Vous avez dû remarquer combien d'appareils d'hydratation sont en action dans la salle Gustave Courbet. Et pourtant c'est à peine s'ils suffisent pour maintenir, principalement *L'Origine du monde*, en un état passable. Quoi que l'on fasse d'ailleurs *tous* les tableaux de Gustave Courbet sont voués à disparaître prématurément... Je vais vous choquer mais ne vous énervez pas, Bergamme, comprenez-le, je ne peux nettement m'opposer à ce que certaines œuvres fragiles, et somme toute techniquement mal peintes, soient dupliquées, quitte à ce que les originaux se dissolvent, comme paraît-il cela ne peut être évité dès qu'on les introduit dans cette machine infernale mise au point par nos techniciens. Consolons-nous, cependant, avait poursuivi Le Crapaud, à défaut d'être d'origine, au moins l'apparence du tableau demeurera... – Mais vous savez bien qu'il n'est pas question d'apparence en peinture ! avais-je crié, étonnant visiblement Le Crapaud par ma véhémence. – Mais alors, dites-moi, Bergamme, qu'est-ce qu'une œuvre peinte ? Vous ne pouvez le contester, une œuvre peinte, ce n'est rien d'autre qu'une surface à la merci d'une variation de degrés, et qui donc en quelques instants peut être détruite… ou tout au moins altérée sans recours ? – Non, non ! avais-je répondu, profondément agacé. Non ! un tableau c'est autre chose… c'est l'inexprimable exprimé sans que l'on sache pourquoi… c'est le langage du corps-esprit… c'est la seule forme universelle d'expression…» J'étais embarrassé pour m'expliquer avec toute la justesse ressentie, étant cependant certain de la profondeur de ma pensée à ce sujet. «Et la musique, alors ? avait dit Alf le Crapaud, souriant d'un air rusé et presque supérieur. – Mais la musique c'est du rien, on ne peut la toucher… – Pourtant vous ne pouvez nier qu'elle vous *touche*, elle ! – Elle touche nos nerfs auditifs…» Bref, vous voyez d'ici dans quel genre de dialogue sans issue, et tellement ressassé, nous étions en train de nous perdre, le vieil Alf et moi."

Après un silence assez long, Bergamme avait poursuivi, changeant de ton, comme si ce qu'il avait à me dire l'amusait soudain : "Mais comprenez bien, ce dont je voudrais que vous rendiez compte dans ce travail au sujet du Grand Musée, c'est des étranges révélations que Le Crapaud m'avait faites ce jour-là sur les détours qu'avaient pris ses recherches à propos de l'humide et du sec, du chaud et du glacé, de la nuit et de la lumière, etc., et quel rapport surtout cela pouvait avoir avec la conservation des tableaux. «Ce bureau où nous sommes en ce moment, m'avait-il donc dit, dissimule un laboratoire particulièrement sophistiqué où je poursuis des travaux sur les variations hygrométriques et leurs conséquences aussi bien sur la vie organique que sur les choses apparemment inertes telles que la peinture.» Ouvrant une porte dissimulée derrière un mur de livres, il m'avait fait passer dans une pièce éclairée au néon : «Voyez-vous, Bergamme, tous ces instruments ? Ils sont loin d'être innocents ; ce sont les accessoires d'une véritable chambre de torture zoologique où je mets à contribution un tout petit animal, à vrai dire un tardigrade, surnommé le "clown du microscope", dont le nom, tout aussi comique est *Minus-Macrobiotus*. Cet arthropode d'à peine un millimètre de long ressemblerait un peu à un ours, sauf que les ours n'ont pas huit pattes... et que ce tardigrade en a effectivement trois de chaque côté du ventre, et deux situées sur l'arrière-train. Mais peu importe son aspect, en effet comique, ce qui est inestimable pour mes travaux c'est sa prodigieuse faculté d'adaptation aux plus rigoureuses variations de température. Pour me rendre compte à quelles températures extrêmes il réussit à survivre, j'ai fait d'épouvantables expériences plongeant ce petit animal dans un air chaud absolument dépourvu d'humidité au point de le laisser pour mort par dessiccation. De retour à une ambiance normale, ne voilà-t-il pas qu'il se révèle tout aussi vivace qu'avant. Continuant à le torturer, je me suis amusé à l'isoler pendant des mois dans un récipient étanche totalement dépourvu d'oxygène, ensuite je l'ai mis à macérer pendant quelques mois encore dans de l'hydrogène pur, puis dans de l'azote pur, puis dans de l'hélium pur, puis dans de l'acide carbonique, de l'hydrogène sulfuré, du carbure d'hydrogène ; rien n a réussi à endommager cet être évidemment tombé d'un de ces mondes inconnus tels qu'il doit en exister un peu partout dans l'univers. Et, figurez-vous, Bergamme, avait poursuivi Le Crapaud, oui figurez-vous qu'après chacune de ces expériences l'espèce de minuscule momie recroquevillée *se réveillait plus normale que jamais chaque fois que je la replongeais dans son élément vital : c'est-à-dire l'eau.* Et ce n'est pas tout, avait poursuivi Alf le Crapaud avec délectation, sachez, mon cher Bergamme, qu'ensuite, poussant la torture au maximum du possible, j'avais précipité cet invraisemblable petit tardigrade dans de l'air liquide à environ -200 °C. Eh bien, une fois dégelé, l'animal se montra aussi alerte qu'auparavant... – Mais, dites-moi, Alf, comment pouvez-vous faire subir de tels outrages à la Vie ?» lui avais-je demandé, le détestant violemment tout à coup, avait continué Bergamme. Et cet homme pour le moins étrange m'avait répondu : «Si je malmène ainsi la vie, c'est non seulement par curiosité mais aussi par amour de la vie, et donc pour me rendre compte de ses limites... – Vous voulez dire... – Je veux dire qu'une fois ces limites atteintes il devenait intéressant de savoir si un tableau, justement – au cas où l'espèce humaine ne survivrait pas aux conditions qu'elle est en train de se préparer sur cette planète –, oui, si un tableau, aussi maltraité que *Minus-Macrobiotus*, pourrait "survivre" à de si détestables procédés. – Comment ça ? m'étais-je écrié, retenant difficilement une désagréable envie de rire, vous voulez dire... – Oui, je veux dire qu'il m'était nécessaire de le savoir.»"

Et c'est ainsi qu'Alf le Crapaud avait avoué à Bergamme qu'il ne s'était pas gêné de tenter des expériences extrêmes sur un "mauvais Picasso", avait-il dit, ajoutant qu'à son avis presque tous l'étaient, "mauvais", puis sur un "mauvais Gauguin", dont selon lui la plupart l'étaient aussi, avait-il affirmé encore, ainsi que sur une quantité d'autres tableaux qu'il prétendait médiocres et même carrément "ratés", dont un Matisse, qu'il montra à Bergamme dans un état épouvantable.

"Mais qu'avez-vous fait ? avait crié Bergamme. Est-ce possible que vous les ayez détériorés à ce point ?

— N'est-ce pas ? avait répondu Le Crapaud, sans la moindre honte. Si je prends le risque de vous montrer ces épaves, cher Bergamme, c'est que je sais par Roberte à quoi vous vous occupez dans votre mansarde.

— Oui, mais moi je *poursuis* les œuvres des peintres, je les *continue*, comprenez-moi, Alf ; je ne fais pas de ces affreuses expériences d'une prétendue science poussées aux frontières de la mort car pour moi un tableau n'a rien de commun avec un insecte, un animal ou même une personne humaine sur lesquels jusqu'à présent nulles limites n'ont été encore atteintes quant aux tortures de l'interrogation, non, non, Alf, mon travail ne relève pas de la curiosité mais au contraire de la certitude qu'un tableau est fait pour vivre, pour être vécu, pour être maintenu *en exécution inachevée...* et non scientifiquement tué."

Voilà ce que Bergamme avait dit au vieux Crapaud avant de tomber sur le sol, secoué d'une crise violente de tremblements.

VIII

Dès le lendemain, Bergamme faisait monter Alf dit Le Crapaud dans sa mansarde.

"Alors, Alf, avouez que ce La Tour a un merveilleux air d'inachevé, non ? Et cette *Meule de foin* de Van Gogh, sans ce soleil que j'y ai rajouté, croyez-vous qu'elle aurait mérité d'être conservée ? J'ai volé ce tableau à Amsterdam, pendant la fête de la bière. Je ne me souviens même pas de l'avoir décroché de la cimaise du musée. Dans la rue, après avoir longtemps marché, je me suis aperçu soudain que je serrais contre ma poitrine un Van Gogh. N'est-ce pas étonnant ? Et ce n'est que le lendemain, dans le journal, que j'ai découvert avec effroi et délectation quel exploit je venais d'accomplir sans m'en être rendu compte.

— Comment ? Vous prétendez que ce petit tableau est un authentique Van Gogh ?

— Non seulement un authentique Van Gogh mais un Van Gogh *continué*. Voyez ce soleil couchant... il est de moi !

— Vous voulez dire...

— Ce que personne n'a la lucidité de croire. Que ce soit Gerbraun ou Roberte, aucun des deux n'a cru que ces tableaux étaient d'authentiques œuvres *détournées*... par moi, «l'invisible passe-murailles», ainsi que leur voleur a

226

été qualifié par les journaux… Lisez ces coupures de presse ! jubilait Bergamme, comme saisi d'ivresse. Et tenez, voyez ce La Tour dont j'ai refait la main, et aussi les plis, là… Et surtout cet horrible petit *Chemin de Sèvres* devenu, grâce à moi, presque un beau tableau depuis que les ombres portées, allongées par moi, là, sur le chemin, font ces stries ici, et ici…

— Faites voir ? avait presque hurlé Le Crapaud, se saisissant de la toile qu'il retourna pour en examiner le dos. Mais c'est merveilleux ! Mais c'est plus que merveilleux ! *Le Chemin de Sèvres !!!* Et vous avez montré ces tableaux à Gerbraun ?

— A Gerbraun, à Roberte…

— Et ils n'ont pas compris ?

— Ils n'ont pas voulu comprendre… et comme personne ne *voit* les tableaux, bien sûr, ils n'ont rien *vu*.

— En effet, avait continué Alf le Crapaud, très excité, en effet, Roberte m'a parlé de copies bâclées avec une rare maladresse…

— Roberte vous a dit ça ! Comme c'est odieux ! Attendez, attendez, tenez, que pensez-vous de ce Degas ? Peut-être un peu trop poussé par moi, à tel point qu'on penserait à Lautrec, non ? Et surtout n'allez pas croire qu'à cause de nos tailles similaires je m'identifie à ce Lautrec, peintre que je déteste ! Et là, ce Monet… que je reconnais avoir gratté jusqu'à la trame… qu'en dites-vous, Alf ? Hein, qu'en dites-vous ?

— Je suis stupéfait, Bergamme, vraiment comme assommé.

— Alors j'espère que, vous au moins, vous me croyez ?

— Mais je reconnais ces tableaux. Ne serait-ce que par les marques, là, au dos des toiles.

Ce sont les signes inscrits par des générations d'hygrométreurs... et que seul un hygrométreur peut déchiffrer car ils disent les degrés successifs, soit d'humidité soit de dessiccation, que ces tableaux ont eu à subir au cours des décennies, voire des siècles, selon l'époque des œuvres. Regardez, Bergamme, au dos de *votre* petit Van Gogh...

— Eh bien quoi ? Qu'a-t-il *mon* petit Van Gogh ?

— Doucement, calmez-vous, Bergamme. Et surtout ne me refaites pas une crise comme hier !

— Ah ? Crise ? Mais quelle crise ?

— Vous ne pouvez imaginer jusqu'à quel point vous aviez brusquement changé de visage.

— Je sais, cela m'arrive parfois... on me l'a dit... surtout certaines femmes qui ayant pénétré trop profondément dans ma vie secrète ont eu droit à ces sortes d'accès... mais je dois vous avouer que je n'en garde aucun souvenir... et ne veux rien en savoir...

— Vous étiez terrifiant, et surtout vous vous êtes plusieurs fois jeté sur moi avec l'évidente envie de m'escalader pour me serrer le cou...

— Oh, vous savez, avait dit Bergamme en riant mal à l'aise, ce n'est pas l'envie qui m'en manque. Que de fois dans une journée, disons banale, je serrerais avec bonheur le cou de ceux avec qui je... Franchement ! Vous n'avez jamais eu envie de... de serrer le cou de l'une ou l'autre des personnes avec lesquelles vous passez un moment et dont les bavardages semblent ne jamais pouvoir s'arrêter ?

— Nnnon... pas vraiment...

— Vous hésitez. Je suis sûr que..."

Après un silence chargé d'une certaine ironie, Le Crapaud avait dit :

"Vous avez raison, Bergamme, pour être tout à fait franc, il m'est arrivé d'avoir envie que notre conservateur en chef Gerbraun... comment dire ?... heu, vide les lieux.

— Vide les lieux ou disparaisse ?

— Disparaisse... des lieux, si vous voulez, avait dit Alf en riant de malaise.

— Qu'il disparaisse ? Ou bien, mieux que cela : qu'il n'existât pas, peut-être, non ?

— Vous me poussez dans le recoin le plus sombre de moi-même, Bergamme. En effet, si un type comme Gerbraun avait pu ne jamais exister, non seulement le Grand Musée mais l'univers me paraîtraient plus justes et beaucoup moins oppressants.

— Ah, vous voyez ! Qui de nous ne souhaite nettoyer l'univers... à défaut du Grand Musée de certaines présences qui oppressent ? La question n'est pas dans l'intention mais dans le moyen, non ? Comment faire sans le faire physiquement ?

— Le fameux «coup du Chinois» de cet insupportable chinoiseur de Jean-Jacques ! Si nous laissions ce genre de naïveté de côté, voulez-vous, Bergamme ! Il y a longtemps que nous ne sommes plus des adolescents, voyons !"

Visiblement agacé d'être entré si facilement dans les paradoxes de Bergamme, Alf le Crapaud avait sorti de sa poche une loupe pliante et s'était tranquillement mis à examiner les signes au dos du petit tableau de Van Gogh. Enfin il avait dit :

"Nous souffrons tous sous l'écrasante charge des règles, des précédents, des impératifs...

— Qui nous bloquent et nous empêchent ! s'était écrié Bergamme d'une voix excitée. Tout nous empêche ! Nous sommes marqués biologiquement *et* culturellement par d'épouvantables empêchements.

— Ah, laissons aussi cela, avait coupé Le Crapaud, et revenons à nos tableaux. Voyez ces chiffres et ces signes, là dans le coin, au revers de *votre* mauvais petit Van Gogh.

— Eh bien, qu'ont-ils ces signes et ces chiffres ? Et pourquoi «mauvais» ?

— Ces signes veulent dire que les hygrométreurs du musée d'Amsterdam étaient de bien piètres hygrométreurs. Ils ont laissé cette *Meule de foin* subir des températures et des cotes d'humidité absolument néfastes, à tel point que ce Van Gogh, qui peut-être était un bon Van Gogh à l'origine, est devenu un mauvais si ce n'est même un exécrable Van Gogh. Et je vous avoue que vous avez bien fait de leur soustraire cette malheureuse œuvre qui, comme tous les Van Gogh, a été non seulement peinte avec des pigments instables mais aussi sur de la toile préparée à la céruse… ce qui évidemment confirme – la preuve d'ailleurs n'est plus à faire – que Van Gogh était un peintre amateur… de génie, peut-être, mais cependant un authentique a-ma-teur !

— Je l'ai toujours pensé, et en *continuant* sa *Meule de foin* je ne l'ai que trop compris."

Bergamme avait entrouvert les yeux et, un instant, avant qu'il ne renverse la tête sur les chiffons qui lui servaient d'oreiller, j'avais aperçu le bleu délavé de son regard aussitôt recouvert par des paupières pâles dont la finesse laissait voir le relief du globe de l'œil qui semblait, derrière le voile malsain de cette mince peau, continuer à vous fixer :

"Comprenez qu'aujourd'hui alors que toutes ces choses horribles ont eu lieu dans les obscures coulisses du Grand Musée, et que l'on me fait *payer et encore payer* certains actes dont je ne suis pas tout à fait sûr d'être l'auteur, je me demande, oui, je me demande comment, dans l'état de crise où je me trouvais, j'avais pu supporter avec ce sang-froid tout à fait surhumain la présence d'Alf l'hygrométreur dans mon étroite mansarde. Assis sur mon lit, au milieu de tous *mes* tableaux, il les prenait et reposait avec calme, sans qu'à aucun moment une sorte de méchant petit sourire d'ironie ne disparaisse complètement de son maigre visage. N'était-il pas normal que je commence à me repentir de l'avoir introduit dans mon secret ? Etrangement, comme tous les criminels, je n'avais pu me retenir de dévoiler... sans vouloir expressément le dévoiler quand même... mon crime. Au fond je dois avouer que l'incrédulité de Gerbraun et de Roberte, qui avaient méprisé *mes* œuvres volées, les comptant pour de mauvaises copies alors qu'elles criaient leur authenticité, oui, leur incrédulité m'avait poussé à ouvrir imprudemment ma mansarde à cette mauvaise langue que tout le monde appelait ouvertement Le Crapaud. Il me semblait sentir un sang de feu parcourir mon corps entier. Comment avais-je pu me fier à ce type, cet hygrométreur dont je ne savais rien ! Surtout, me disais-je, pas de crise, pas question que tu perdes conscience, tu es en terrible danger. Serre les dents, et parle le plus naturellement possible : «Tout ça, mon cher Alf, n'est qu'une blague, avais-je soudain dit sans conviction, pendant que je commençais à ramasser les tableaux pour en rejeter certains sous mon lit et en raccrocher d'autres aux différents clous plantés dans les murs de ma mansarde. – En effet, quelle belle blague vous avez jouée à tous ces pauvres cons qui dirigent nos musées, ah, ah !» m'avait répondu l'hygrométreur. Et les traits de son visage s'affaissaient, changeant peu à peu d'expression. Après avoir laissé un long silence pendant lequel il m'avait contemplé, agitant entre nous avec lenteur son index en signe de bienveillant reproche, il avait ajouté, devenant tout à coup extrêmement grave : «Bergamme, Bergamme, ah mon pauvre Bergamme, ce n'est pas bien du tout… – Qu'est-ce qui n'est pas bien du tout ? – Mais, voyons, Bergamme, tout ça. – Quoi, tout ça ? – Non seulement ces vols incroyables mais de plus ces catastrophiques détériorations. Vous ne voyez pas que votre folie vous a mené à détruire irrémédiablement des biens appartenant non seulement aux musées où vous avez sévi mais à l'humanité entière, passée, présente et à venir ? – Que dites-vous, de quelle folie parlez-vous ? Au contraire de détruire, j'ai remis en vie ces tableaux en les *reprenant.* Voyez celui-là, et voyez celui-là ! ne sont-ils pas frais et d'un inachevé qui ferait penser que d'un instant à l'autre le peintre pourrait y revenir… ce qui est le cas de toute œuvre majeure, non ? Quel chef-d'œuvre ne donne cette impression de monde resté en suspens ?» Mais semblant ne pas m'entendre, Alf l'hygrométreur devenait de plus en plus agité, avait continué Bergamme, gardant toujours les yeux fermés. Maintenant voilà qu'il fouillait sans se gêner sous le lit, sortant toutes

232

sortes de vieux vêtements empoussiérés dans lesquels se trouvaient enveloppés quelques tableaux de petits maîtres, dérobés à mes tout débuts, dans divers musées de province. Je m'étais un peu fait la main sur eux, avant d'oser m'attaquer directement aux œuvres plus intéressantes dont je vous ai déjà parlé. Il y avait là, par exemple, un petit Van Bronckhorst, dérobé à Amsterdam aussi, représentant un homme. Je l'avais méchamment *retouché* et abandonné par excès de dégoût. Il y avait aussi un barbouillage de Maurice Denis assez banal, découpé au cutter dans un musée breton... Et puis l'indiscret hygrométreur dégagea deux petits tableaux dont les parties repeintes par moi avaient collé l'une contre l'autre : le premier d'un dénommé Morson ; le second d'un certain Troyon, l'un représentant un âne aux oreilles disproportionnées ; l'autre des vaches revenant du pâturage. Déprimants tableaux, volés presque sans m'en rendre compte... et que j'avais jetés sous mon lit, après quelques catastrophiques tentatives d'amélioration. «Ah, c'est donc vous, Bergamme, qui avez fait disparaître ce Morson et ce Troyon ! Que d'hypothèses ont été avancées à propos de ces deux tableaux devenus, du fait qu'ils aient été volés, aussi célèbres que l'est devenu par la suite, et pour les mêmes raisons, *Le Chemin de Sèvres* de Corot.» Bref, avait continué Bergamme d'une voix de plus en plus lasse, il y avait aussi sous mon lit différentes compositions modernes quasiment détruites par des jets de peinture trop hasardeux – dont un De Chirico évidemment hideux ainsi que deux ou trois abstraits américains informes et prétentieux. Je peux l'avouer, et je vous l'ai déjà dit, je m'étais fait la main sur ces peintures dans les premiers temps, alors que je n'étais pas encore atteint par ce mal – dit «muséeux» – pour lequel je suis condamné à dépérir ici, sans aucun espoir de jamais sortir autrement que mort de cette cellule." Comme d'habitude il avait ajouté pour conclure : "Bon, et maintenant laissez-moi dormir."

Après avoir détaillé chaque tableau et, à la grande inquiétude de Bergamme, en avoir inscrit la liste sur un petit carnet noir, l'hygrométreur, qui d'instant en instant devenait plus odieux à Bergamme, avait dit presque avec affection :

"Ecoutez-moi, très cher et imprudent fou, ni Gerbraun ni Roberte n'ont vu ce que vous aviez eu l'incroyable confiance de leur montrer. Ils ont cru à de mauvaises copies quand au premier regard *vos* tableaux criaient leur authenticité...

— Ah, vous croyez vraiment ? Mais ils avaient raison c'est une blague, je vous dis...

— Allons, pas de modestie déplacée avec moi. Il a fallu qu'un professionnel non pas en histoire de l'art, non pas en restauration, non pas non plus en «thématique expositoriale», comme ils disent, oui, il a donc fallu que ce soit un hygrométreur professionnel qui vienne dans votre mansarde pour comprendre !"

Prenant dans les siennes les deux petites mains de Bergamme, il avait ajouté d'une voix douce et convaincante :

"Mon pauvre ami, suivez mon conseil, voilà ce que je vous propose : la nuit prochaine nous revenons ici et, avec un diable à roulettes, nous transportons, sans faire de bruit ni être remarqués, *tous* ces tableaux, en autant de voyages qu'il le faudra, jusqu'au musée où nous les déposerons anonymement. Je suis prêt à prendre ce risque par une étrange sympathie pour vous. Mon devoir m'obligerait à courir tout de suite vous dénoncer mais, soyez-en convaincu, jamais je ne vous trahirai. Restituez ! Et comme Gerbraun et Roberte, que vous avez eu l'imprudence de faire monter chez vous, risquent de reconnaître ces tableaux et donc de comprendre à qui ils avaient affaire, je vous promets de leur parler et de les convaincre de garder un parfait silence…

— Ah, non ! avait crié Bergamme. Pas question de restituer ces tableaux ! Si je vous ai fait confiance ce n'était pas pour que vous…

— Mais vous rendez-vous compte, mon pauvre ami, de l'ampleur de votre crime ? Détériorer un La Tour, un Monet, un Van Gogh ainsi que tous ces tableaux irrécupérables gisant sous votre lit.

— Alf, j'ai cru pouvoir vous faire confiance. J'ai même cru comprendre que vous étiez prêt à m'aider pour *L'Origine du monde*… ou tout au moins de faire comme si vous ne m'aviez pas vu quand enfin je le décrocherai…

— Ah, bon ? Je regrette que Gerbraun n'entende pas vos propos ; il en mourrait de rire, comme il dit lorsque Quevedo lui raconte n'importe quoi. Donc sérieusement vous pensiez que nous vous laisserions emporter cette œuvre irremplaçable, qui pour moi est plus qu'une œuvre mais l'Idole des Idoles devant laquelle je me prosterne plusieurs fois par jour… Comment pouviez-vous croire que vous emporteriez *mon Origine du monde* et que nous autres ses garants et en quelque sorte les grands prêtres de cette sublime icône nous vous tiendrions, de plus, grandes ouvertes les portes de notre musée ?

— En quelque sorte oui, puisque de toute façon je suis destiné à *sauver* cette œuvre. Gerbraun souhaite que je la vole, ne serait-ce que pour la récupérer avec le maximum de publicité ; Roberte et même Elise le souhaitent car sans qu'elles me l'aient dit je sais que ce tableau les humilie comme il humilie toutes les femmes, évidemment ; Quevedo lui aussi souhaite que je passe à l'acte, comme il me l'a dit, car la présence de ce sexe ouvert attire infiniment trop de monde dans la salle Courbet ce qui le charge, ainsi que les gardiens, d'un surcroît de travail... Et vous-même, Alf, vous m'aviez laissé entendre que vous seriez presque prêt à me donner un coup de main...

— Voyons, Bergamme, comment pouviez-vous imaginer que moi, l'hygrométreur en chef du Grand Musée, j'allais sérieusement vous aider à dérober, dans mon propre musée, et de plus dans une salle placée sous ma responsabilité la plus directe, une œuvre de cette importance... et dont – je vais vous l'avouer avec le plus grand sérieux – je suis *amoureux à mourir* ?

— Pourtant, tous, que ce soit vous, Gerbraun, Quevedo ou Roberte, oui tous, quand je vous avais fait part de mon irrévocable projet, vous aviez paru sérieusement réjouis à l'idée de pouvoir être un jour proprement débarrassés de cet héritage... disons inclassable... et même soulagés que quelqu'un prenne sur lui de le faire *s'évanouir*.

— Bergamme, Bergamme, vous plaisantez ? Par un jeu que j'avoue regrettable, nous sommes peut-être entrés trop légèrement dans vos provocations, ça, je ne le nierai pas. Mais de là à vous encourager, et de plus à vous faire des promesses…

— Ne m'aviez-vous pas *tous* mis au défi de le faire ?

— Par jeu, je vous le répète. Bien que manquant totalement d'humour, Gerbraun avait trouvé du plus haut comique de nous faire, oui tous, entrer dans ce qu'il considérait comme la plus drôle des plaisanteries. Nous avions l'ordre de ne pas vous contrarier…

— Donc de laisser faire ce pauvre nain fou de Bergamme, non ? De le laisser décrocher et emporter ?

— Heu… De le laisser faire, sûrement… mais jusqu'à quel point ? Je vous avoue que Gerbraun n'avait pas posé de frontières à cette plaisanterie et que même les vigiles et les gardiens étaient dans le coup.

— Donc, plaisanterie ou pas, vous avez tous *légitimé* mon projet. Je vous jure que ce tableau m'appartiendra ! Et attention, avait crié Bergamme du haut de l'escalier au moment où l'hygrométreur en chef redescendait en courant de la mansarde, attention, Alf, un seul mot de ce que vous avez découvert et je vous tue !!!"

Oui, voilà ce qu'avait imprudemment crié Bergamme.

Si j'ai rapporté aussi fidèlement cette conversation entre Bergamme et Alf, c'est que par la suite, après que le Grand Musée eut brûlé, Bergamme l'évoquera pour légitimer ses agissements criminels. Se fiant à son esprit en confusion, il s'était persuadé qu'il possédait, oui, de fait ! – jusqu'à se permettre de les *continuer* –, non seulement les tableaux provenant

237

de ses différents vols mais aussi et peut-être même surtout ceux qu'il désirait, comme s'il suffisait qu'il en ait le désir pour que ces tableaux lui appartiennent. Donc *L'Origine du monde* lui "appartenait" avant même qu'il ait pu lui mettre la main dessus. Evidemment, pour toutes les raisons qui ont déjà été données ici, cette œuvre, Bergamme se croyait destiné à la "sauver" en la faisant disparaître, mais surtout par l'attitude équivoque de Gerbraun, qu'un peu trop légèrement Le Crapaud lui avait rapportée, il se considérait maintenant, par ceux-là mêmes chargés de la protéger, autorisé à la décrocher des cimaises du Grand Musée afin de la *poursuivre* jusqu'à son inachèvement total.

IX

"Comprenez quel fut mon effroi et... je dois l'avouer, ma secrète joie, et je dirais même mon exultation réfrénée, quand un matin, arrivant comme d'habitude au rez-de-chaussée du musée, j'apprends la mort du Crapaud dont le corps venait d'être retrouvé *comme par hasard*, bien sûr dans la salle Gustave Courbet. Il était, là, étendu sur le ventre, la tête comme dévissée, tournée vers *L'Origine du monde*. Avouez que la chose était passablement extraordinaire, non !" Voilà ce que m'avait confié Bergamme, non sans de bizarres grimaces qui rendaient son visage encore plus asymétrique si c'est possible. Après un long silence pendant lequel je m'étais bien gardé de montrer mon impatiente curiosité, il s'était décidé à continuer : "Profitant d'un moment où nous étions seuls, Roberte m'avait dit, hésitant visiblement entre les pleurs et le rire à l'idée que le vieux Crapaud avait succombé devant ce sexe de femme ouvert : «Reconnais, mon petit Bergamme, qu'il est grotesque de mourir le visage tourné vers la représentation de cette mystérieuse porte par laquelle il a bien fallu que vous vous glissiez tous, vous autres hommes, pour venir saccager par vos manies et vos fantasmes ce monde absurde !» Etonnante Roberte qui ne négligeait aucune occasion pour se moquer de ces hommes ridicules que nous sommes «et quoi que vous fassiez incorrigiblement infantiles», disait-elle. Alf l'hygrométreur est donc bien mort ? Est-ce possible ? me disais-je, au souvenir terrifié de sa visite, dans ma mansarde, ainsi que de son horrible chantage, bien sûr inacceptable, dans le but de m'obliger à restituer les tableaux que j'avais réunis avec tant de mal et en prenant tant de risques pour les *inachever*. Je ne rêvais pas : l'hygrométreur en chef Alf dit Le Crapaud était là, vraiment mort ! Quand, à l'aube, sa collaboratrice Josette Goldmiche ainsi que les premières femmes de ménage arrivées avec elle avaient trouvé au milieu de la salle Gustave Courbet le vieil homme apparemment intact et paraissant endormi à plat ventre, sauf que ses yeux étaient, paraît-il, grands ouverts, et, ainsi que je l'ai dit, la tête tournée de côté dans le sens exact de *L'Origine du monde* – comme si même la mort ne pouvait le distraire de ce qui durant sa vie n'avait cessé de l'obséder –, elles avaient aussitôt très justement pensé qu'Alf l'hygrométreur, qu'elles détestaient toutes pour ses infructueuses manies sexuelles, avait succombé à une crise cardiaque bien naturelle chez un vieil obsédé de son âge. Mais quel ne fut pas leur étonnement, ainsi que l'étonnement de ceux qui retournèrent son cadavre, quand on découvrit sur le dallage en damier de la salle Courbet un peu de sang et, imprégné de ce sang, un cutter sale et usé ? Sur le moment, contre toute vraisemblance, on pensa que cette lame, pourtant bien courte, avait réussi, malgré l'épaisseur des vêtements et l'obstacle des côtes, à blesser au cœur le vieil homme."

Après un silence :

"Vous pensez bien, avait poursuivi Bergamme, semblant se délecter à cette évocation, que la mort du Crapaud survenue avec tant d'à-propos aurait dû me faire craindre que ce ne soit forcément moi le coupable. Ce crime si bienvenu, et à la fois tellement ridicule pour l'hygrométreur – car avouez-le, mourir devant *L'Origine du monde*, quoi de plus ridicule ? –, oui, ce prétendu meurtre qualifié sur le moment de «sauvage» par le juge et les journalistes, cette apparente agression effectuée en pleine nuit dans l'enceinte même du Grand Musée me frappa car, bien que ne m'en souvenant pas, soit j'en étais coupable, soit quelqu'un d'autre l'avait fait *sur mon ordre*, ce qui me semblait plus vraisemblable, vu la stature élevée du vieil Alf, et donc l'extrême hauteur, par rapport à ma taille, à laquelle le coup avait dû être porté. «Le tueur devait être *très grand* – ce qui exclut le nain –, ainsi que plus tard le médecin légiste l'avait fait remarquer au juge : la lame ayant été envoyée de haut en bas.» Et comme un cutter n'est pas une arme commode à enfoncer, on imagine combien cela avait dû être hasardeux… surtout que Le Crapaud n'était nullement voûté. Savez-vous ce qu'est un cutter ? m'avait soudain demandé Bergamme, entrouvrant un instant les yeux. En général on s'en sert pour gratter des surfaces fragiles ou pour tailler certains crayons au bois délicat… et aussi, bien sûr, entre des mains moins innocentes, pour découper finement et sans trop les abîmer les bords d'une toile que l'on veut dérober – comme il m'est arrivé, bien à contrecœur, de le faire quelques fois. C'est pour vous dire qu'on n'assassine pas avec un cutter. La lame courte et biaisée n'est évidemment pas pratique, et surtout le tranchant, plus affilé qu'un rasoir, se prête très mal, justement par le fait de son asymétrie, à l'enfoncement dans un corps sec et osseux, tel que devait forcément l'être celui du vieil Alf… et que, de plus, une veste de velours côtelé ainsi qu'un pull et une chemise auraient dû efficacement protéger contre une arme si réduite et au manche de si peu de prise. D'ailleurs, par la suite, quand l'autopsie fut pratiquée sur le corps du vieil hygrométreur, on en avait déduit – à tort – que l'arme n'avait servi en réalité qu'à procurer un choc très léger et que *seule* la peur occasionnée par ce choc s'était concrétisée en un immédiat infarctus auquel, sans conteste, avait succombé le vieil homme."

"Bref, avait continué Bergamme, ce matin-là, m'éveillant… Mais il faut savoir que cette nuit du «crime» (?), de «l'accident» (?), comme d'ailleurs les nuits précédentes – et cela depuis un certain temps déjà –, j'avais dormi, plus ou moins clandestinement dans l'une des niches des «plombs». Seul Quevedo était au courant du choix que j'avais fait de découcher de plus en plus régulièrement de ma mansarde car la présence des tableaux *continués* par moi vers *l'inachèvement* m'était devenue insoutenable, surtout dans le noir, à partir du moment où j'avais eu l'imprudente vanité d'en dévoiler l'existence aux membres du Grand Musée. Donc, descendant discrètement des «plombs», par les passerelles métalliques, j'avais entendu des exclamations et des bruits de voix inhabituels. Découvrant une prodigieuse agitation, et comme par hasard dans la salle Gustave Courbet !, je m'étais doucement approché… Et c'est là que j'entendis, prononcés par Gerbraun, ces mots, avouez-le, comiques : «On n'assassine pas avec un cutter, voyons !» Oui, ce furent là les premiers mots de Gerbraun devant le cadavre du Crapaud, étendu sur le dos, tel qu'on l'avait abandonné après l'avoir retourné pour découvrir qu'il n'était pas mort de mort tout à fait naturelle mais qu'il avait été bizarrement effleuré au torse avec cette arme dérisoire plus familière aux artistes et aux bureaucrates qu'aux assassins. Serrés en un cercle étroit, et se grimpant presque les uns sur les autres pour mieux contempler le vieil homme, tel que malgré lui il s'offrait à être vu dans sa mort, il y avait là Quevedo, Roberte, Elise la petite stagiaire, Josette Goldmiche, des femmes de ménage, des vigiles, des gardiens et même déjà des policiers en civil aussi bien qu'en uniformes, accompagnés d'un très jeune juge, d'un greffier et de deux ou trois journalistes qui ne cessaient de bâiller avec bruit. «Ah, le voilà donc ce petit phénomène !» C'est ainsi que je fus accueilli sans manières. «Dites-nous, Bergamme, n'est-ce pas là un cutter vous appartenant ? – Il y a longtemps, monsieur, qu'il ne m'appartient plus, avais-je répondu avec le plus grand calme, continuait Bergamme toujours souriant en lui-même et gardant comme à son habitude les yeux fermés. Demandez à celui qui me l'a confisqué dès ce premier jour où j'ai été admis parmi les familiers du Grand Musée. – Mais ce cutter a bien été introduit par vous ! dissimulé, nous a dit M. Ernesto Quevedo, dans votre chaussette. – En effet, avais-je répondu au juge, je viens de vous le dire : Quevedo me l'avait confisqué à l'instant où j'entrais dans son bureau. D'ailleurs je n'envisageais plus du tout de découper les bords de *L'Origine du monde* pour l'arracher à son châssis car tout me laissait penser que M. le conservateur en chef Gerbraun ne demandait pas mieux que de me voir dérober ce tableau, de sorte que ce vol profite à la publicité de son musée, ce que d'ailleurs il ne m'avait pas caché, n'est-ce pas Gerbraun ? lors de notre première conversation. – C'est vrai, nous avions pas mal plaisanté sur ce sujet, évoquant même *La Joconde* devenue ridiculement célèbre à l'instant exact où elle ne fut plus visible. – Qu'entendez-vous par là, monsieur Gerbraun ? avait dit le jeune juge intrigué. – Mais voyons, comme tout le monde le sait, *La Joconde* n'est pas, et de loin, le meilleur tableau de Léonard de Vinci. Elle doit sa célébrité à un petit maçon italien qui l'avait dérobée, au début du siècle dernier, alors qu'il réparait les toitures du Louvre. Disons, monsieur le juge, qu'il s'était passé là le phénomène exactement contraire à celui de la fameuse "lettre volée" que les enquêteurs ne pouvaient voir car elle était en quelque sorte *trop visible*. Ainsi, et pour la raison inverse, dès l'instant qu'elle avait disparu *La Joconde* était tout à coup devenue *plus visible* qu'elle ne l'avait jamais été du temps où tout le monde pouvait la voir. – Vous voulez dire… – Oui, monsieur le juge, lui avait répondu Gerbraun, encore plus ironique et supérieur que d'habitude, oui, ce qui en peinture ne se voit pas est évidemment plus visible que ce qui se voit… mais ça, seulement ceux qui s'occupent de peinture le savent pour l'avoir éprouvé."

Voilà, le plus fidèlement possible et aussi précisément que me l'avait détaillée Bergamme, de quelle manière fut vécue par lui la surprise du meurtre de l'hygrométreur en chef du Grand Musée. Ensuite tout se passa comme on pouvait s'y attendre. Bergamme fut un peu soupçonné, Quevedo davantage car il lui fut impossible de justifier la disparition du cutter confisqué qu'il prétendait avoir laissé traîner pendant des semaines sur son bureau ; en fait tout le monde fut également un peu soupçonné, c'est-à-dire personne précisément. Mais sans aucune raison valable, c'est le conservateur en chef Gerbraun qui fut retenu et plusieurs fois interrogé par le juge qui n'avait pas du tout apprécié son léger accent allemand et le ton de supériorité ironique qu'il avait pris avec lui – devant les journalistes ! – quand il avait parlé du vol de *La Joconde* et de ses conséquences sur "la populace parisienne de l'époque" – ce sont là les mots exacts qu'avait morgueusement employés Gerbraun devant "ce sale petit juge de gauche", tel qu'il l'avait provisoirement classé dans son esprit… car par la suite, quand une seconde mort, puis une troisième, tout aussi inexplicables et étranges eurent lieu dans le Grand Musée, et que le même "sale petit juge de gauche" fut chargé non pas d'élucider ces morts bizarres mais, au contraire – par ordre supérieur –, de les faire admettre pour de banals suicides, Gerbraun n'en parla plus qu'avec le respect dû à une si belle obéissance. Ainsi donc, la mort presque comique du Crapaud devint-elle une "mort naturelle". Sur de discrètes mais fermes pressions de la Chancellerie, le dossier fut, comme on dit : classé… Mais ce n'est pas pour cela que le vieux Crapaud fut si facilement oublié, que ce soit par la jolie Goldmiche ou les femmes de ménage... ou encore par Elise la stagiaire qui commença à raconter qu'*à plusieurs reprises* elle avait eu à se défendre – dans cette même salle Gustave Courbet – contre les avances du vieil hygrométreur qui, croyant pouvoir renouveler ce qu'elle lui avait permis de tenter sur elle une seule fois, par une regrettable et malsaine curiosité, dans une des niches des "plombs", l'avait attrapée par le menton et coincée au niveau de la taille tout en brassant avec une maladroite insistance sa jupe – ce qu'elle avait toujours refusé avec rage en se dégageant d'un coup de basket bien placé. Puis ce fut le tour des jeunes femmes de ménage, en quelque sorte déliées par la mort de l'hygrométreur en chef, qui se confièrent tout aussi complaisamment à Bergamme, racontant par le détail que "ce vieux salaud" les avait menacées de licenciement si elles refusaient de découvrir, presque à tout propos devant lui, ne serait-ce qu'un instant, leur sexe en les forçant à se poster dans l'alignement exact de *L'Origine du monde* afin qu'il puisse d'un même regard saisir à la fois et la peinture et ce qui en avait été le motif. En tout cas, selon la jeune stagiaire Elise, la mort du Crapaud joua, auprès des femmes attachées au Grand Musée, un rôle particulièrement révélateur de ce qu'elle nommait "la monnaie névrotique". Cette "monnaie", disait-elle, avec sa sûreté de ton si particulière, "qui résultait fatalement des constructions refoulées de l'esprit auxquelles on chercherait de force à appliquer les normes de la réalité". Justement, cette "monnaie" ne se révélait-elle pas comme "soulignée en rouge", à la faveur de cette mort que toutes les femmes du musée souhaitaient en secret depuis longtemps sans se l'avouer, et que la réalité venait de faire surgir sous la forme d'une espèce de meurtre, en quelque sorte rituel, collectivement désiré ? De plus, quand elles apprirent que ce crime n'était pas tout à fait un crime, le cutter n'ayant servi qu'à déclencher un infarctus resté jusque-là comme en suspens, elles furent toutes saisies d'un sentiment de culpabilité en constatant que selon leur vœu Le Crapaud était tombé raide à l'endroit même où chaque jour il exigeait d'elles ces exhibitions humiliantes provoquées par la présence du tableau de Courbet qu'elles avaient fini par haïr. Bien sûr, il est question ici des femmes engagées au Grand Musée pour y accomplir des tâches subalternes, car pour ce qui est de Roberte, d'Elise et de Josette, la mort entre crime et accident de l'hygrométreur en chef fut ressentie plutôt comme un brusque déséquilibre dans les jeux d'autorité entre les trois pôles masculins desquels elles dépendaient toutes les trois, et dont elles avaient réussi, par différentes complaisances sexuelles, à annuler la rigidité. Que ce soit auprès du Crapaud pour la jolie Josette Goldmiche son assistante en hygrométrie, que ce soit auprès de Gerbraun pour Elise ou – ce que Bergamme ne savait pas – auprès de Quevedo *et* de Gerbraun pour Roberte, ces femmes travaillant au Grand Musée n'avaient pu éviter de succomber aux effets sexuellement énervants d'une telle masse de peintures exécutées – toutes époques confondues – par des peintres évidemment déséquilibrés – puisque immortels –, ce qui ne pouvait qu'avoir des effets inapaisants aussi bien sur les femmes que sur les hommes attachés à la conservation de ces œuvres, et donc confrontés en permanence avec ces résidus concrets de la grande névrose artistique dont sont évidemment faits les chefs-d'œuvre. On pouvait facilement le constater, une grande liberté de mœurs s'était d'elle-même établie derrière les cimaises du musée, comme si au contact de tant de tableaux les sens ne pouvaient résister aux sollicitations d'une si prodigieuse masse d'émotions pétrifiées… ou disons d'émotions prises dans cette sorte d'élan érotique et amoureux qui caractérise le mouvement à jamais arrêté du peintre. Cependant, émue sans doute par l'étonnante candeur de Bergamme, seule Roberte avait d'instinct évité de lui dévoiler l'étendue des libertés auxquelles, sous les regards fixes des tableaux, on pouvait se laisser aller derrière les cimaises du musée, et que Roberte elle-même se permettait, répondant joyeusement et sans embarras aux sollicitations des uns et des autres. Ce n'est seulement qu'avec Bergamme qu'elle prenait ce ton et ces manières, on pourrait dire presque maternels, que l'on a vus, précautions que cette jeune femme avait adoptées d'instinct afin d'éviter de froisser l'évidente folie de celui qui, au grand amusement de tous, prétendait dérober un jour très prochain *L'Origine du monde*.

Enfin, comme on le voit, la mort d'Alf l'hygrométreur ne perturba pas sérieusement les coulisses du Grand Musée. Le jeune assistant de l'hygrométreur, nommé Félix – celui-là même qui avait surpris Gerbraun et la jeune stagiaire Elise en situation équivoque dans une des niches des "plombs" –, fut provisoirement chargé de surveiller les taux d'hygrométrie du musée, et c'est

248

tout aussi naturellement que Josette Goldmiche continua son travail de mise à jour des registres témoignant de l'état climatique de chaque salle. Ces registres avaient toujours été rigoureusement vérifiés par l'hygrométreur en chef Alf qui veillait à ce que Josette son assistante ne manque pas de noter heure par heure les variations climatiques des différentes parties du musée… tout en sachant cependant que ce travail allait bientôt prendre fin puisque les tableaux si fragiles et dangereusement dépendants des moindres sautes de température et d'humidité allaient céder la place à de nouveaux "eux-mêmes" devenus inaltérables et en quelque sorte immortels. En plus de ces notes précises, et de l'écriture bien ronde formée avec soin par Josette Goldmiche, on pouvait, dans les espaces restés vierges, et d'une tout autre main, déchiffrer des membres de phrases ressemblant plutôt à des taches d'encre irrégulières et tremblées donnant l'impression de commentaires, déposés à mesure, marginalement, par le vieil Alf. C'est dans ces rajouts aux chiffres quotidiens inscrits par Josette qu'un jour Félix – intrigué par des majuscules telles que V. G., "La M. de F.", ou bien "Les B. de M." de M. ou bien encore de La T., "La J. F. à la B.", ou "Le Ch. de S." de C., majuscules forcément d'elles-mêmes plus lisibles à l'intérieur des courts textes marginaux demeurés quant à eux presque indéchiffrables – chercha à en deviner le sens. Après les avoir longuement examinés à la loupe, et surtout une page en particulier, il crut comprendre que l'hygrométreur en chef rendait compte d'un choc inouï qu'il aurait eu dans la mansarde d'un certain B., qui ne pouvait être que Bergamme. Voilà ce qui était écrit d'une écriture tremblée et quasiment illisible : *Secoué encore par ce que j'ai vu dans la mansarde de B. Dois-je en parler au Chleub et à Rob. l'allumeuse, ces deux nullités qu'il a mises en cause ? Si ça se savait !!! Ils ont vu et n'ont pas été foutus de voir... au contraire de moi ! Car moi, tout Crapaud que je suis, au premier coup d'œil j'ai tout de suite su. A ne pas y croire ! Le Chleub n'a rien vu ! Enfin je le tiens ce Chleub dont la nullité comme expert sera enfin universellement prouvée et surprouvée ! Dès maintenant je te tiens sale con de Chleub ! Tu m'en as assez fait des misères ! Ce nain fou a effectivement, comme il s'en vantait d'ailleurs, volé les tableaux que j'ai découverts chez lui... ainsi que de nombreux autres, m'a-t-il avoué. Quand on pense que ni ce Chleub de G. ni cette allumeuse de Rob. n'ont été foutus de se rendre compte qu'ils se trouvaient devant "Le Ch. de S." de C., récemment volé au Lou., et malencontreusement surchargé, par ce fou, d'ombres abominables... Ils n'ont pas compris non plus qu'ils se trouvaient devant la fameuse et évidemment vraie "J. F. à la B." de La T., tout aussi abominablement retouchée – la main sur la bougie et les plis soulevés de la robe surtout ; pas plus qu'ils n'ont été capables de reconnaître un authentique V. G. dans "La M. de F." retouchée d'un soleil couchant, toujours par ce nain malade... ou encore mieux : "Les B. de M." dus au génie de M., très abîmés car grattés jusqu'à la trame... mais l'ensemble sans exception, volé coup par coup, selon ce que j'ai compris, dans différents mu. de Fr. ou d'Eu. Je doute que ces tab. puissent être remis en état tellement ils ont souffert hygrométriquement... Pour le moment, je n'ai pas réussi encore à convaincre ce nain cinglé de restituer le tout en lui garantissant un absolu anonymat, donc l'impunité. Ce malade est soumis à des pulsions effrayantes, donc il est difficile à manipuler. Souviens-toi, quand il s'était jeté sur toi comme pour t'étrangler... et que de plus il t'a menacé de mort au moment où tu te sauvais de sa mansarde... Bref, nous aviserons au plus vite ! Et maintenant, ainsi que chaque nuit avant de quitter le musée, ne manquons pas de faire notre petit tour rituel du côté de chez C., afin de nous prosterner amoureusement devant "L'O. du M."... que ce fou de B. prétend rapter pour son usage personnel !... et l'"inachever" – selon son exécrable expression !*

Pendant quelques jours, le jeune hygrométreur Félix garda pour lui cette étrange découverte, se rendant intuitivement compte que les ultimes rajouts, trouvés dans les cahiers de variations hygrométriques tenus par la jolie Josette, recelaient à coup sûr un dangereux secret qui devait certainement avoir un rapport direct avec la mort de leur auteur.

X

Puis un matin, n'y tenant plus, le jeune hygro-métreur Félix frappa quelques petits coups à la porte du bureau de Gerbraun :

"Voyez ! monsieur le conservateur en chef, lui dit-il en lui tendant le cahier des variations hygrométriques ouvert à la page en question. Voyez ces lignes tracées par M. Alf...

— Allons, Félix, surtout pas de monsieur... et laissez de côté mon titre ! Nous sommes une équipe, et je suis votre ami Gerbraun. C'est par sympathie pour votre jeunesse que je vous ai placé au poste de ce pauvre imbécile d'Alf si désagréablement surnommé Le Crapaud.

— Justement, voilà ce que je voulais vous montrer...

— Avouez... laisse-t-on sa peau aussi ridicu-lement dans la salle Gustave Courbet... et de plus devant *L'Origine du monde* ? Ce qui nous a valu ce sale petit juge de gauche !"

Son accent presque nul d'habitude lui reve-nait un peu sous une brusque montée de colère au souvenir de toutes les misères qu'on lui avait faites à l'occasion de la mort suspecte du vieil Alf.

"Justement, monsieur. C'est à ce sujet que je...

— Ecoutez-moi, Félix, nous sommes las de cette histoire stupide. Que devant *L'Origine du monde* Alf se soit griffé lui-même avec ce cutter

252

par une sorte d'autosadisme qui n'aurait rien d'étonnant pour un admirateur de ce maudit tableau... ou que ce soit, pourquoi pas, l'une des femmes de ménage qu'il n'a cessé de tourmenter devant ce même tableau... ou pourquoi pas moi, ou vous, ou Elise ?...

— Mais lisez ces lignes sur les cahiers tenant lieu de registres hygrométriques. Elles sont de sa main. Elles révèlent...

— Je ne veux rien savoir. Pour moi, ce vieil obsédé a eu une attaque pendant qu'il accomplissait un de ses rites bizarres devant *L'Origine du monde*, un point c'est tout ! Toute mort doit garder son côté mystérieux. Tenez, écoutez ça, Félix, avait ajouté Gerbraun, dépliant son journal habituel, et traduisant à mesure de sa lecture : *Au cours de leur enquête approfondie, les policiers ont découvert que les restes humains retrouvés dans le canal de la Marne au Rhin appartiennent à deux personnes, et non à un seul homme comme ils le pensaient. Il y a quinze jours ils avaient identifié un Allemand de cinquante-cinq ans, Hans Gassen, grâce à un petit doigt. Mais les recoupements menés depuis ont permis de découvrir que la paire de pieds trouvée dans le canal n'appartenait pas à l'homme : la pointure ne correspond pas. Cette découverte explique la présence, troublante depuis le début de l'enquête, de trois rotules dans le canal. Il reste désormais à identifier le deuxième cadavre et autant que possible à retrouver la quatrième rotule...* Bref, mon petit Félix, si je vous ai lu ces quelques lignes d'une bêtise admirable, reconnaissez-le, c'est que toute mort criminelle ou pas porte en elle de cette sorte de bêtise admirable. La mort de notre hygrométreur en chef relève de cette bêtise admirable. Un cutter déterminant un infarctus, qu'y a-t-il de plus risible ? Et ne voilà-t-il pas qu'un petit juge bien français profondément imprégné d'un détestable racisme anti-allemand me tourmente au point qu'il a fallu faire jouer certaines influences au plus haut niveau pour lui faire lâcher prise ! Qu'ai-je à voir, moi, avec les dépravations du Crapaud devant *L'Origine du monde* ?

— Justement, voyez, il a écrit ici des choses invraisemblables pouvant parfaitement motiver un crime...

— Mais, mon petit Félix, je viens de vous le dire : il n'y a pas eu crime mais mort autocriminelle d'une bêtise admirable. Sans ce petit juge de gauche, nous nous en serions délectés de cette mort admirablement bête, nous autres du Grand Musée. Ce vieil érotomane est mort dans une sorte d'orgasme *interruptus*. Quoi, quelque chose comme ça ! Quelle plus belle mort pour un vieillard ? Vous avez vu le cadavre ? N'avait-il pas l'air très content de soi ? Allons, on ne tue pas sans raison !

— Justement, s'était écrié Félix en brandissant le cahier, justement, il semble que là est inscrite la raison. Quelques jours avant sa mort, M. Alf serait monté dans la mansarde d'un certain nain nommé B.

— Bien, et alors ? Moi aussi j'y suis monté dans la mansarde de ce certain nain nommé B.

— Justement, M. Alf le signale... vous accablant d'un terme...

— Ah bon ? Faites un peu voir ça.

— Lisez ici... Il prétend que vous ainsi que Mlle Roberte vous n'auriez pas eu la perspicacité de... il parle de vous faire chanter...

— Chanter ? Qui ? Moi ? Pas eu la perspicacité de quoi ?

— De… d'expertiser comme il l'aurait fallu les tableaux que ce B. aurait entassés depuis des années dans sa mansarde. Voilà une loupe. Lisez…

— Laissez-moi ce registre, nous le déchiffrerons mieux plus tard… «Chleuh», moi, me traiter de «Chleuh» ! Quel ignoble vieux *Schwein* ce Crapaud ! Même mort il faut qu'il vienne m'importuner !"

"Imaginez combien Gerbraun se trouvait vexé d'être mis devant ses incapacités par ces pattes de mouches déposées sur la marge des relevés hygrométriques tenus par la si jolie Josette Goldmiche." Bergamme s'était redressé en geignant et avait ajouté en poussant une petite toux ressemblant à un gloussement d'oiseau : "Il n'était pas question que ma collection soit retrouvée, comprenez-le. On n'imagine pas à quel point les conservateurs de musées sont susceptibles. Ils ne doivent pour rien au monde se faire prendre sur le fait d'une expertise erronée. Au Japon un conservateur de musée n'aurait pas survécu à une telle humiliation… mais un Allemand qui traite les artistes de *Schwein* et qui participe à l'élaboration d'une machine destinée aux destructions massives des chefs-d'œuvre sous prétexte de les sortir du temps, oui, un «Chleuh» – comme le nommait le vieil Alf dans ses notes marginales – ne s'embarrasse évidemment pas de cette sorte de perte de face japonaise ! Bref, vous allez voir comment Gerbraun avait adroitement manœuvré pour ridiculiser le vieil Alf jusque dans la mémoire qu'on aurait pu en garder. «Ah, vous voilà, Bergamme, m'avait dit ce fourbe de conservateur en chef quelques jours après l'enterrement du Crapaud, dites-moi, Bergamme, savez-vous que nous avons déchiffré des traces surprenantes concernant l'emploi du temps de notre stupide hygrométreur ?… Quelques jours avant sa mort, serait-il vraiment monté jusqu'à votre mansarde ? Pourquoi n'en avoir rien dit aux enquêteurs ? – Ça ne regardait personne, avais-je répondu, un peu troublé. – Ne craignez rien, Bergamme, avait continué Gerbraun, cela restera entre nous… mais cependant il se trouve que cette mauvaise langue de Crapaud aurait laissé exprès derrière lui quelques lignes testamentaires, vous mettant en cause et, ce qui m'est très désagréable, mettant en cause mes capacités d'expert… ainsi d'ailleurs que celles de Roberta. J'imagine que vous voyez de quelle calomnie je parle ?» Comme je me taisais il avait continué : «Souvenez-vous, dès le premier jour où vous vous êtes manifesté dans la salle Gustave Courbet, vous m'avez en quelque sorte séduit par vos déclarations irréalistes concernant *L'Origine du monde*. Voler *L'Origine du monde* ! Oui, l'idée en soi me séduisait, sachant bien que cela n'était qu'une idée en l'air, une spéculation intellectuelle joliment folle, joliment à la française et bien digne de ce tableau provocateur peint par un Courbet ridiculement agité à la française, qui, aux temps de la Commune, n'avait rien trouvé de mieux que d'abattre la fameuse colonne que vous savez. Pour un Allemand conservateur en chef d'un musée français, le symbole ne pouvait qu'être enchanteur : la Virilité française s'inclinant devant l'Ouverture au Monde propre à la féminité. Quoi, bref, mon cher Bergamme, continuait lourdement Gerbraun sur ce ton désagréablement plaisantin qui me le rendait vraiment haïssable, oui, mon cher Bergamme, votre arrivée parmi nous, dans les coulisses du Grand Musée, nous avait tous rafraîchis et délicieusement distraits d'une tâche qu'à vrai dire les uns comme les autres nous n'avons jamais aimée, ne pouvons aimer, et que nous n'aimerons jamais. Eh oui, nous sommes tous tombés sous le charme de votre folie ! Et je dois vous avouer aujourd'hui que plus vos vantardises de rapts et de vols étaient exagérées… – Mais elles n'étaient pas exagérées, la preuve, le vieil Alf a parfaitement reconnu les… – Allons, je vous en prie, Bergamme, m'avait coupé Gerbraun, laissez-moi parler ! Je disais que plus nous trouvions vos vantardises comiques par leur force émotionnelle et leur désajustement de la réalité, plus nous étions en quelque sorte dopés et joyeux, par vous. "La «folie muséeuse» de Bergamme, disait Quevedo, est le fruit naturel de l'amour." C'est bien cela que nous pensions tous de vous, et nous vous étions très très reconnaissants de vos si jolis mensonges. – Mais, Gerbraun, je ne mentais pas ! avais-je encore une fois tenté d'interrompre ce manipulateur. – Taisez-vous, Bergamme et laissez-moi terminer ! Vos merveilleuses vantardises de vol nous semblaient à nous aussi le fruit d'un amour exagéré pour ces œuvres que notre usure sensible, propre à tous les gens du métier, avait fini par vider de leur sens.»"

"Si je vous donne le détail de cette conversation, avait poursuivi Bergamme, pendant qu'assis sur le petit tabouret près de son lit je m'efforçais de prendre à toute vitesse chaque mot en note, oui, si je ne vous passe rien de ce que m'avait dit Gerbraun ce jour-là, c'est que chaque nuance, chaque parole sortant de sa bouche augmentait en moi une haine rare, violente, indescriptible, au point de désirer sa mort, oui, je l'avoue, au point de le condamner définitivement à mort, dans mon esprit exaspéré et malade. Il devait mourir, aussi sûrement que j'avais condamné *L'Origine du monde* à être fatalement volée par moi."

Voilà ce que m'avait avoué Bergamme, précisant que s'il pouvait être sûr d'une chose c'est d'avoir appuyé sur la détente du pistolet et donc d'avoir exécuté, *cette fois lui-même*, la sentence édictée par son esprit rendu furieux ce jour-là. Quel "infâme marché" – ce sont les mots de Bergamme – lui proposait donc Gerbraun ? Compte tenu des sortes de pattes de mouches marginales, de la main du vieil hygrométreur, trouvées dans le cahier d'hygrométrie, il était indispensable de les faire mentir. Le Crapaud était un mythomane, Le Crapaud était un falsificateur ! Et comment fausser le sens de ces horribles pattes de mouches ? Soit faire disparaître le cahier d'hygrométrie – ce qui était rendu presque impossible par le fait que Félix les avait déchiffrées – donc témoin gênant !, soit convaincre Bergamme de détruire les tableaux en sa possession en y substituant des faux que Gerbraun ferait secrètement exécuter d'après les reproductions de ces mêmes tableaux faciles à trouver – surtout sans aller remuer les archives ! – dans la surabondance de documents accessibles aussi bien dans les librairies soldeuses que dans les supermarchés. Emporté par son idée, il se proposait même d'obtenir de la fameuse machine "cloneuse" d'œuvres peintes des tableaux *presque réels* tirés de ces reproductions photographiques. "Quelle séduisante perspective, disait-il, que cette sorte d'inversion : passer d'une photo de tableau à un presque vrai tableau, tout en prenant garde de programmer la machine de sorte qu'elle ménage assez de maladresses et de non-fini pour abuser ceux qui voudraient poursuivre quand même l'enquête jusqu'à votre mansarde. Car, bien sûr, plus la qualité de ces copies que vous étalerez ostensiblement dans votre mansarde sera mauvaise, comprenez-vous, Bergamme, et plus cet imbécile de Crapaud en sera ridiculisé posthumement..." Après un silence quelque peu embarrassé, Gerbraun avait ajouté : "Vous-même, surtout, serez en quelque sorte lavé de tous soupçons de vols, de détournements et de destructions d'œuvres appartenant à l'humanité... et, même ainsi, les quelques doutes émis par certains quant à votre innocence concernant la mort du Crapaud seront dé-fi-ni-ti-ve-ment écartés." Voilà ce qu'avait dit Gerbraun, avec son manque évident de tact, à un Bergamme de plus en plus frémissant d'une rage intérieure arrivée à son paroxysme. Comment Gerbraun aurait-il pu se douter à quel sous-sol de la névrose muséeuse en était arrivé "ce si charmant nain fou" dont il s'était amusé jusqu'à présent ?

Mais, avant de poursuivre, il serait bon de revenir à Quevedo et aux différents responsables des œuvres exposées sur les cimaises du Grand Musée... ainsi que de celles entreposées dans son envers.

LIVRE III

Cet adieu glaça les deux peintres. Le lendemain, Porbus, inquiet, revint voir Frenhofer, et apprit qu'il était mort dans la nuit, après avoir brûlé ses toiles.

BALZAC, Le Chef-d'œuvre inconnu.

I

"Ne quittant jamais le musée, que ce soit de jour, bien sûr, mais aussi de nuit... sauf pour de courtes promenades avec M. Bull, je vous dirai que rien de ce qui pourrait se passer dans les salles abandonnées ne m'échappe et que mon rôle donc dépasse de loin ma fonction de commissaire en chef. Par la fatalité de ma vie dont je ne suis plus maître, je suis devenu, en quelque sorte malgré moi, le veilleur permanent de ce musée."

Voilà ce qu'avait dit Quevedo à Bergamme. Ils se trouvaient tous les deux, comme toujours, dans le petit bureau sous les combles où Bergamme aimait tant venir s'asseoir pour tenir compagnie à son ami le commissaire en chef.

"En général, avait poursuivi Quevedo, la nuit, avec la fermeture du musée les consoles de surveillance se mettent d'elles-mêmes en veilleuse – pourquoi surveilleraient-elles des salles abandonnées, bien qu'éclairées normalement, puisque jamais ici les lumières ne s'éteignent ? Rien n'est plus singulier que ces grandes salles désertées dont les murs gardent comme plaquées

263

sur leurs surfaces une multitude de présences peintes devenues, par la singularité du vide, plus réelles que ne pourront jamais l'être les habituelles foules humaines qui le reste du temps les encombrent. Bien sûr, après la mort d'Alf, je me suis bien gardé de préciser, à ce petit juge arrogant et évidemment trop jeune pour comprendre quoi que ce soit aux enquêtes qui lui échoient, oui j'ai évité de lui dire d'abord que par la force des choses je vis avec M. Bull en quelque sorte clandestinement dans le Grand Musée et qu'il m'arrive par certaines nuits d'insomnie d'éclairer les consoles afin de contempler ainsi, solitairement, les grandes salles vides. J'aime la mélancolie des musées abandonnés momentanément des foules, comprenez-vous Bergamme ?

— Je vous comprends et moi-même, dans ma mansarde, quand il m'arrive de me trouver en tête à tête avec les tableaux qui l'encombrent je... je ressens une terrible mélancolie et je...

— Donc, avait poursuivi Quevedo sans écouter Bergamme, il se trouve qu'à certaines heures, disons entre le moment où le musée vient de fermer ses portes et les longues heures vides de la nuit... de même qu'après ces mêmes longues heures vides de la nuit et le moment de la réouverture de notre musée, une activité très spéciale anime les salles un peu grises et tristement abandonnées. J'appelais ces moments : *l'heure du Crapaud* puisque, en effet, c'était l'heure des relevés hygrométriques du soir... et surtout ceux du matin quand les femmes de ménage lavent les carrelages et s'efforcent d'effacer les graffitis plus ou moins obscènes que, malgré notre surveillance intensive, les visiteurs incapables de dominer leurs instincts s'arrangent de jour en jour pour déposer sur les murs entou-rant *L'Origine du monde*, ainsi que le feraient des animaux marquant leur passage. Et mainte-nant, Bergamme, j'aimerais vous dire ce que moi j'ai vu de ce que, vous, vous avez effecti-vement vécu de la mort du Crapaud...

— Mais de quoi parlez-vous, Quevedo ?

— De cette fameuse nuit. Mais avant tout il faut que vous sachiez qu'un rite bizarre se renouvelait plus ou moins chaque jour tantôt le soir tantôt à l'aube dans la salle Gustave Courbet : Alf le Crapaud entrait, poussant devant lui l'une ou l'autre des jeunes femmes en ques-tion jusqu'à ce qu'elle se place non loin de *L'Ori-gine du monde*... et là, quelque chose se passait si vite que c'est à peine si la console de sur-veillance avait le temps d'en rendre compte : figurez-vous, Bergamme, que sur un signe du Crapaud la jeune femme qu'il venait de placer près du tableau relevait un instant sa jupe... ou baissait le zip de son blue-jean, de sorte qu'en un éclair apparaisse... disons l'original de *L'Ori-gine du monde*...

— Vous voulez dire...

— Vous avez fort bien compris, Bergamme, ce que je veux dire ! Oui, ce vieil érotomane libidineux *vérifiait* pourrait-on dire... ou qui sait ? éprouvait la nécessité... bref, il semblerait que pour lui le tableau de Courbet devait se régénérer par la proximité et la comparaison quotidienne de ce qui en avait été le sujet... Je ne dis pas le motif : je dis bien le sujet...

— Le motif ! Ce mot inventé par les impres-sionnistes pour écarter le «sujet» en faveur d'une lecture non réaliste et presque métaphysique de leurs peintures ! avait dit Bergamme, ne pouvant s'empêcher d'interrompre Quevedo.

— Peu importe ! En tout cas, voilà, hop et hop ! l'œil du Crapaud devait, je suppose, prendre comme un instantané du sexe-témoin... N'est-ce pas ainsi que cette rapide scène de dévoilement et de revoilement doit être interprétée ?"

Après avoir laissé un silence, comme pour préparer Bergamme à ce qui allait suivre, Quevedo avait continué :
"Mais voilà qu'assez tard, en cette nuit qui lui fut fatale, Le Crapaud se matérialise brusquement sur les écrans-témoins de la salle Gustave Courbet. Avec lui, vous devez savoir qui se trouvait là.
— Ce ne pouvait être qu'une femme, dit Bergamme, hésitant.
— Pas tout à fait... Avec lui entrent plusieurs personnes que nous connaissons parfaitement, mon cher Bergamme. Par là entre Gerbraun... par là entre Elise... mais avec lui, qui donc entre ? Mais *vous*...
— Ah, ah ! Je parie que notre commissaire est en train de vous raconter un de ses habituels mensonges, dit Gerbraun apparaissant.
— Evidemment, dit Quevedo en riant, vous le savez bien, Gerbraun, que je ne fais que mentir.
— Parlez-nous encore de votre Bull et de la petite papillon... Je suis comme ces enfants qui adorent qu'on leur raconte pour la énième fois la même histoire. Car, il faut bien l'avouer, rien ne se passe sur Terre qui n'ait déjà été, et c'est bien parce que cela a été que nous supportons que cela soit et se renouvelle indéfiniment, oui, avouons-le ! Et pourtant il arrive que l'homme innove... à propos, je viens de lire dans ce

journal que je reçois quotidiennement d'Allemagne quelque chose de tout à fait neuf, non par sa cruauté mais par le fait que jusqu'à présent *cette chose* était techniquement irréalisable... Sans ça, bien sûr, certains de mes compatriotes d'une certaine époque l'auraient réalisée à grande échelle, cela va de soi. Ecoutez-moi ça !" Dépliant le journal, et traduisant à mesure, Gerbraun avait lu : "*Les prisonniers exécutés en Chine sont devenus la principale source d'organes utilisés en vue de greffes. Dans certains cas, les organes sont prélevés avant même la mort du condamné. On sait de source sûre que deux mille à trois mille greffes par an sont ainsi pratiquées, évidemment sans le consentement de ces «donneurs» malgré eux. Et ce sont les officiels chinois qui bénéficient d'une priorité d'accès à cette «source». Certaines exécutions ont été délibérément «maladroites» pour s'assurer que les prisonniers n'étaient pas encore morts au moment du prélèvement d'organes. De façon à préserver les yeux, par exemple, le prisonnier a été abattu d'une balle dans le cœur. Par contre, si les preneurs d'organes ont besoin du cœur, le prisonnier reçoit une balle dans la tête.* Si je vous ai lu ces quelques intéressantes lignes, c'était en repensant, bien sûr, à ce que vous m'aviez dit un jour à propos de ce que vous nommez «la désacralisation du corps humain»... c'est bien cela, Bergamme ?...

— En effet, l'avait interrompu Bergamme, la voix tremblante de dégoût, en effet, c'était justement à propos de *L'Origine du monde* et de son auteur Gustave Courbet qui, peut-être pour la première fois de toute l'histoire de la peinture, avait eu la prétendue hardiesse de découper un organe, de l'isoler et de le présenter avec un réalisme chirurgical pour l'œuvre d'art qu'à notre avis cela n'était pas… pas plus que le prélèvement d'organes sur des condamnés à mort à demi exécutés ne peut être compté pour œuvre médicale quand en vérité on assiste à une régression, une chute brutale du mammifère à l'insecte qui, lui, pratique naturellement ces sortes de chinoiseries…

— Ah bon ? Les insectes ? Vous voulez dire, Bergamme, que les insectes seraient, *avec l'homme*, si je vous comprends bien, les seuls représentants du vivant à pratiquer la torture ?

— Absolument ! Mais permettez-moi, Gerbraun, de le dire un peu autrement : ce que l'insecte fait *sans le savoir*, l'homme le fait sciemment.

— Vous pensez aux programmes d'une précision, en effet chirurgicale, que l'insecte doit exécuter non seulement pour survivre mais surtout pour se reproduire, c'est bien cela, Bergamme ? avait dit Quevedo.

— Je pense aux multiples processus dont on ne comprend pas comment ils ont pu se mettre en place. Par exemple, tel insecte *doit* pondre son œuf dans le corps vivant – mais au préalable anesthésié – de tel autre insecte spécifique, de sorte que pendant tout le temps de son développement sa larve puisse se nourrir jusqu'à ce qu'elle atteigne la taille et l'aspect…"

Quevedo l'avait interrompu :

"Mais vous oubliez de préciser, Bergamme, que la larve en question se nourrira aux dépens de sa victime, en effet anesthésiée, en prenant grand soin, si l'on peut dire, d'épargner jusqu'au dernier moment les centres vitaux de l'organisme parasité… D'où lui vient cette connaissance ? Et surtout comment ce processus a-t-il été… quel mot trouver ?… inventé ? mis au point

268

dans l'ordre immuable sans lequel la vie ne pourrait réussir à se mettre en forme...

— Mais qu'importe cela, avait dit Gerbraun, qu'importe ces sortes de «grandes questions» posées l'œil collé à la loupe ou au microscope ! Que nous importe la torture lorsqu'elle est naturelle, *i-né-vi-ta-ble*, et en quelque sorte harmonieusement obligatoire pour la survie d'une espèce... ou même d'un groupe... et pourquoi pas, même d'un individu ? Ne fonctionnons-nous pas tous comme ça ? Ne nous nourrissons-nous pas de la substance de l'Autre ? N'est-ce pas l'harmonieuse loi naturelle que nous appliquons tous... sous des formes plus ou moins élégantes ?

— Vous voulez dire, avait crié Bergamme le visage soudain déformé par la haine, vous voulez dire...

— Mais bien sûr, mon pauvre petit Bergamme, mais bien sûr que la torture nous est naturelle. Je vous jure que s'il suffisait de découper au cutter sur vous, sur Ernesto ou sur Bull le foie, le cœur ou quelque autre organe devenu chez moi déficient – et donc ainsi pouvoir aisément le remplacer par un des vôtres –, eh bien je vous garantis que je le ferais... comme vous-même le feriez sur moi, sans l'ombre d'une hésitation.

— Eh bien, Gerbraun, avait dit lentement Bergamme, les lèvres blanches et même presque bleues de colère, eh bien Gerbraun, je le jure, je vous tuerai ! Pour ce que vous venez de dire, je vous tuerai !

— Voilà qui est merveilleux ! Vous avez entendu, Quevedo ? avait dit Gerbraun, riant faux. C'est tout simple, n'est-ce pas ? Vous avancez un paradoxe et voilà qu'en réponse on vous promet, avec un sérieux qui vous fait passer un frisson dans le dos, oui, on vous promet tout simplement...

— C'est en effet avec le plus grand sérieux que je vous annonce mon intention de vous tuer", avait redit Bergamme avec un calme convaincu, d'autant plus effrayant qu'il lui était inhabituel.

"Vous imaginez bien qu'en général ceux qui prononcent de telles condamnations n'exécutent jamais ces sentences terribles venues d'un excès d'émotions ambivalentes." Voilà ce que m'avait confié Bergamme quelque temps avant que lui-même ne meure dans l'affreuse solitude et la saleté de cette cellule où plus personne, à part moi et deux ou trois infirmières-gardiennes, ne pénétrait. Il m'avait fait appeler, de nuit cette fois, pour me confier, m'avait-il dit en chuchotant, quelques détails de grande importance. "Comprenez-moi, après avoir passablement aimé Gerbraun... un peu comme un autre moi-même, je peux dire qu'à partir de la mort du vieil Alf le Crapaud je m'étais mis à le haïr excessivement. «Je vous tuerai», lui avais-je dit. Et, comme vous le savez, ce n'était pas de simples paroles, avait insisté Bergamme toujours couché sur le dos, et les yeux toujours clos. Figurez-vous qu'une sorte de réflexe de symétrie instinctive vous secoue au point de vous rendre impatient de tuer *effectivement* celui que vous croyez assez froid pour mettre à exécution ce qui serait sûrement resté de sa part à l'état de simple jeu dialectique ou de jonglerie paradoxale. Bien sûr que tout *exécuteur* de tableaux qu'il était il aurait sûrement été incapable de prendre une lame pour me sortir du corps, ainsi qu'il l'avait dit, le foie ou quelque autre organe précieux dont il aurait eu besoin pour rajeunir sa propre carcasse… comme il aurait été incapable, de ses longues mains blanches et soignées de conservateur en chef, de découper une des peintures qu'il n'hésitait cependant pas à livrer bientôt au travail destructeur et reconstructeur de la machine à répliquer les tableaux. Et pourtant, rien que pour ces simples paroles lancées par jeu provocateur, je l'aurais immédiatement saigné. Eh oui, je l'aurais volontiers saigné pour de bon, comme un *Schwein*, oui, vraiment tué à cause de sa *schweinerie*, pour dire comme lui. Ce que m'avait révélé Quevedo – l'avait-il inventé ? – au sujet d'Alf le Crapaud et de sa mort bizarre, sans netteté, sordide, oui, honteusement sordide ! mettant plus ou moins Gerbraun en cause, renforçait cette condamnation que j'avais jetée pour ainsi dire sans y penser. Mais, cela tout le monde le sait, une parole proférée même sans y penser met son auteur en *obligation* d'en exécuter la promesse." Voilà quel aveu avait échappé à Bergamme alors qu'il m'avait fait appeler en pleine nuit à la suite de la première alerte qui lui avait fait craindre, m'avait-il dit, de mourir avant d'en avoir terminé avec sa confession.

"Eh bien non, au sujet de Gerbraun, cela ne s'est pas passé comme on pourrait le croire, avait poursuivi Bergamme. Soyez tranquille, je ne vous cacherai rien car je tiens à vous donner tous les détails à partir desquels il vous sera possible de remettre dans leur sens exact les événements qui ont précipité le Grand Musée dans la plus horrible et à la fois la plus réjouissante des catastrophes. Mais avant tout, afin que les choses ne restent pas trop obscures, je dois revenir à la mort sordide du Crapaud puisqu'elle fut la première de la série, et que, sous la pression des plus hautes autorités de la Chancellerie, en classant l'affaire et donc en laissant, comme on dit, courir le coupable..."

Bergamme s'était interrompu pour me prier de l'aider à se redresser car ses escarres et ses plaies mal cicatrisées le faisaient souffrir "au-delà du possible", m'avait-il dit. Après avoir fait semblant de remettre un peu d'ordre parmi les vieux chiffons qui lui servaient d'oreiller et avoir aussi un peu tiré vers la tête du lit son petit corps d'une difformité désolante que les brusques mouvements de ses coudes et de ses genoux avaient découvert, j'étais revenu vite m'asseoir sur mon tabouret pour continuer à prendre des notes car sans attendre il poursuivait déjà sa confession.

"Un peu plus tard m'étant retrouvé seul avec Quevedo je lui avais dit : «Vous n'avez pu me voir avec Alf la nuit de sa mort ! C'est sûr, vous avez rêvé, Quevedo ! – Et pourtant, Bergamme, avait-il insisté, et pourtant vous y étiez, croyez-moi ! – Vous voulez dire que je me trouvais *moi* dans le musée cette nuit-là, *moi*, en compagnie du Crapaud ? avais-je presque crié sur un ton plaintif. – Oui, *vous*, Bergamme. – Vous prétendez m'avoir vu *moi* ? Vous ?... – Oui, oui, moi, sur cet écran de surveillance, vous, Bergamme, je vous ai vu vous glisser dans la salle éclairée. – Ce n'est pas possible ! Je vous jure, croyez-moi, Quevedo, je vous jure que cela ne pouvait être moi.»"

"Si je vous rapporte ce dialogue, avait insisté Bergamme, c'est pour que vous preniez conscience soit que Quevedo mentait soit que si vraiment j'avais vécu ce qu'il prétendait je n'étais pas dans mon bon sens au moment des événements, et qu'étant privé de mémoire sur ce qui s'était passé je devais à tout prix apprendre du commissaire Quevedo ce que moi, Bergamme, je faisais là... Mais avant de poursuivre j'aimerais que vous notiez ce que j'avais dit à ce Quevedo en manière de dérision : «Comment pouvais-je me trouver avec Le Crapaud quand quelques jours avant je l'avais chassé de ma mansarde en le menaçant... de mort, en effet... Alors quoi, moi, Bergamme, j'aurais exécuté la sentence ? En état de totale inconscience, j'aurais frappé d'un coup de cutter le vieil Alf, comme par hasard devant *L'Origine du monde* !... et à la suite de ce ridicule coup de cutter il se serait effondré terrassé par un infarctus que j'aurais donc provoqué, *moi* ? Voyons, Quevedo, c'est du délire ! – Je n'ai jamais prétendu cela, Bergamme, m'avait répondu Quevedo avec presque de la gravité. Non, non, je n'ai jamais dit cela ! J'admets, vu votre état, que vous ne vous souveniez pas vous être glissé, cette nuit-là, *à la suite du vieil Alf le Crapaud*, dans la salle Courbet... et que, si vous l'avez vraiment oublié, je me dois de vous rassurer tout de suite : vous n'avez fait qu'assister à une scène bizarre dont il semblait, d'après la façon dont vous vous étiez dissimulé, que vous souhaitiez tout voir sans spécialement être découvert par les personnes concernées. – Pas possible, ce que vous me racontez ne peut être vrai ! avais-je crié. – Alors je me tais, avait dit Quevedo. – Non, non, je veux absolument savoir ! – Bon… alors je continue : vous vous étiez donc glissé à la suite du Crapaud, et aussitôt vous vous étiez dissimulé là où se tient habituellement le gardien, dans le recoin qui fait suite à *La Jeune Fille au perroquet* de Courbet. Ainsi pouviez-vous assister à ce qui allait suivre, sans que nul ne puisse vous voir. – Ce que vous me dites est plus qu'étonnant – je m'énervais de nouveau –, non, non, je ne vous crois pas !» Comme Ernesto se taisait, manifestement découragé par ma véhémence, je m'étais calmé, le suppliant de ne pas m'en vouloir de mon caractère instable ainsi que de mes trous de mémoire. Voyant qu'il se taisait toujours, j'avais dit au bout d'un moment d'une voix suppliante : «Et alors, Quevedo ? – Et alors voilà qu'apparaît Elise, venant de la salle Meissonnier. Elle s'avance jusqu'à *L'Origine du monde* et je remarque qu'elle tient le cutter que je vous avais confisqué dans les débuts, vous souvenez-vous ? Oui, *votre* cutter ! Elle avait dû le subtiliser en passant devant mon bureau où il traînait. – Comment ça ? avais-je crié. Quoi, *mon* cutter ! – Calmez-vous, Bergamme, doucement, chuchotait Quevedo m'entourant de ses bras, doucement, ne vous agitez pas comme ça.»"

II

Que s'était-il passé ? Il semblerait que, pour exciter la jalousie de Gerbraun, Elise se fût prêtée depuis quelque temps aux jeux du libidineux Alf le Crapaud. Ce soir-là elle serait descendue le rejoindre dans la salle Gustave Courbet dans le but de se moquer de lui. Mais auparavant elle s'était arrangée pour que Gerbraun soit au courant de ce rendez-vous. "Savez-vous, avait dit un jour le vieil Alf à Quevedo – qui s'était empressé de le rapporter à Bergamme –, savez-vous qu'Elise sous sa jupe ne porte *jamais* de culotte. N'y a-t-il pas là de quoi vous mettre en continuel énervement ?" Cette remarque n'avait fait que confirmer ce que tout le monde savait d'elle directement car elle aimait, disait-elle, se savoir imaginée nue sous ses vêtements. Elise était une jeune fille qui se croyait… disons, qui se voulait "libre", comme on dit, quand en réalité on ne pouvait être – selon ce que Le Crapaud avait laissé entendre à Quevedo – plus "coincée" qu'elle. Voilà pourquoi elle prenait cet évident plaisir à exciter l'imagination de certains hommes – pas n'importe lesquels, oh non ! – mais exclusivement ceux dont on pouvait déduire qu'ils atteignaient les environs de ce fatal écart d'âge qui permet d'être l'amant-père souvent recherché par une certaine sorte de jeunes filles peu jolies mais intelligentes et ambitieuses. Ce qui était bien le cas d'Elise. Donc, aussitôt entrée comme stagiaire au Grand Musée, elle n'avait pas perdu un instant et, dit-on, avait aliéné immédiatement son conservateur en chef, oui, le jour même et presque à l'instant même de son admission au poste de novice en histoire économique de l'art. Mais voilà, l'intelligence assez épaisse de Gerbraun n'avait évidemment pas suffi à la convoitise quasiment universelle de cette jeune fille qui se donnait l'illusion d'aspirer au génie, quand à vrai dire elle n'admettait dans son intimité que des sortes de caniches obsédés par la possession de ce sexe d'enfant savante que l'on espérait presque encore sans toison. Tous les hommes arrivés... mettons à la cinquantaine, devaient donc sans faute tomber en adoration devant le réalisme et l'étendue du savoir d'Elise, devant l'ardeur de son intelligence... mais principalement de cette chose mystérieuse, qu'avec un immense dédain la jeune fille leur entrouvrait fugitivement sur les paillasses des "plombs". Ce fut bien sûr Gerbraun qui d'entrée en profita mais aussi Alf et même Quevedo... et aussi Roberte, apprit-on plus tard, pour les plaisirs et les jeux d'une certaine sorte de tendresse, puisqu'elle aurait pu, par leur écart d'âge, être la sœur aînée de la jeune Elise.

Il se passait donc des quantités de choses, non seulement dans les "plombs", ainsi qu'on l'a vu, où les uns et les autres montaient avec de faux airs discrets mais aussi – et là c'était le fait du vieil Alf – devant *L'Origine du monde* où avaient lieu de fugitives exhibitions comme si l'insatiable vieil homme voulait éprouver aussi souvent que possible la *réalité* à la fois concrète et fantasmatique du prétendu chef-d'œuvre de Courbet.

Cependant, la dernière nuit vécue par Alf le Crapaud restera à jamais mystérieuse, ne serait-ce que par les différentes versions qui en parvinrent à Bergamme. Aucun doute, Bergamme assista à… à l'accident ?… au crime ?… au meurtre ? à l'assassinat collectif ?… "en témoin muet" selon certains, "activement" selon d'autres, ou "pas du tout" selon son intime conviction, comme il ne cessa de vouloir m'en persuader… bien que par moments, avoua-t-il quand même, il lui arrivait de ressentir en lui le vague écho de certains cris et d'une certaine agitation, tels qu'il avait l'habitude d'en recevoir la réminiscence parfois même bien longtemps après ses crises. Une remontée du désir qu'il avait eu de voir disparaître le vieil Alf l'effleurait parfois comme si, au moment où quelqu'un d'autre accomplissait le geste souhaité, il l'avait encouragé par ses cris et ses sautillements de nain. Que s'était-il passé vraiment ? Devait-il croire ce mythomane de Quevedo ou croire ce que Gerbraun lui avait avoué, prétendant s'être "interposé entre vous, oui vous Bergamme, qui vouliez récupérer votre cutter, Alf et la jeune Elise"… et que c'était soit elle, qui aurait "sans le vouloir enfoncé ce ridicule cutter, long à peine de l'épaisseur d'un doigt, en plein dans la poitrine de notre hygrométreur en chef… soit vous, Bergamme… soit Le Crapaud lui-même"…

Mais revenons à la version de Quevedo :

"Ce que je vous dis là, Bergamme, avait donc continué Quevedo, doit rester entre nous, d'autant que je ne peux dire non plus avoir assisté *directement* à cette action nocturne. Entre moi et la réalité de la salle Courbet s'interposait «le regard» de la machine à capter les images ainsi que ce fatal flou des écrans de surveillance. Vous le savez aussi bien que moi, nos machines à espionner ne transmettent proprement que les silhouettes et les mouvements de ceux qui agissent dans le champ de leur œil de verre. Elles ne sont pas faites pour scruter dans le détail mais pour donner des informations plutôt d'ordre général. Cependant je vous ai fort bien vu vous glisser dans la salle Courbet, je vous ai vu vous placer dans le recoin proche de *La Jeune Fille au perroquet*, j'ai parfaitement vu Elise sortir de la salle Meissonnier…

— Et vous dites qu'elle tenait *mon* cutter ?

— A dire vrai, sur le moment, le flou de l'écran de surveillance ne me permettait pas de bien distinguer… mais à la suite de ce qui s'est passé j'en ai déduit que la chose qu'elle avait en main était sans le moindre doute *votre* cutter puisque tous ses mouvements ont abouti là où le cutter fut retrouvé…

— Vous voulez dire qu'Elise se serait précipitée sur Alf dans l'intention de le poignarder avec ce ridicule instrument ?

— Non, non, pas du tout ! Ne vous excitez pas comme ça, Bergamme ! elle était sortie de la salle Meissonnier… pendant qu'au même moment par l'accès opposé, arrivant de la salle Delacroix, entrait Gerbraun.

— Et moi ?

— Mais je vous l'ai dit, mon pauvre Bergamme, vous assistiez à tout cela…

— Ce n'est pas possible, Ernesto, vous ne cessez d'inventer !

— Ne me croyez pas... cependant vous étiez bien là... attendez, attendez ! Vous passiez juste la tête, allongeant le cou, le reste de votre corps se trouvant dissimulé dans le recoin proche de *La Jeune Fille au perroquet*, oui, là où vous vous étiez placé.

— Et alors ? et alors ? puisque vous prétendez que j'ai tout oublié.

— Et alors... le vieil Alf était tourné vers la salle Meissonnier, preuve qu'en effet il avait donné rendez-vous à Elise devant *L'Origine du monde*, et que c'est bien de la salle Meissonnier qu'il s'attendait à la voir sortir... Pendant ce temps, Gerbraun, que personne n'avait encore remarqué, s'avançait en prenant bien soin de ne pas faire de bruit...

— Ah, ah, mon cher Quevedo, que racontez-vous encore de drôle à notre pauvre Bergamme, avait lancé Gerbraun apparaissant, comme par hasard, dans le petit bureau du commissaire en chef.

— Houapp ! avait fait Bull, surpris lui aussi par l'arrivée silencieuse de Gerbraun.

— Vous ne le devinerez jamais, monsieur Gerbraun, non, vous ne devinerez jamais *de quoi je parlais...*

— Inutile de le deviner, puisque j'ai tout entendu du couloir où je me tenais depuis un moment déjà. Mais ne prenez pas cet air inquiet, Ernesto, je ne vous ferai aucun reproche. Et vous Bergamme, sachez que votre présence sur les lieux du... quoi ?... crime ?... meurtre ?... accident ?... hein Bergamme, on se le demande ? ne vous met *pas directement en cause*. Et pourquoi pas assassinat collectif par-accident-et-jeu-de-meurtre... ou jeu de crime, comme vous voudrez ? Souvenez-vous, avouez que votre présence tombait bien car vous nous encouragiez à grands cris...

— Mais je n'étais pas présent !

— Détrompez-vous, vous étiez là, en effet, assez mal dissimulé au début dans le recoin proche de *La Jeune Fille au perroquet*. Bien que d'habitude Quevedo ait tendance à nous inventer de jolies histoires de petites chiennes papillons ou d'incroyables autocastrations, cette fois il ne vous a pas menti. C'était bien moi qui, venant de la salle Delacroix, d'où j'avais fait le guet, m'avançais vers ce répugnant Crapaud dans l'intention de presque l'étrangler... ou tout au moins de lui donner un bon coup de pied à l'instant où il mettrait la main là où Elise se refusait qu'il la mette, oui, je vous assure je l'aurais volontiers tué, *moi*, tellement j'éprouvais de dégoût pour ce vieil homme et ses ignobles manies nécessitant immanquablement pour toile de fond *L'Origine du monde*. Le Crapaud me tournait le dos pendant qu'Elise, elle, agitait d'un air complice *votre* cutter que *moi* je lui avais remis ! Merveilleuse jeune fille au sang-froid stupéfiant et à la perversion irrésistible d'intelligence. Donc la voilà pendant que me voilà et que vous voilà aussi, Bergamme ! Et voilà donc aussi notre Crapaud hygrométreur planté au centre de nos trois regards. Et sur le mur *L'Origine du monde* !!!"

"A en croire Quevedo et Gerbraun, m'avait dit Bergamme, toujours sur son lit défait, oui à les en croire, ainsi se présentait la scène : *L'Origine du monde* toujours là, immuable ; Alf le Crapaud plus oblique et libidineux que jamais

accueillant Elise ; Gerbraun quant à lui plus
«chleuh» que jamais s'avançant les mains en
avant prêt à empoigner le vieux maniaque... et
moi, moi ! sautant soudain – paraît-il – hors de
ma cachette pour tenter de récupérer de force
mon cutter qu'Elise s'était mise à brandir, en
riant, tantôt vers *L'Origine du monde*, tantôt
vers la silhouette maigre et soudain pliée en
deux du vieil Alf. Comprenez qu'il m'était impossible d'admettre chez moi une si grave absence
de mémoire, continuait Bergamme ; que des
fragments de vécu m'échappent au moment de
mes crises, je ne peux le contester mais de là à
ce que des pans entiers comportant différentes
actions, qui toutes aboutissent à la mort d'un
homme, *désirée par moi*, se soient effacés ! ça,
non ! je ne peux l'admettre !... D'ailleurs, à la
première occasion, quelques jours plus tard,
alors que je la croisais dans un couloir du musée,
j'avais aussi adroitement que possible interrogé
Elise. Sans rien lui dire de mon prétendu trou
de mémoire, je l'avais peu à peu dirigée sur le
sujet : «Alors, Elise, avouez que nous nous en
sommes tous bien tirés, non ? – De quoi parlez-
vous, Bergamme ? s'était-elle étonnée. – Heu…
je parle du fameux soir, non ? – Mais de quel
soir parlez-vous, Bergamme ? – Voyons, Elise,
du fameux soir où… je parle de l'absurde mêlée
qui a coûté la vie à ce pauvre vieil Alf devant
L'Origine du monde.» Elle avait ri : «Vous dites :
pauvre vieil Alf ? Ne soyez pas hypocrite.
Souvenez-vous comme vous nous encouragiez
en sautillant autour de nous, criant des mots
sans suite. Qu'il en soit mort tant pis pour lui.
Bien fait pour ce vieil obsédé. Bon débarras !
– Comment pouvez-vous ? Elise… avais-je balbutié, ne trouvant pas quoi dire. Comment

pouvez-vous ?... – Allons, Bergamme, encore une fois : assez d'hypocrisie ! Il est mort aussi sordidement qu'il a vécu et nous voilà *toutes* soulagées au moins autant que vous. Enfin, *toutes les femmes* du Grand Musée respirent ! Et vous aussi, Bergamme, vous respirez délivré *d'un certain secret que le vieil Alf détenait contre vous.* – Quoi ? Comment ? Que savez-vous ? – N'était-il pas monté dans votre mansarde ? – Qui vous l'a dit, Elise ? m'étais-je affolé, continuait Bergamme. – Gerbraun-qui-sait-tout. – Quoi ? Gerbraun le sait ? – Voyons, Bergamme, avait-elle ajouté en riant, vos secrets sont de faux secrets puisque vous les criez à tout propos. Quant à la mort du Crapaud, rien ne pouvait mieux tomber pour tout le monde, aussi bien pour vous que pour Gerbraun.» Et elle avait ajouté cette phrase qui m'avait stupéfié : «Même les femmes sur les tableaux du Grand Musée respirent, elles aussi, enfin !»"

Après un silence, Bergamme avait continué : "Elise m'avait entraîné jusqu'à la *Sandwicherie* du musée, vide à cette heure : «Asseyons-nous ici un moment, m'avait-elle dit en me prenant gentiment les mains, il faut que vous sachiez qui était vraiment Alf, et à quel point il méritait cet affreux surnom de Crapaud. Vous ne pouvez imaginer combien ce vieil homme, paraissant si obsédé par le sexe de la femme, s'était à vrai dire désexualisé des buts réels de l'instinct sexuel. On pourrait dire qu'il était sexuellement retombé en enfance et que ses obsessions sexuelles n'étaient qu'infantilités sexuelles détournées de leur but sexuel pour se fixer exclusivement sur l'image du sexe de la femme qui bien sûr n'est que misérable subli-mation sexuelle.» Voilà ce qu'avait très intelli-gemment dit Elise", m'avait rapporté Bergamme, alors qu'assis sur le tabouret près de son lit de malade je notais mot pour mot ces intéressantes paroles entre lui et la jeune stagiaire.

"Dites-moi, s'il vous plaît, Elise, avait insisté Bergamme, tentant de ramener la conversation sur cette nuit dont il désirait retrouver, sans résultat, une trace dans sa mémoire, dites-moi, Elise, pouvez-vous me rappeler comment se sont exactement passées les choses ? Qui de nous tenait *mon* cutter au moment fatal ? Hein, Elise, qui ? qui ?

— Mais voyons… Bergamme, ne parlez pas si fort… rien de plus simple. Qui tenait *votre* cutter ? Mais vous, moi, Gerbraun… et Le Cra-paud lui-même…

— Je ne comprends pas… Comment pouvions-nous tous tenir *mon* cutter ? Je vous en prie, ne vous moquez pas de moi.

— Ah, cessez, Bergamme, s'était énervée Elise, ne vous agitez pas comme ça ! Souvenez-vous : je sortais de la salle Meissonnier avec le cutter que Gerbraun m'avait remis auparavant. «Sur-tout prends garde de ne pas te piquer, m'avait-il dit, la lame en est rouillée : tétanos !» Pourtant j'avais bien l'intention de piquer Le Crapaud au cas où il se permettrait sur moi ce qu'il avait déjà tenté auparavant devant *L'Origine du monde*… Et qu'il tenterait de nouveau sans doute pen-dant ce rendez-vous nocturne comme il en avait la manie – devant ce tableau de Courbet que j'ai toujours détesté. J'avais mis Gerbraun au courant : «Sois là, lui avais-je dit, je veux infliger

une sérieuse leçon à ce dégoûtant personnage.
– Bravo, Elise, m'avait-il encouragé, ce soir, je
te donnerai le vieux cutter ayant appartenu à
Bergamme... et vlan ! pique-le donc aux couilles,
ce dégoûtant Crapaud ! Ça lui servira en effet
de leçon !» Oui, voilà ce que m'avait dit, avec
sa vulgarité habituelle, cet autre maniaque qui
sert de conservateur en chef à ce musée certainement le plus décadent de tous les musées
du monde ! Jusqu'à présent, Le Crapaud n'avait
jamais osé – comme il le faisait avec toutes les
autres – me donner franchement rendez-vous
devant *L'Origine du monde*. Plusieurs fois il
avait tenté de me saisir par surprise mais je
m'étais toujours dégagée d'un bon coup de
genou. Je n'ignorais rien. Je savais, par les
plaintes et les confidences écœurées des femmes
de ménage, oui, j'étais au courant des étranges
manies de l'hygrométreur en chef de notre
musée... manies que Roberte d'ailleurs avait qua-
lifiées de «misérables obsessions auxquelles le
malheureux n'arrive pas à se dérober. Croyez-
moi, Elise, m'avait-elle dit, le vieil Alf est
l'homme le plus désespéré que je connaisse.
Le vieil Alf est un homme très doux, très timide et
complètement inoffensif auquel la Goldmiche
et moi nous ne nous sommes jamais tout à fait
refusées... sachant bien que cela ne pouvait
tirer à conséquence.» Roberte m'avait encore
dit, avait poursuivi Elise : «Aucun des hygrométreurs que j'ai connus n'a été, comme lui,
épris de peinture. D'habitude ce sont tous des
techniciens enfermés dans leur spécialité, et
c'est à peine s'ils se rendent compte de l'importance de ces œuvres peintes que leur science
doit préserver des variations climatiques... Avec
le vieil Alf, ce qui est dément, c'est que depuis

qu'il a été engagé au Grand Musée il s'est singulièrement épris non pas de femmes réelles mais d'un *certain morceau de femme* figurant dans un *certain* tableau dont il a la charge hygrométrique. Ce sont d'étranges amours auxquelles moi et Josette Goldmiche, avait encore dit Roberte à Elise, nous avons un peu participé par un mélange assez malsain de curiosité et de compassion…»" "Oui, voilà ce que m'avait dit Elise des confidences de Roberte qui, par le ton de bonté de ces confidences, avait espéré atténuer l'irrépressible et presque haineuse exaspération qu'éprouvait envers Alf dit Le Crapaud cette jeune fille active et décidée."

"Mais dites-moi, Elise, avait insisté Bergamme – toujours préoccupé de savoir qui d'eux tous tenait *son* cutter au moment où Alf avait été frappé en pleine poitrine –, oui, dites-moi Elise comment pouvions-nous tenir tous ensemble et, comme vous dites, en même temps *mon* cutter dont le petit manche suffisait à peine à ce qu'une seule personne puisse l'avoir en main quand il était question de découper *Le Chemin de Sèvres*, par exemple, pour l'extraire de son châssis ?

— Comme vous êtes merveilleux, Bergamme ! Mais souvenez-vous. Chacun tentait, par une sorte de jeu pervers, d'arracher le cutter des mains des autres… Pendant que Gerbraun nous suppliait, presque hystérique, de faire attention, de prendre garde de ne pas nous blesser. Au cours de cette lutte où chacun de nous s'amusait à parodier, envers *L'Origine du monde*, le geste iconoclaste qu'appelait sa présentation de misogynie haineuse envers La Femme, souvenez-vous, Bergamme, vous ne cessiez de crier et de sautiller autour de nous, criant : «Hop là, hop là, hop là !» comme un vrai petit fou.

— Ah bon ? avait murmuré Bergamme, avec perplexité.

— En tout cas, cette nuit-là, nous devions former un groupe bien bizarre devant *L'Origine du monde* : tous levés sur la pointe des pieds, sautillant tous ensemble, cherchant avec une certaine frénésie à arracher cette arme ridicule que tous nous tenions, sans la tenir, très haut, en l'air, à bout de bras... Pendant que Gerbraun criait, comme je vous l'ai dit, sans arrêt d'une voix aiguë : «Attention, attention, je vous en supplie prenez garde de ne pas vous piquer !» Et soudain, souvenez-vous, cette arme dérisoire nous avait échappé... alors, rappelez-vous, Bergamme, d'un même mouvement nous nous étions tous baissés, la croyant à terre... et... et... là il s'est passé quelque chose d'incompréhensible... lequel de nous avait réussi à saisir *votre* cutter ? Lequel, sans vraiment le vouloir, avait fait le geste de le planter dans la poitrine du Crapaud ? Souvenez-vous, Bergamme, à un moment nous nous trouvions tous à quatre pattes, chacun cherchant à saisir *votre* cutter. Mais le coup a peut-être été donné par Gerbraun... ou pourquoi pas par vous... ou par Le Crapaud lui-même emporté dans un mouvement brusque ? Nul jamais ne le saura, et c'est bien cela, il me semble, que le petit juge avait compris quand l'autopsie apporta la preuve que le vieil Alf avait succombé à un ridicule infarctus provoqué par *votre* cutter effleurant son torse creux.»

III

Depuis la mort du vieil hygrométreur en chef, un étrange calme était descendu sur les coulisses du Grand Musée. On évitait de parler fort, les femmes de ménage bâclaient leur travail dans la salle Courbet, s'efforçant d'ignorer autant que possible *L'Origine du monde*, tragiquement immobile sur sa cimaise.

"Alors, Bergamme, et nos projets, où en sont-ils ? lui avait un jour demandé Gerbraun en y mettant toute la lourde ironie dont il était capable.

— De quel projet parlez-vous, Gerbraun ?

— Bergamme, Bergamme, ne vous énervez pas… Auriez-vous oublié vos menaces ?

— Je ne sais plus ce que je sais, pas plus que je ne sais ce que je ne sais plus, comprenez-vous Gerbraun ? Depuis la mort d'Alf l'hygrométreur je suis errant et comme égaré dans votre musée.

— Alors je peux dormir tranquille ? Finie votre plaisanterie ?

— Mais quelle plaisanterie ?

— Bien que ne l'ayant pas pris évidemment au sérieux, votre : «Je vous tuerai» m'a quand même fait quelque chose… ne serait-ce que par le ton bizarre que vous y aviez mis.

— Oh, ne craignez rien, je n'étais pas dans mon état... disons anormal... La mort du vieil Alf m'avait terriblement impressionné car je ne vous cache pas que j'avais souhaité, et même dans un certain sens décidé de sa mort car trahissant ma confiance il était sur le point d'ébruiter mon secret. Et voilà qu'il est mort ? Comprenez qu'au fond de moi j'en porte la culpabilité. Tant que je ne saurai pas *qui*...

— Mais c'est vous, Bergamme, c'est vous qui avez frappé cet imbécile ! Vous le savez parfaitement ! Vous l'avez frappé non pas physiquement mais par le désir que vous aviez de voir disparaître celui qui avait *vu* mieux que nous n'avions su le voir, Roberta et moi, les tableaux volés de votre incroyable collection. C'est votre désir de mort qui l'a plus sûrement tué que ne l'a fait *votre* cutter.

— Mais comment savez-vous *ce qu'il savait* ?

— Maintenant, à la suite d'un hasard dont je vous parlerai plus tard, je sais ce que je n'ai pas voulu... ou su voir quand j'étais monté dans votre mansarde.

— Donc vous reconnaissez enfin que moi et Dieu nous ne faisons qu'un... puisque non seulement j'ai le pouvoir de me servir librement dans vos musées quand il m'en prend la fantaisie mais que, de plus, même mes souhaits les plus intimes sont exaucés... Le Crapaud a vu, je lui avais fait confiance... mais il a rompu le pacte de confiance...

— Ah, Bergamme, mon petit Bergamme, tu m'émerveilleras toujours, avait dit Roberte, apparaissant brusquement auprès d'eux. Quel fou merveilleux tu es !

— En effet, sans Bergamme, nous serions depuis longtemps tous morts d'ennui au fond de notre lugubre musée, avait dit Gerbraun.

Mais cependant que notre Fou ne s'imagine pas qu'il lui suffirait de souhaiter ma mort ou la vôtre, Roberta...

— Roberte, pas Roberta, Ro-ber-te ! Vous savez bien, Gerbraun, que je déteste votre «Roberta» !

— Je vous en demande bien pardon, Roberta... Alors, vous avez entendu ? Votre Fou merveilleux s'imagine être doué d'une sorte de force psychique, distributrice de vie ou de mort, sur tout ce qui se trouve dans ce musée. Nous serions, si je comprend bien, des sortes de tableaux vivants qu'il aurait le pouvoir de poursuivre en les *inachevant*, comme il dit, ou de détruire au couteau à palette ou au cutter, comme d'après les notes d'Alf il l'aurait fait du Monet jeté sous son lit et définitivement foutu jusqu'à la trame.

— C'est exactement ça, Gerbraun, avait dit Bergamme d'une voix sûre et tranquille. A croire Elise, vous ou Quevedo, ne serait-ce pas mon cutter qui de lui-même aurait obéi à mon désir ? Car je dois vous l'avouer en face, en *reconnaissant* les tableaux de ma mansarde, Alf le Crapaud avait en quelque sorte signé, comme on dit, son arrêt de mort... Aujourd'hui, je suis écrasé d'avoir été si bien exaucé...

— Ah, mon petit Bergamme, s'était écriée Roberte lui passant les bras autour du cou, laisse-moi te donner une bise !

— Mais ce qu'il dit là est terrible", avait murmuré pour lui-même, Gerbraun.

Après être resté un moment silencieux, Bergamme avait repris sur un ton plus bas et les yeux luisants :

"Car, après tout, pourquoi croirais-je Elise ? Pourquoi vous croirais-je, vous Gerbraun ? Et pourquoi croirais-je Ernesto Quevedo... Bien qu'Ernesto m'ait laissé entendre que vous, Gerbraun... que vous auriez arraché *mon* cutter des mains d'Elise... En effet, pourquoi *mon* cutter n'aurait-il pas obéi à son maître ; ne serait-ce pas cela que Quevedo avait cherché à me faire comprendre ?

— Cessez, avait crié Gerbraun, effrayé. Quevedo raconte toujours n'importe quoi. Ce mythomane de Quevedo n'était pas présent... Soyez heureux, nous n'avons rien dit aux enquêteurs et, selon les instructions venues d'en haut, les enquêteurs, bien que malintentionnés envers moi, ne voulaient pas en savoir davantage. Mais vous devez vous mettre dans la tête, Bergamme, que moi, Gerbraun, je vous ai parfaitement vu recevoir le vieux Crapaud sur *votre* cutter. Elise était, disons là... moi ici... Le Crapaud exactement là, juste devant *L'Origine du monde*... et vous, mon cher Bergamme, vous vous êtes précipité, comme un fou, depuis le recoin de *La Jeune Fille au perroquet*, droit sur Elise qui s'avançait vers Le Crapaud qu'en riant elle menaçait de *votre* ridicule cutter. Vous avez lutté un petit moment avec elle, en riant cette fois tous les deux ; je m'en suis mêlé moi-même pour rire ; Le Crapaud aussi... et enfin, tous en riant maintenant, nous avions cherché à nous saisir par plaisanterie de *votre* cutter... dont par maladresse, je suppose... le vieil Alf a reçu la ridicule piqûre... à vrai dire ce vieillard est venu se planter de lui-même sur cette minuscule lame. Voilà les faits, Bergamme, et n'y revenons plus puisque les choses ont été classées.

— Ah, Gerbraun, vous ne pourrez jamais savoir combien je vous déteste !...

— Ça c'est votre affaire, mon petit Bergamme."

Après une pause, Gerbraun avait saisi Bergamme par le bras :

"Je suis heureux que Roberta soit présente. Parlons donc un peu sérieusement, voulez-vous ? Comme je vous l'ai déjà dit, nous devons absolument prendre une décision au sujet des tableaux entassés dans votre mansarde. Alf le Crapaud les a signalés dans les marges des écrits hygrométriques que tient Josette Goldmiche. Félix le jeune hygrométreur en a pris connaissance. Ces écrits sont automatiquement archivés et je ne peux sous aucun prétexte ni les falsifier ni encore moins les détruire... surtout que Félix en resterait le témoin. Je vous en conjure, Bergamme, mon cher Bergamme, pour votre bien, acceptez le marché. Vous nous remettez ces tableaux... Disons que vous les remettez à Roberta qui vous aime bien. Roberta se chargera d'en faire faire discrètement des copies. Ces copies réintègrent votre mansarde, et voilà, comme on dit, le tour est joué !...

— Et de *mes inachevés*, qu'en faites-vous ? Que deviendront les tableaux patiemment accumulés de ma collection, et patiemment *repris* par moi ?

— Mais voyons, nous les détruisons, évidemment !

— Donc vous êtes prêt, vous le conservateur en chef du Grand Musée, et vous aussi, Roberte la restauratrice en chef de ce même musée, vous êtes prêts à détruire des tableaux de peintres tels que Monet, Van Gogh, Corot, La Tour... ?"

Roberte riait :

"Mais nous sommes prêts à tout pour effacer notre manque d'intuition... si ce n'est notre nullité. Que cela ne se sache pas, c'est tout ce que nous demandons.

— Allons, Roberta, assez d'ironie ! Vous savez bien que si les affirmations du Crapaud sont justifiées… Je suis un homme perdu.

— J'en suis désolée, Gerbraun… Comment prendre au sérieux cet univers muséeux, comme dit Bergamme, où l'investigation est devenue obsessionnelle ? Tu ne peux imaginer mon petit Bergamme, avait continué Roberte en riant, combien sont féroces les luttes de pouvoir entre nos conservateurs de musées, oui, ces gens aux mœurs aussi mesquines et étroites que celles des insectes ! Je suis lassée de ces prétendus esthètes chargés d'aider à la sauvegarde des œuvres de tant d'artistes aussi bien morts… que même parfois encore en vie… c'est-à-dire moribonds autant que possible… car seuls les morts sont dociles à la conservation. Si ces prétendus gardiens de l'art étaient plus courageux et surtout plus nets dans leurs haines d'experts, je vous assure qu'ils s'assassineraient les uns les autres aussi facilement qu'ils se calomnient pour réussir à mettre la main sur un tableau qu'ils convoitent ou dont ils peuvent tirer un bénéfice en l'expertisant – selon qu'ils gagnent à le déclarer pour vrai ou pour faux. Et, crois-moi, quand j'ai appris par Gerbraun quelles avaient été les conclusions du vieil Alf au sujet des œuvres remplissant ta mansarde – ces œuvres que ni Gerbraun ni moi n'avons su voir – j'ai pensé un bref instant que c'était sans aucun doute vous, Gerbraun… je veux dire à propos de la mort d'Alf… et je vous ai trouvé admirablement cohérent d'avoir éliminé ce vieux déchet… dans la mesure où il aurait pu représenter un danger pour votre crédibilité d'expert…

— Roberta, Roberta ! avait crié Gerbraun, presque d'une voix de femme, tellement il

292

semblait offusqué par un soupçon qui, au lieu de le flatter, le mettait étrangement hors de lui.

— Mais ne niez pas, Gerbraun, acceptez ce compliment. N'allez pas dire que vous n'en seriez pas capable ?

— Moi ? De tuer pour…

— Bien sûr, de tuer ou de détruire pour avoir raison… Quel scientifique, quel spécialiste n'a pas un jour ou l'autre faussé des résultats pour qu'ils lui donnent raison… ou produit un artefact pour faire plier, oui pour humilier la réalité ? Qui de nous ne veut avoir raison à n'importe quel prix ? Tous ces tableaux dont vous et moi nous avons la garde, que sont-ils si ce n'est une production d'artifices qui veulent avoir raison sur tout, sur tous… Connaissez-vous les textes théoriques de Léonard de Vinci ?

— Oui, évidemment. Je les connais pour des textes prétendant à une appréhension universelle de ces mystérieux «pourquoi» que tout artiste se pose lorsqu'il espère l'œuvre supérieure, plus irréfutable que la réalité, justement.

— Léonard disait : *Nous autres qui avons le don de peindre, nous nous égalons aux dieux. Nous sommes maîtres du Temps.*

— Je ne sais ce que j'aurais donné pour avoir à ma disposition une œuvre de Vinci, était intervenu Bergamme, s'agitant soudain.

— Et qu'en auriez-vous fait ? lui avait demandé Gerbraun, ravi.

— Je l'aurais rendue à son *inachèvement* premier… car vous le savez bien *toutes* les œuvres de Vinci, sans exception, ont été *achevées* par ces peintres ratés que sont les restaurateurs, oui, repeintes et mille fois rafraîchies au cours des cinq cents ans qui nous séparent de lui.

— C'est vrai, avait dit Roberte, soudain grave et pensive ; rien de la main de Vinci ne subsiste sur ses œuvres, je le sais pour en avoir retouché moi-même... et pourtant, malgré ces intrusions nommées restauration, le Souffle y est resté comme piégé par une pensée supérieure à la matière qui s'est en quelque sorte soumise à ce Souffle, que l'on pourrait qualifier de divin, pour en garder précieusement la mémoire dans son intimité.

— Veux-tu dire, Roberte, quand tu évoques «la mémoire» intime du tableau, que les traces de pigments demeurées sur le support originel, ayant gardé comme le souvenir du projet de Vinci, auraient en quelque sorte initié, les unes après les autres, et à mesure des siècles, les couches de repeints pour qu'elles participent au sublime de cette pensée ?...

— Oui, mon petit Bergamme, c'est tout à fait cela. Les œuvres ne sont bien sûr pas des objets mais de la pensée, on pourrait dire : cristallisée. Voilà pourquoi celles qui sont restées – comme tu l'affirmes si justement – plus près de l'inachèvement que de l'achèvement touchent à l'éternité...

— C'est cela, Roberte, c'est exactement cela ! avait crié Bergamme, très excité. Oui, vraiment, je ne sais ce que je donnerais pour rendre à *l'inachèvement* une œuvre de Vinci...

— Et peut-on savoir laquelle tu aurais aimé *poursuivre*, ou comme tu dis rendre à *l'inachèvement* ?

— Sans hésiter : le *Saint Jean-Baptiste*, évidemment.

— Celle que les amateurs doués d'une sensibilité supérieure considèrent comme le plus beau, le plus profond, le plus métaphysique de tous les tableaux existant au monde ?

— Oui, en effet, le tableau le plus extraordinaire du monde… que je qualifierais de *presque* le plus beau… que certaines retouches, si j'en avais la possibilité, rendraient à son inachèvement originel… et donc cette fois, sans conteste, en feraient véritablement *le* plus beau de tous les tableaux du monde…

— Désolé, mon pauvre Bergamme, s'était moqué Gerbraun, mais, pour notre malheur à tous, ce *Jean-Baptiste* est sûrement l'une des œuvres les mieux gardées qui soient au monde. Tant pis pour votre petit talent de détraqueur !"

Toi, je te tuerai ! avait encore une fois pensé Bergamme sans rien dire. Mais Gerbraun avait *lu* cette sentence dans le regard de Bergamme.

Quelques jours après cette conversation, Roberte avait cette fois entraîné Bergamme par les coursives métalliques qui mènent aux deuxièmes combles du musée :

"Bergamme, mon petit Bergamme, allons, viens, montons jusqu'aux «plombs»."

Ici, paix et silence !

Un peu plus tard, alors qu'ils se trouvaient encore étendus sur une paillasse au fond d'une des cavernes ménagées entre les tableaux abandonnés aux ravages du temps, Roberte avait dit doucement contre l'oreille de Bergamme, si

bien que ses lèvres l'avaient agréablement cha-
touillé :

"Chéri, nous faisons un échange, veux-tu ?
Tous les tableaux en ta possession contre *L'Origine du monde.*

— Laquelle ? avait dit Bergamme, méfiant.

— Comment laquelle ?

— Quelle preuve aurais-je de l'original de
«votre» *Origine* ?

— La preuve ? Mais Le Crapaud ! Crois-tu
qu'il nous aurait laissés la désunifier, et que de
plus il nous en aurait laissé faire la substitution ? Crois-tu qu'il aurait supporté une image
en remplacement de l'objet de culte qu'était
devenue pour lui cette œuvre ?"

Après un silence :

"Gerbraun m'a chargée de te faire cette proposition, voilà de quoi il s'agit : il te laisse découper au cutter *L'Origine du monde…* Non, non !
Ne t'agite pas ! C'est juré, personne ne sera là
pour t'empêcher de rouler la toile et de l'emporter… exactement comme tu l'as si adroitement
fait pour *Le Chemin de Sèvres* ainsi que pour
tous les autres tableaux dont tu as rempli ta
mansarde. Ensuite tu t'arranges pour que le
tableau disparaisse définitivement, pendant que
nous autres, avec les moyens que nous avons
à notre disposition au musée, nous nous char-
geons de la permutation des œuvres qui encombrent ta mansarde."

"Comment ajouter foi à une proposition
pareille ? m'avait dit Bergamme, entrouvrant
douloureusement les yeux et me fixant un

instant de ce regard délavé dont toute expression était à tout jamais éteinte. Vous rendez-vous compte ? Gerbraun avait osé m'envoyer Roberte pour plus sûrement me mettre la main dessus, moi, l'insaisissable rapteur de tableaux que les journalistes avaient surnommé «le passe-murailles» ! Donc même Roberte complotait contre moi ? «Ah, vous voulez me prendre sur le fait ? Eh bien je serai plus rusé que vous, avais-je dit en souriant d'un air détaché comme si tout cela n'était qu'une plaisanterie. – Mais comment, mon petit Bergamme chéri ? Elle suffoquait presque de rire. Mais comment peux-tu croire que… ?» C'est tout ce qu'elle réussissait à me répondre. Et moi, toujours étendu contre cette opulente jeune femme dont la chair très blanche et parcourue de fines veines bleutées me procurait une sorte d'ivresse calme, je m'obligeais à continuer de la fixer en souriant du même air détaché. Les mains croisées négligemment derrière la nuque, il me semblait avoir exactement cet air désinvolte et distant qui convenait en de pareilles circonstances… circonstances absolument inédites cependant, il faut bien le reconnaître. Mais intérieurement j'étais hors de moi, comme on dit. «Depuis quand, explique-moi, Roberte, le conservateur en chef d'un musée envoie-t-il la restauratrice en chef de ce même musée supplier un obscur petit type comme moi de découper au cutter et d'emporter une œuvre dont ils ont tous les deux la charge ? Et de plus, pas n'importe quelle œuvre : *L'Origine du monde* ! l'œuvre prétendument la plus subversive de toute l'histoire de l'art ?» Ça, il faut le dire, elle ne s'y attendait pas ! Elle se tenait accoudée ; ainsi voyais-je au-dessus de moi dans la pénombre des «plombs» son visage poudré,

et, larges ouverts, ses yeux aux longs cils chargés de mascara. Pas embarrassée du tout, elle
continuait de rire, comme d'ailleurs elle le faisait toujours quasiment dès que je prononçais
un mot : «En effet mon petit Bergamme, rien
n'est plus incroyable mais nous n'avons pas
d'autre choix. Réfléchis. Quelques précautions
que l'on prenne, un secret ne reste jamais
longtemps un secret. A moins de le tuer – ce
qui bien sûr est hors de question –, le jeune
hygrométreur Félix parlera. Il a fort bien déchiffré les notes du Crapaud sur les cahiers de
Josette. Bientôt personne n'ignorera que non
seulement c'est toi le fameux voleur de
tableaux que toutes les polices des fraudes
artistiques recherchent mais qu'en plus, ce qui
est gravissime, nous avions vu ces tableaux dans
ta mansarde sans cependant les reconnaître. La
police en question ne tardera pas à faire une
descente chez toi. Prison pour le méchant
voleur. Déshonneur pour le conservateur en
chef du Grand Musée devenu ex-conservateur
en chef du Grand Musée. Quant à moi quelques ennuis peut-être… mais surtout beaucoup
de rires vengeurs car je trouve ton histoire de
tableaux tout aussi merveilleuse que ce qui
s'est passé dans la grotte de Lascaux. – Ah ?
avais-je réagi, qu'y a-t-il de commun entre ce
que tu appelles mon histoire, et la grotte de
Lascaux ?»"

"Ecoutez maintenant ce que Roberte m'avait
raconté, je souhaite que vous le notiez sans
rien en perdre car pour moi cet avatar de la
conservation frappant une des plus vieilles manifestations du sublime humain me réconcilie

avec l'idée d'un Dieu intelligent, à la fois méchant et plein de facéties", avait poursuivi Bergamme, les yeux de nouveau fermés, son petit corps un peu tordu, comme d'habitude, sous les draps sales.

IV

"On dit que le sommeil est le frère jumeau de
la mort, avait donc poursuivi Bergamme, toujours étendu sur le dos, eh bien il en serait un
peu de même pour l'étrange et stupide événement qui s'est produit dans la grotte de Lascaux
– car sachez qu'à Lascaux la mise en sommeil
de cette étonnante œuvre d'art a failli lui coûter la vie. C'est ce qui se passe toujours. Au lieu
de permettre aux œuvres d'art de prendre le
temps de périr de leur mort naturelle, oui, en
leur laissant le temps… je dirais même *tout leur
temps*, qui n'est pas le nôtre… on précipite la
fatalité de cette mort en désirant prolonger ce que
le temps justement est destiné à dévorer, quoi
que l'on fasse… mais en prenant son temps."

Après un court silence, Bergamme avait continué de sa voix chuchotante :
"Inutile, bien sûr, de noter ces quelques considérations banales. Mais la suite, elle, mérite
vraiment d'être consignée, ne serait-ce que
comme l'exemple métaphorique parfait dénon-
çant cette odieuse pratique de la conservation
qui est en train de détruire tant d'œuvres par-
venues, on peut dire miraculeusement intactes,
jusqu'à nous. En les conservant on les achève,

cela va de soi, eh oui, on leur donne le coup de grâce, et c'est ainsi que vous retrouvez des chefs-d'œuvre métamorphosés en vulgaires répliques de leurs propres cartes postales. Tel est le cas de *La Translation du corps de saint Marc* du Tintoret, ce chef-d'œuvre tué par une remise à neuf désastreuse qui depuis l'a fait ressembler à sa reproduction vendue aux portes des musées. Comme quoi on finit toujours par ressembler à sa caricature ; ne suffit-il pas de voir comment les œuvres remises à neuf par leurs restaurateurs deviennent tout à coup proprettes, aussi rutilantes que peut l'être de la toile cirée. Comment châtier l'insolence et la prétention de leurs *finisseurs* qui osent les donner pour «pareilles à l'original» comme si ces gratteurs de vernis avaient eu le génie de retourner le sablier et que les tableaux, réduits par eux à une imagerie de carte postale, avaient retrouvé le souffle de l'immortalité ? Donc, comme vous devez sans doute le savoir, la grotte de Lascaux est restée ignorée, murée, hors du temps, hors de l'espace, isolée sous la terre pendant plus de quarante mille ans. Elle était là, sublime, merveilleuse en elle-même et pour personne, oui, pour rien, pour la pure beauté d'être en soi intouchée, non vue, non sue... et pourtant *existante*. Comment ne pas penser que seuls les anges la méritaient ? Et ce sont bien deux anges innocents qui l'ont rendue innocemment à la lumière... noire des hommes. On dit, avait poursuivi Bergamme, qu'en voulant délivrer leur petit chien, tombé dans un trou sous les broussailles, deux enfants ont «rendu à l'humanité ce bien qui lui revenait», ont prétendu les premiers archéologues à la visiter. En fait ces enfants venaient de rendre au temps ce qui avait été lancé hors du temps par des hommes dont nous ne savons rien et dont heureusement nous ne saurons jamais rien. Mais voilà que par malheur l'étonnante succession de fresques pariétales recouvrant l'intérieur de cette caverne, refermée sur elle-même comme l'est un œuf, s'est trouvée tout à coup livrée à la muséeuse curiosité des humains ; tout un monde de conservateurs, de commissaires, de gardiens, d'hygrométreurs, d'experts et de gloseurs s'abattirent sur ce trou dont ils firent leur bien ! Et c'est ainsi que Lascaux devint célèbre, comme célèbres deviennent malgré elles les choses que l'on veut à toute force rendre célèbres. Ainsi voulut-on y voir venir les foules ; et les foules y vinrent. Là où le silence de l'éternité *était* il y eut du bruit ; là où le mystère *était* il y eut l'explication ; et là où depuis plus de quarante mille ans seuls les anges passaient il y eut des inaugurations, des colloques, des tirs de magnésium, des haleines par milliers. «Et c'est comme ça, m'avait dit Roberte, avait continué avec presque joyeuse humeur Bergamme, oui c'est comme ça, m'avait-elle dit, que peu à peu les parois peintes commencèrent à se recouvrir d'une légère moisissure provoquée par les respirations des foules nombreuses que l'on traînait là en visites guidées… si bien qu'effrayés de voir se détériorer "ce bien irremplaçable de l'humanité" dont elles s'étaient faites les gardiennes, voilà que les plus hautes sommités spécialisées dans l'art pariétal décidèrent de faire creuser non loin de la véritable grotte une fausse grotte absolument conforme, sur les parois de laquelle on reproduirait identiquement les biches, les chevaux et les bisons ornant la véritable. N'est-ce pas exactement ce que nous-mêmes, avait dit en riant Roberte, grâce à notre nouvelle machine à désunifier les tableaux, prétendons réussir pour *préserver* dé-fi-ni-ti-ve-ment les chefs-d'œuvre de la peinture ?» Sauf que les responsables de Lascaux, avait poursuivi Bergamme, s'étouffant presque de rire, oui, ceux qui avaient fermé au public la grotte authentique pour en proposer une réplique parfaite, ne se doutaient pas que les vastes lieux de stationnement, aménagés aux alentours pour les voitures des visiteurs de la fausse grotte, allaient insidieusement détruire la grotte véritable... car, figurez-vous – et n'est-ce pas merveilleux ! –, l'huile gout-tant des milliers de moteurs en refroidissement, s'infiltrant par des veines mystérieuses, détrui-sait peu à peu la grotte véritable, mangeant les couleurs et graissant les précieuses parois, portant cette fois atteinte à cette œuvre unique bien plus gravement que ne l'avaient fait les haleines humaines dont on avait voulu à si grands frais la préserver."

Je n'avais pu garder pour moi une si belle indiscrétion, et, bien sûr, à la première occasion j'en avais parlé à un archéologue réputé, spécia-liste, *justement*, des grottes ornées de peintures rupestres. Il s'était fâché : "Comment pouvez-vous prendre au sérieux – et de plus répandre sans précaution – ce que vous a raconté votre fou de Bergamme ?" m'avait-il dit, détournant le regard, et manifestement troublé qu'un tel secret soit sorti du cercle restreint de *ceux du métier qui sont les seuls à savoir*. Et il avait ajouté, se détendant un peu : "Je sais que vous avez entrepris une étude *sérieuse* sur ce cas passion-nant de kleptomanie muséeuse et d'iconoclastie délirante. Ecoutez mon conseil : bornez-vous à ce fameux cas Bergamme, n'est-il pas suffisamment riche ? Evitez ces sortes de glissements prétendant révéler de faux secrets touchant à la conservation des œuvres rarissimes et même uniques au monde... comme le sont *nos* peintures pariétales de Lascaux. Croyez-moi, et j'insiste, restreignez votre travail à ce cas clinique désigné comme : «le cas Bergamme»... car cette pathologie, récemment nommée : «muséeuse», dont Bergamme est un des plus pertinents exemples, oui, cette maladie mentale, jusqu'à présent inconnue, offre tellement de richesses à la fois scientifiques et culturelles qu'il serait inutile d'en distraire vos futurs lecteurs. Qu'on vous ait permis de visiter régulièrement ce détraqué réputé pour être dangereux, et que de plus ce fou ait accepté le contact de la parole, me semble déjà un tel privilège qu'il serait regrettable d'y ajouter cette sorte de rêverie morbide sur Lascaux venue sans raison et qui enlèverait toute fiabilité à ce travail à la fois littéraire et clinique entrepris par vous, et dont on ne peut attendre qu'une extrême rigueur." Oui, voilà ce que m'avait dit, avec force, cet ami archéologue... que depuis je n'ai d'ailleurs plus jamais revu.

Mais, en effet, revenons au "cas Bergamme" en tâchant autant que possible de ne plus en dévier. Donc, au moment où Bergamme quittait Roberte, et qu'en descendant des "plombs" il passait devant le bureau d'Ernesto Quevedo, celui-ci l'avait hélé :

"Alors mon pauvre Bergamme, à voir votre dos voûté il semble qu'ils se sont tous arrangés pour vous écraser sous une culpabilité que vous ne méritez pas.

— De toute façon, avait répondu Bergamme en redressant son petit corps et se massant la nuque, de toute façon n'était-il pas fatal qu'Alf meure ?

— Ce que vous dites là, Bergamme, est terrible... Mais pour être franc... en effet, non seulement nous souhaitions tous – bien sûr sans nous l'avouer à nous-mêmes – le voir disparaître mais, soyons-en consolés, son propre cœur l'avait condamné à cesser d'importuner les unes et les autres. De plus cet emmerdeur détestait Bull, prétendant qu'en se grattant mon chien répandait des poils dans les manches d'aération du musée... ce qui aurait été la principale cause, disait cette mauvaise langue, des fréquents détraquements de ses appareils de mesure hygrométrique. Pour dire vrai, il ne supportait pas l'idée que les nouveaux moyens permettant d'immortaliser les tableaux – donc de les rendre à jamais invulnérables au climat ainsi qu'au temps par l'effacement définitif de l'original – finiraient par supprimer les raisons d'être de l'hygrométrie – science qu'il plaçait au-dessus de toute autre – et donc allaient du même coup vider de son sens quasi sacré la fonction d'hygrométreur. Bref, cet homme était devenu non seulement superflu dans notre Grand Musée mais sa présence avait quelque chose d'archaïque, de risible comme le sont pour nous les films anciens dont les images sautent ridiculement."

Après un court silence, Quevedo avait continué sur un ton à la fois triste et ironique :

"Songez, mon cher Bergamme, aux musées de demain... dont l'idée me répugne, continuait Quevedo, mais que les progrès techniques imparables nous obligent à envisager dès aujourd'hui : vous aurez, réunis en différents lieux du monde... et même plus tard quand l'homme aura conquis d'autres galaxies... en différents lieux de l'univers, les plus célèbres tableaux produits par l'humanité, rendus multiples par nos machines à «désunifier» l'Art, oui ces tableaux ubiquitants en quelque sorte tout en gardant leur apparente unicité, voilà de quoi seront faits nos musées... et à la fois, un peu comme Le Crapaud obligeant les femmes de ménage à soulever leurs jupes devant *L'Origine du monde*, vous aurez les «artistes modernes», les «artistes» du moment qui, eux, depuis longtemps débarrassés des contraintes de l'Art, offriront à l'imagination des pions sociaux, qui visiteront par millions si ce n'est par milliards les musées, le spectacle d'une prétendue liberté plus proche de la régression paranoïaque-critique infantile que d'une avancée dans de prétendus domaines inconnus de l'Art.

— Il est amusant, mon cher Ernesto, de vous écouter sans être vu, était intervenu Gerbraun, apparaissant à la porte du bureau de Quevedo. Justement, nous aurons très bientôt, ici, au Grand Musée, une exposition dite de «sculpture vivante» dont le propos s'inscrit dans la trajectoire que vous venez de tracer pour notre futur. Je n'ai pu refuser ces deux «artistes» que vous savez, mon cher commissaire, car les plus grands musées les ont exposés – sauf le nôtre.

— Ah bon, avait fait Quevedo d'un air dégoûté, vous aviez pourtant dit que nous n'accepterions jamais...

— Les pressions ont été trop fortes, que voulez-vous, cher commissaire en chef ! Ne pas les exposer aurait fait dire par les autres conservateurs que moi, Gerbraun, je n'étais qu'un *Schwein Retrograden*. Et, pour le coup, n'importe quel petit musée de province aurait pu se prévaloir d'être nettement plus avancé que nous autres en ce qui concerne l'Art moderne... Donc obtention de rallonges substantielles pour ce qui est des budgets, rallonges en quelque sorte tirées sur le Futur, etc. Bref, permettez-moi, justement à propos de ces deux *anartistes*, de vous traduire de l'allemand quelques extraits de ce «scatalogue», que j'ai justement là, de leur dernière exposition à Berlin : *Est-ce si important de ne pas les confondre puisque l'un et l'autre disent ne faire qu'un, et travaillent à une seule et même œuvre. Une œuvre bouleversante qui a commencé et s'est développée avec eux-mêmes en «sculpture vivante». Ces deux artistes en complets-veston à trois boutons ont atteint une immense célébrité, s'exposant dans les plus hauts lieux de l'art contemporain européens mais aussi au Japon, en Russie, en Chine... Leur plus grande rétrospective a été cependant celle proposée au musée d'Art moderne de la ville de Paris il y a deux ans de cela...* Bref, avait continué Gerbraun, cherchant plus loin. Ah, voilà ! *«Nous ne pouvons nous passer de manger, cracher, pisser. Quant à chier n'est-ce pas plus important que tout, alors pourquoi pas en art ?» déclarent-ils posément, n'hésitant pas à appeler un cul un cul, à parler pisse et merde plutôt que d'excréments, à se déculotter dans les pires positions. Bref, à remettre en cause les règles morales, repousser les conventions sociales, démythifier le sexe, le dissocier de la culpabilité...* Et pour finir, avait conclu Gerbraun, lisant toujours : *Ces deux artistes intelligents et courageux s'en prennent à tous les sujets tabous en payant cher de leur personne, par*

exemple en s'humiliant, parmi des images sca-
tologiques, au pied d'une croix de merde...
Voilà, mes amis, ce que nous allons bientôt
exposer au Grand Musée. Et savez-vous où, Bergamme ? Mais dans la salle Courbet, eh oui !

— Comment ? Devant *L'Origine du monde* ?

— Où voulez-vous que ces deux «artistes»
s'exposent si ce n'est devant le «tableau précur-
seur de notre œuvre» – ainsi le nomment-ils
dans la préface à leur «scatalogue», comme vous
dites, Bergamme... dont je viens de vous lire
quelques extraits.

— Si vous acceptez une chose aussi insane
sous prétexte que Courbet en peignant *L'Origine du monde* ouvrait la voie à ce futur-là, je
vous préviens Gerbraun, je vous préviens, moi
je produirai un acte artistique aux conséquences
irréparables. Et de plus, c'est promis, je vous
tuerai comme le *Schwein* que vous êtes !"

"Ensuite, je ne me souviens pas... J'étais
revenu à la conscience, allongé à terre, tenu
aux bras et aux jambes par Quevedo, Gerbraun
et quelques gardiens accourus, paraît-il, aux
échos désagréables de mes cris lesquels, m'a-
t-on dit plus tard, s'entendaient à travers les
cimaises jusqu'aux salles d'exposition du musée."

V

Quevedo avait supplié Bergamme de rester bien tranquille auprès de lui dans son bureau. Avec beaucoup de gentillesse et de précautions, il avait déroulé le matelas sur lequel il dormait d'habitude et, malgré les réticences de Bergamme, il l'avait forcé à s'allonger sous la table, près de Bull qui somnolait paisiblement. Et, tout en gardant les yeux fixés sur les consoles de surveillance, Quevedo avait cherché à distraire Bergamme :

"Mon cher Bergamme, avalez ce thé bien fort et restez allongé sans parler, je vous en prie, avait dit Quevedo de sa voix douce et compatissante. Vous sortez d'une fameuse crise, je vous assure, et même Bull vous regarde de ses bons yeux pleins d'amitié. Moi-même, je suis votre ami, nous vous voulons tous du bien dans ce musée, que ce soit Roberte, Elise, Josette, ainsi que notre conservateur en chef Gerbraun. Même le vieil Alf parlait de vous avec beaucoup de sympathie. Tenez, voulez-vous que pour vous distraire je vous raconte l'étonnante histoire de Bull ? Souvenez-vous, je vous en avais fait la promesse dans les débuts de votre arrivée parmi nous. Depuis, je le reconnais, trop d'événements se sont bousculés dans notre Grand Musée, ainsi n'en ai-je pas encore eu le temps. Apprenez, mon cher Bergamme, avait continué Quevedo, par quelle suite de hasards vraiment étonnants, Bull est devenu mon inséparable compagnon et ami."

Après une légère pause, Quevedo avait continué presque en chuchotant, espérant qu'en parlant sur un ton bas et monotone Bergamme finirait bien par s'endormir :

"Vous devez savoir que les activités expérimentales conduites sur des hommes dans un but purement scientifique sont illicites dans notre cadre juridique européen… et, ce qui est très important, même si le sujet a donné son accord. Voilà quelles sont les barrières que la recherche scientifique médicale doit *forcément* contourner pour faire avancer le Savoir et donc l'efficacité des soins concernant les personnes… et, depuis peu – grâce à quelqu'un dont je vais vous parler –, même les animaux destinés à la vivisection. Bien sûr les chercheurs modernes sont des despotes et le moindre doute quant aux bienfaits de la science, comme le disait Joseph de Maistre, est sacrilège. Là est la grande question : faut-il ou ne faut-il pas faire confiance à la médecine moderne et à ses méthodes despotiques ? Si je vous cite Joseph de Maistre, avait continué Ernesto Quevedo, c'est qu'une certaine personne que j'ai beaucoup aimée tenait les écrits de ce «grand catholique» pour essentiels, à tel point qu'à force de les poser entre nous comme des dogmes immuables, ces mêmes écrits ont fini par creuser entre elle et moi une faille devenue à la longue infranchissable. Cette personne était désirée par *tous* les hommes non parce qu'elle était sexuellement désirable comme il arrive de certaines femmes qui ne sont qu'appels sexuels… mais, au contraire, parce qu'elle avait une façon de… comment dire ? maintenir son sexe entre ses jambes si serrées, si précieusement à elle et à personne d'étranger à elle, qu'il était impossible de penser à autre chose que d'atteindre cet objet si précieux et apparemment inaccessible. Si vous voulez une image définissant la sorte de désir que cette femme suscitait, disons qu'elle aurait été de celles qu'on violerait volontiers… si on était soi-même charbonnier ou garagiste… sur une table de cuisine bien bourgeoise, quitte à renverser les sauces et à écraser œufs et gâteaux sous les convulsions d'une rapide et rageuse étreinte. On aurait à vrai dire aimé humilier, voyez-vous, on aurait aimé décompliquer la chose en humiliant, oui, c'est bien cela, une femme qui prétendait posséder un trésor quand à vrai dire son sexe n'avait pas plus d'intérêt que ce chignon de cheveux d'un blond magnifique qu'elle tordait en une torture si serrée que là aussi on aurait aimé que cette chevelure soit brutalement libérée par des mains noircies de cambouis et rugueuse de cals. Pour être précis, cette femme si bizarrement attirante, nous l'avions surnommée : La Falaise – car elle était «ingrimpable», ainsi que ça se dit vulgairement. Encore une variation sur *L'Origine du monde*, allez-vous penser, mon cher Bergamme. Eh oui, de quoi sont obsédés les hommes si ce n'est, pareils à ces beaux poissons d'argent, de remonter vers la source quitte à mourir, comme ce pauvre Alf, oui, expirer devant cette étroite ouverture par laquelle nul n'a pu repasser aussi entier qu'à l'aller ? Cela vous fait sourire, cher Bergamme, avait continué Quevedo, heureux de voir s'éclairer le visage tourmenté de ce petit homme pour lequel il ressentait une si vive sympathie. Bref, en un mot, cette femme était incroyablement catholique, oui, comme je croyais que cela n'existait plus depuis des centaines d'années. Et plus je découvrais son «ingrimpabilité» plus je voulais évidemment la «grimper» le plus vulgairement et catholiquement possible. C'était un peu comme Bull et la papillon de ma propriétaire...

— Ah, ah, Quevedo, encore !!!??? avait crié, d'un ton joyeux, Gerbraun, réapparaissant dans le petit bureau. Racontez, racontez ! Vous le savez bien, je suis insatiable de cette merveilleuse histoire... le séchoir à cheveux... le cadavre de la petite chienne paraissant endormie sur le paillasson de sa maîtresse...

— Désolé, monsieur Gerbraun, ce n'était que comme exemple... Je racontais à Bergamme, qui semble enfin s'assoupir... oui, je racontais comment j'avais connu une personne prodigieusement désirable justement parce qu'elle présentait – comme la petite papillon de ma propriétaire – un total et infranchissable obstacle à toute entreprise de grimpabilité.

— Sublime, ah, sublime, Ernesto... un instant, ah... je meurs de rire ! Et alors ?

— Et alors... Heu... Nous l'avions surnommée La Falaise – car ingrimpable, oui, monsieur, absolument ingrimpable par quelque face que ce soit...

— Ah, je suffoque... quel conteur merveilleux vous faites mon très cher Ernesto !... Et ensuite ?

— Ensuite... Heu... Ce qui la rendait ingrimpable c'est qu'elle avait en quelque sorte fossilisé la catholicité. C'était une catholique à l'ancienne manière, si l'on peut dire... Les cuisses serrées, toujours, aussi bien métaphoriquement que pour de vrai… et ça, croyez-moi, c'était très très excitant. Ne lisant que Joseph de Maistre, ne citant que ce Maistre, allant jusqu'à s'approprier une phrase comme celle-là, qu'elle m'a jetée à la figure chaque fois que je tentai de vaincre ce mur vertigineux de superstition sexuelle intransigeante : *Je crois*, disait de Maistre, *que la superstition est un ouvrage avancé de la religion qu'il ne faut pas détruire…*

— Pas si sotte, la garce !

— Oh, bien loin d'être sotte, et même incroyablement intelligente pour une catholique qui, plutôt que pratiquante, était avant tout une espèce de philosophe de la catholicité militante contre les ambitions démesurées des hommes de science, qui s'imaginent pouvoir *tout* expliquer. «La recherche scientifique mène droit à ne plus prier, disait-elle, puisque la science perturbe le dialogue entre Dieu et l'homme. Donc la science doit être rabaissée.» Oui, voilà ce que disait cette femme aux jambes tellement serrées qu'il n'était pas question d'y introduire ne serait-ce qu'une feuille de papier à cigarette…"

Gerbraun l'avait interrompu avec impatience :

"Mais dites-le tout de suite : l'avez-vous grimpée cette Falaise oui ou non ?

— Par une gratitude inattendue envers moi, oui, elle m'a permis de la grimper et regrimper… et cela grâce à ce pauvre Bull… dont je vous montrerai tout à l'heure avec quelle sauvagerie il a été recousu.

— Quoi ? Vous entendez, Bergamme, ce fou de Quevedo nous raconte n'importe quoi…

— Pas du tout n'importe quoi, avait réagi Quevedo, car voilà comment j'ai grimpé La Falaise, et pourquoi et de quelle manière. Si je vous disais que cette personne militait contre

313

toute expérience *in vivo* sur des cobayes, qu'ils soient humains ou qu'ils soient d'espèce animale, vous comprendrez, monsieur, que même la plus infranchissable des falaises, pour peu qu'elle soit habitée par une passion, surtout quand cette passion est humanitaire, devient, grâce à l'échelle que représente cette passion, éminemment grimpable et regrimpable.

— Mais cessez donc de répéter et répéter ce mot ridicule, Quevedo ! Quelle était donc cette passion qui la rendait éminemment… ?

— L'antivivisectionnisme militant, comprenez-vous ? Elle organisait des commandos *hard* pour délivrer les animaux soumis aux curiosités malsaines de chercheurs sans imagination, sans conscience et sans scrupules.

— Ah, voilà Roberta, s'était écrié joyeusement Gerbraun. Ecoutez ça, notre Quevedo est en train de nous faire mourir de rire…

— Mais que fait donc Bergamme sous la table ?

— Doucement, je crois qu'il dort. Il vient d'avoir une crise épouvantable, avait dit Quevedo étouffant sa voix, et j'ai pensé qu'un somme près de Bull lui ferait du bien. Il est presque émouvant de voir combien Bull s'est attaché à lui. Etrange Bergamme qui, par je ne sais quel charme, séduit tout ce qu'il approche…

— Allons, Quevedo, vous nous faites perdre notre temps, l'avait interrompu Gerbraun. Et alors ? Cette personne ingrimpable, comment avez-vous donc fait pour la grimper ?

— Je vois, avait dit Roberte mi-dédaigneuse mi-amusée. De *quoi* ne peuvent s'empêcher de causer les hommes pour peu qu'ils soient ensemble sans nous ?

— On cause de *qui* ont ce *quoi*, chère Roberta… Ou pour le dire avec élégance et à

314

la française : «Des personnes du sexe.» C'est bien comme ça que cela se dit, n'est-ce pas ? Reconnaissez-le, Roberta, comment penser à autre chose quand on vit entouré d'un monceau d'œuvres produites par ces grands névrosés sexuels que sont évidemment les peintres ? Pour un Courbet qui a osé aller droit au fait, combien d'œuvres – si ce ne sont toutes – cachent plus ou moins génialement cette obsessionnelle *origine du monde*... un peu comme votre Falaise, n'est-ce pas Quevedo ? avec ses chignons tordus à plusieurs tours et ses jupes qu'elle croyait évidemment décentes quand elles ne moulaient que davantage ce qu'elle croyait dérober...

— En effet, monsieur, vivant les cuisses tellement serrées, on peut dire en permanence sur son *quoi*, qu'il était impossible de songer à autre chose qu'à ce *quoi* dérobé avec tant de constance et de soin...

— Que seul, selon ce que j'ai compris, un type astucieux, tel que vous, ayant trouvé le «sésame» aurait réussi à... heu... déverrouiller ?

— Voyez, notre voleur de tableaux vient d'ouvrir les yeux", s'était écriée Roberte, s'agenouillant sur le matelas et prenant les mains de Bergamme.

Mais Gerbraun et Quevedo continuaient :

"Et alors, Ernesto, s'était impatienté Gerbraun, et alors, cette Falaise ?

— Eh bien, ainsi que je vous le disais, cette Falaise était, sous ses airs serrés, une femme passionnée... non, non, ne vous exclamez pas monsieur Gerbraun !... passionnée d'antivivisectionnisme...

— Ah, Ernesto ! Ernesto, je parie que vous l'écririez avec un *x* !

— Si vous m'interrompez, je me tais...

— Désolé, Quevedo, je n'ai pu laisser passer cela... Continuez, continuez, dorénavant je me tais...

— Donc, cette Falaise était passionnée d'antivivisectionnisme, ou si vous préférez c'était sa façon de s'opposer à la curiosité scientifique. A vrai dire – et ça elle ne le savait pas – cette Falaise était une *romantique* puisqu'elle prétendait à ce qu'on ne sépare surtout pas la connaissance de la sensibilité. «Je refuse, disait-elle, la notion d'objectivité, notion toujours évoquée lorsque ces monstres-chercheurs définissent l'idéal de la recherche scientifique qui doit révéler les "objets" étudiés tels qu'ils existent indépendamment de nous.» Voilà ce qu'elle disait avec dans la voix une sorte de sifflement haineux, si bien que je n'aurais pas été étonné que dans la fureur de sa passion «antiscience» elle finisse par sortir un revolver de son sac à main pour descendre un des chercheurs d'un certain labo qu'elle et ses amis militants avaient repéré comme étant le lieu des plus abominables expériences de vivisection.

— Au fait, au fait, Quevedo ! Epargnez-nous les considérations périphériques. Comment avez-vous fait pour la grimper, cette Falaise ?

— J'ai sauvé Bull, monsieur. Voilà !

— Et alors ? Comment avez-vous pu la grimper en sauvant Bull ?

— Ou je vais au fait... ou vous voulez que je détaille.

— Au fait... en détaillant juste ce qu'il faut...

— Eh bien sachez que cette femme exceptionnelle m'avait enrôlé au sein d'un commando

316

qui, profitant d'un long week-end, devait investir par effraction ce fameux laboratoire de recherche *in vivo* et libérer le «matériel» après avoir forcé à grand-peine toutes les cages.

— Vous n'allez pas nous dire que vous, Ernesto, vous auriez participé...

— Je l'ai fait. J'ai non seulement aidé à sortir des cages une quantité de singes, de chats, de chiens... mais aussi des rats... et aussi des souris blanches. Nous avions entassé le tout dans une camionnette rangée au fond d'une impasse derrière le labo. Mais surtout, je ne sais pourquoi, frappé par la détresse d'un grand chien étendu sous perfusion, je me suis acharné à le porter... malgré ses pansements poisseux de sang, et contre l'avis de tous qui prétendaient l'abandonner vu sa taille et son poids...

— Quoi ? C'était Bull, vraiment ?

— Houapp !

— Affirmatif, a-t-il confirmé. Vous voyez bien qu'il comprend tout ce que l'on dit ! Son intelligence quasi humaine me ferait croire que les expériences tentées sur lui... Ah, j'aime mieux ne pas y penser ! Couché, mon vieux Bull ! Je raconte en effet comment tu es entré dans ma vie...

— Houapp !

— Et La Falaise ?

— Doucement, monsieur, doucement ! Donc pour être bref : je ne sais pourquoi, séduit en quelque sorte par le regard rempli de souffrance que posait sur moi ce chien, j'avais, contre l'avis des autres membres du commando, pris la décision de me charger de lui.

— D'accord, on a compris. Séduite par votre geste admirable, et pour vous en récompenser, La Falaise s'était enfin abandonnée à son grimpeur. C'est bien cela Quevedo ?

— C'est cela... mais c'est aussi autre chose, monsieur. Ce n'est qu'à partir du moment où Bull, soigné par un ami médecin, remis en état, avec l'aide quotidienne, constante et passionnée de ma chère Falaise... oui, ce n'est qu'à partir de cette tension compassionnelle qu'une très très belle histoire d'amour a commencé à...

— Une autre fois, Quevedo, une autre fois ; rien n'est plus lassant que les histoires d'amour car elles se ressemblent toutes ! avait désagréablement crié Gerbraun en se sauvant.

— Gerbraun, vous êtes un *Schwein* ! s'était soudain manifesté Bergamme en sautant brusquement du matelas où il gisait jusqu'à présent près de Roberte et de Bull.

— Calme-toi, calme-toi, mon petit Bergamme, répétait Roberte, l'entourant fermement de ses bras.

— Nous sommes tous des *Schwein*, vous le savez bien, Bergamme !" avait crié Gerbraun, sans se donner la peine de revenir sur ses pas, à l'instant de disparaître au bout du couloir.

Et il s'était engagé avec bruit sur les successives échelles de fer reliant les passerelles des différents étages du musée.

VI

Se remémorant comme pour lui-même, Bergamme avait continué avec un petit sourire mauvais : "Oui, je me souviens parfaitement qu'à peine Gerbraun avait-il disparu du côté des passerelles, qu'accédant aux sollicitations de Roberte – qui, ainsi que la plupart des femmes sensuelles, adorait les histoires d'amour – Quevedo avait commencé à nous raconter avec une délectation agaçante... et avec des détails fastidieux que je vous épargnerai, comment, grâce au sauvetage du chien Bull, il avait réussi à se faire aimer «passionnément», prétendait-il, par cette femme que son apparence froide et rigide avait fait surnommer La Falaise. «Ce qui, avant tout, me fascinait chez cette Falaise, avait dit Quevedo, c'était son intelligence volontairement anticartésienne, antigaliléenne même, je vous assure, oui, une forme d'intelligence on pourrait dire entièrement resserrée sur la *sensation* et donc refusant ce que Descartes nommait "l'entendement". Elle mêlait une froideur intellectuelle quasi glaciale en tout ce qui pouvait concerner les hommes, je veux dire les humains, ou pour mieux dire l'humanité, à des excès de sensibilité qui la mettaient presque constamment au bord des larmes quand il s'agissait de ce qu'elle nommait "la vie innocente". Elle ne se rendait pas compte qu'étant chrétienne elle aurait dû adhérer à cette vision cartésienne de la Nature que l'on pourrait se représenter comme un ensemble enchevêtré et *tourbillonnaire* de particules invisibles et cependant beaucoup plus réelles que cette prétendue réalité qui ne relèverait que de la sensation. Par le fait que l'ensemble de ce qui palpite naît et meurt ne serait seulement qu'une série d'engrenages grossièrement assemblés – et donc en quelque sorte les rouages bruts d'une vaste machine à produire ces mouvements plus ou moins complexes nommés "vie" –, ne devrions-nous pas y voir la preuve que par-delà cette machine-vie que serait l'ensemble de ce qui bouge, dévore, se dissout, il y aurait *Le Souffle*, que faute de terme plus précis nous avons nommé l'âme ? Et que cette âme n'habite que nous autres, dits les humains… Eh bien non ! La Falaise donnait âme à tout ce qui vit, refusant cette vision d'un monde peuplé de machines dont les unes ne seraient que des machines brutes tandis que les autres, bien qu'étant des machines aussi, auraient, elles, quelque part logé au centre secret de leurs rouages, ce *Souffle* qui en ferait des êtres quasi divins dont la tâche serait de maîtriser, de faire plier… et au besoin détruire par n'importe quels moyens ce que nous nommons la Nature. "Il n'y a pas de preuve, disait-elle, que nous ayons en plus une âme alors que le reste de ce qui vit en serait dépourvu. Tout ce qui vit, non seulement souffre mais *sait* qu'il souffre. N'est-ce pas bien là la preuve que ce *Souffle* l'habite comme il nous habite nous ?" Voilà ce que me disait La Falaise, poursuivait Quevedo ce jour-là, reprenant le fastidieux discours de ceux que je nomme "les humanistes-pour-chiens-et-chats" dont cette pauvre Falaise était un exemple parfait. On aurait pu penser, ajoutait encore Quevedo, juste quelques instants avant que ne survienne le second "accident" du Grand Musée, m'avait dit Bergamme toujours couché sur le dos, oui, on aurait pu penser qu'une femme douée d'une telle sensibilité pouvait se passer de quelque religion que ce soit, eh bien non, pour elle le Christ était venu sur terre non seulement pour sauver les hommes mais aussi et peut-être surtout pour sauver de notre méchanceté les chiens, les chevaux, les chats et tout ce qui vit y compris les insectes… en vérité pour nous alerter nous autres les humains contre notre capacité de distribuer la souffrance. "Mais ma petite Falaise, lui disais-je, tout en lui caressant le genou un peu plus haut que le genou, poursuivait Quevedo, comment peux-tu, ma petite Falaise, être à la fois chrétienne et croire que l'ensemble du vivant serait habité par ce que tu nomme *Le Souffle*?…"» Mais voilà qu'à ce moment précis, avait dit Bergamme brusquement agité, le récit du commissaire Quevedo s'était arrêté net car un cri épouvantable, immédiatement suivi d'exclamations horrifiées accompagnées de bruits inhabituels, nous avait tous fait sursauter. Une très forte agitation se faisait entendre du côté des passerelles métalliques où venait d'avoir lieu un «accident» tout à fait étrange… Oui, oui, m'avait dit Bergamme, insistant, je vous prie d'y mettre de solides guillemets ! Le jeune hygrométreur Félix – vous savez celui qui avait eu le malheur de déchiffrer les notes marginales d'Alf dit Le Crapaud – venait d'effectuer une chute mortelle depuis le cinquième étage de cette sorte de puits intérieur par lequel se faisaient les va-et-vient du personnel affecté au Grand Musée. Il faut bien comprendre qu'il n'était pas question, pour les responsables du Grand Musée, d'emprunter à tout moment l'escalier central menant aux différentes salles d'exposition. En permanence envahi d'une foule compacte, grossière et puante qui avait la prétention de se gorger de peinture avec la même avidité que de bière, c'est à peine s'il était possible d'en franchir les marches. Restaient donc les passerelles métalliques, dites de secours, par lesquelles on pouvait ainsi aisément accéder par l'envers des cimaises aux différentes salles d'exposition. Par le fait même de leur étroitesse et du peu d'efficacité des rampes de sécurité, ces sortes de raccourcis raides et sonores reliant les étages vous donnaient évidemment l'insidieuse envie de pousser, comme sans le faire exprès, par-dessus bord, ceux que vous y croisiez, continuait Bergamme, car pour être francs nous devrions tous admettre que cet obscur désir est naturel à notre espèce, avouons-le, et donc naturel à nous tous ! Si de plus nous avons *une bonne raison* d'envoyer comme par hasard un bon coup d'épaule déstabilisateur au passage de quelqu'un *de trop*, je ne connais pas meilleure occasion de transformer en «accident» un acte qui jamais ne pourra être vécu comme criminel puisqu'il s'impose à tous, et qu'il nous est nécessaire de réfréner continuellement dans ce que l'on nomme la vie courante… Il faut bien l'admettre, cette pulsion d'intime vitalité, qui nous invite à faire le vide autour de nous pour demeurer autant que possible seuls dans cet univers peuplé exclusivement d'éléments rivaux agités symétriquement par les mêmes pulsions que les vôtres, relève d'une force plus ancienne que la vie, plus ancienne que notre monde, plus ancienne peut-être même que le flux mystérieux qui se serait manifesté à l'origine de la Création... Bref, avait poursuivi Bergamme, le jeune hygromé-treur Félix venait d'être tué *à point*, figurez-vous ! Je l'avoue, j'étais... content, je dirais même sa-tis-fait... et à la fois saisi d'épouvante : voilà donc, pour la seconde fois, qu'une force incon-nue me débarrasse, oui pour la seconde fois *à point*, d'un dangereux témoin possédant assez d'éléments pour mettre la police des fraudes artis-tiques sur la piste des tableaux volés. D'avoir lu le rapport d'hygrométrie annoté par Le Crapaud venait donc d'être fatal à cet insignifiant petit Félix ! J'en étais navré, croyez-le ! Evidemment, je n'y étais pour rien – disons directement – mais d'y avoir pensé, et que cela ait eu lieu, faisait de moi... heu... je dirais une sorte d'assassin par procuration, puisque *je savais* ! Oui, je *savais* que Gerbraun – pour la seconde fois, là aussi – m'avait inconsciemment obéi. Etait-il possible que ma prétendue folie ait pu me donner l'exor-bitant pouvoir de rendre un Gerbraun assassin... comme par mon désir secret ils l'étaient tous devenus en ce qui concernait Alf le Crapaud ? Serait-il possible que moi, Bergamme, je sois devenu Dieu ? me disais-je. Qui d'autre que Dieu a le privilège de «rappeler à Lui», sans avoir à bouger, ceux qu'il choisit ?"

Après un silence pendant lequel je continuais à écrire aussi rapidement que possible, m'appli-quant à ne sauter aucun mot de sa confession, Bergamme avait continué de sa voix haletante :
"J'étais donc enfin devenu moi-même Dieu, comprenez-vous, comme Nietzsche, comme

Hölderlin et combien d'autres !... Oui, Dieu toujours réincarné !"

Après un nouveau silence :
"Et ainsi le sera-t-Il en moi jusqu'à ma mort que je sais imminente. Notez, notez, et n'oubliez surtout rien de ce que je viens de vous confier !" Voilà ce que m'avait dit Bergamme cette fois-là avant de me prier de le laisser !

Quelques jours plus tard, alors que j'étais de nouveau assis près de lui sur mon tabouret, Bergamme avait poursuivi :
"Si étonnant que cela paraisse, figurez-vous que la mort du jeune hygrométreur Félix – «banal suicide» en conclurent les enquêteurs ! – fut quasiment passée sous silence, et classée plus rapidement encore que celle du vieil Alf. «On» tenait absolument à ce que rien ne vienne troubler en quoi que ce soit la réputation du Grand Musée dont les manifestations imposées par le jeu des pouvoirs, à l'échelle internationale, entre commissaires, conservateurs et historiens de l'art, prenaient toujours «mon» *Origine du monde* comme point de départ limite d'une «aventure prémonitoire» de l'art moderne que le troisième millénaire commençant était destiné à sublimer. On le sait aujourd'hui, et cela a été analysé par les commentateurs les plus subtils et les plus intelligents des grands courants artistiques du XXᵉ siècle finissant, la dénégation a été l'arme unique et infaillible que tous les grands artistes de cette époque de mutation ont utilisée pour mettre en relief ce que l'on a nommé un peu trop cliniquement «le refoulé». Ainsi, à travers

leurs trajectoires, découvre-t-on que les musées ne recèlent pas seulement de simples tableaux ni seulement des œuvres limpides et prétendument belles mais d'évidents «obscurs objets *perdus* du désir» que les excès centralisateurs de la civilisation dite occidentale nous auraient fait *perdre* de vue. Ce n'est alors qu'à travers les tentatives de ces artistes novateurs du vieux XXe siècle qu'une tout autre lecture de l'histoire de l'art a pu se faire. Partant donc, à la fois naïvement et cyniquement, de ce principe de modernité, et prenant toujours pour paradigme *L'Origine du monde*, les organisateurs des méga-expositions internationales – qui toutes obligatoirement passent par le Grand Musée – se sont alors mis à privilégier les fantasmes régressifs de ceux qu'ils considèrent comme *leurs* «artistes» – puisque c'est eux qui les choisissent, les conseillent, les sanctionnent au besoin s'ils dévient de la ligne souhaitée. Ces inventeurs véritables, bien qu'occultes, de l'aventure artistique moderne, ces conseilleurs d'«artistes» faiseurs *d'anartistes*, aujourd'hui décident au plus haut niveau, qu'ils occupent solidement, quel sens donner à l'histoire de l'art en se plaçant dans cette perspective volontairement retournée où les œuvres contemporaines ne se trouvent pas justifiées par les œuvres du passé… mais tout au contraire, par une inversion de l'histoire et du temps, voilà que c'est elles qui éclairent les œuvres des maîtres anciens d'une lumière présente et orientée. Ainsi, par exemple, *L'Origine du monde* trouve sa justification par les excès qu'elle justifie aujourd'hui. On l'a coupée de son avant pour la soumettre à son prétendu après. Voilà pourquoi, moi Bergamme, avait poursuivi Bergamme, je me suis désigné pour la soustraire au travail de falsification de cette masse de conservateurs et de commissaires qui parasitent la création contemporaine. Alors vous comprenez maintenant ma révolte devant ce basculement de l'histoire de l'art, et que cette révolte justifiée, légitime, nécessaire, ait pu me conduire à la série de crimes qui m'ont valu ce définitif enfermement !"

Après avoir laissé passer un long silence que je m'empêchais d'interrompre, Bergamme avait continué, gardant toujours les yeux clos, occupé par une colère froide qui le faisait bizarrement articuler ce qu'il avait à dire :

"Imaginez que ces fonctionnaires, devenus les véritables «maîtres» des arts d'aujourd'hui, ont réussi à briser la fameuse «chaîne» à laquelle se référait avec une émouvante et presque stupide candeur le vieux Paul Cézanne – cette chaîne d'œuvres successives qui partait des premiers signes tracés de main humaine sur une paroi, jusqu'à ceux, cinquante mille ans plus tard, que la même main humaine s'obstine encore à tracer en interrogation du Mystère !... oui ces manipulateurs placés aux points stratégiques de la divulgation des œuvres contemporaines ne font que lutter activement contre toute création portant en soi l'Enigme car ils ont la prétention de vouloir tout élucider. Voilà pourquoi vous les voyez exulter devant leur nouvelle machine à rendre éternelles des œuvres vouées ainsi, justement par cette éternisation de leur aspect, à une inexistence perpétuelle ! De tels assassins ne méritaient-ils pas d'être tous a-ssa-ssi-nés comme ils avaient décidé d'a-ssa-ssi-ner les œuvres ?"

J'évitais de bouger ; c'est à peine si je respirais. Enfin, pour la première fois, Bergamme semblait vouloir aborder franchement *le sujet*. Jusqu'à présent il s'était volontiers confié sur les motivations qui l'avaient conduit à dérober les différents tableaux qu'il entassait dans sa mansarde ; il n'avait pas non plus été trop restrictif sur le sort de ces tableaux et sur la façon dont il les avait "poursuivis" vers leur *inachèvement.* Il n'avait pas hésité davantage à parler de *L'Origine du monde* et de ses projets concernant cette œuvre si bien gardée ; il m'avait parlé aussi très librement de Gerbraun, de Quevedo-et-son chien, de Roberte, et aussi d'Elise... évitant cependant d'aborder de front le comment de leurs morts successives dont il tenait cependant à s'avouer "plus ou moins directement responsable", m'avait-il dit. Et même en ce qui concernait Alf l'hygrométreur, il m'avait paru évoquer sa fin avec d'étranges hésitations, comme s'il se savait coupable... et non coupable à la fois. Ne signifiait-elle pas la disparition d'un témoin devenu dangereux par sa bienveillance et son désir sincère de préserver Bergamme en le débarrassant presque de force de toutes les œuvres compromettantes qui encombraient sa mansarde ?... Quant à la chute mortelle de Félix, le jeune hygrométreur, cela ne faisait aucun doute : nul autre que Gerbraun – à part lui, Bergamme – n'avait intérêt à ce que les notes d'Alf restent ignorées. "Je l'ai évidemment tué à distance en imposant mon souhait secret à Gerbraun, mais rien ne doit transparaître de ce *pouvoir* redoutable dont je suis le seul à connaître la foudroyante efficacité." Voilà ce que se disait Bergamme en se penchant, saisi de vertige, aux côtés de Roberte, par-dessus la rampe, dans le puits central du musée ! Il se sentait tout à coup léger, libre et sans soucis… bien qu'effrayé d'avoir été si facilement exaucé. Possédait-il vraiment ce *pouvoir* ? "Etais-je dans Gerbraun au moment où, croisant le jeune Félix sur l'étroite coursive, le coup d'épaule fut donné ? Ou était-ce Gerbraun qui de lui-même avait saisi l'occasion ?" Oui, voilà ce que se disait Bergamme réfrénant de brusques tremblements qu'il savait annonciateurs de crise. Cette confusion, entre lui et Gerbraun, dans la culpabilité lui était intolérable. "Comprenez-moi, m'avait-il dit, poursuivant ses confidences, j'aurais préféré être l'acteur direct de cet «accident»… comme pour Alf j'aurais aimé être sûr de l'avoir blessé moi-même avec mon propre cutter, alors que les explications confuses des uns et des autres me laissent terriblement inquiet sur ma réalité, voyez-vous… ou tout au moins mon rapport à la réalité des autres." Pour ce qui était de Félix, l'apprenti hygrométreur, il était certain que ce malheureux avait bien fait la chute mortelle qui l'avait aplati au fond du puits central comme un simple insecte. Que ce Félix ne soit plus là pour témoigner de ce qu'Alf le Crapaud avait bien vu chez Bergamme mettait aussi bien Gerbraun que Bergamme à l'abri. Donc le résultat était là, incontestable, satisfaisant. C'était une vérité vraie à laquelle Bergamme s'accrochait. Restait maintenant Roberte qui *savait* pour authentiques les prétendus faux qu'elle n'avait pas su voir pour vrais dans la mansarde du voleur de tableaux. Mais Roberte était une alliée, presque une complice davantage attachée à ce "merveilleux Bergamme" comme elle disait par les petits plaisirs clandestins qu'elle lui donnait que par ceux qu'il pouvait lui donner de son côté, plaisirs auxquels elle semblait tenir quand même par leur côté amusant plutôt que satisfaisant.

"Ne crains rien, mon petit Bergamme, avait-elle chuchoté contre sa joue, alors qu'ils s'étaient précipités, avec Quevedo et quelques gardiens accourus en même temps qu'eux, au-dessus du puits où gisait minuscule et lointain le corps aplati du jeune hygrométreur, oui, mon petit Bergamme, sois tranquille, ta Roberte a oublié si même elle avait vu chez toi les fameuses œuvres volées, quand elle y était venue. Maintenant que le vieil Alf et son assistant ne sont plus parmi nous pour dénoncer quel génial détourneur de tableaux tu peux être, plus jamais personne ne te soupçonnera ni ne te mettra en question… et surtout pas notre conservateur en chef Gerbraun, tu t'en doutes… Vois comme il se tient impassible près du corps sans vie de ce pauvre Félix que des brancardiers s'apprêtent à faire glisser sur une civière ! Je suis persuadée que notre conservateur en chef est rassuré à l'idée que maintenant personne n'ira déchiffrer les notes marginales tracées par Alf sur les rapports d'hygrométrie tenus par cette gentille Josette – dont l'évidente incompétence montre bien à quel point le vieil Alf privilégiait celles qui, dans le Grand Musée, acceptaient avec bonne humeur de lui offrir la vision unique, obsessionnelle et terriblement fixe de «l'objet» de ses désirs éperdus." Voilà ce que Roberte avait chuchoté, pour ainsi dire d'un seul souffle, contre la joue de Bergamme, alors qu'ils se penchaient tous les deux par-dessus la rampe donnant sur le puits profond de cinq étages, où maintenant ne restait, sur le carrelage taché, qu'une silhouette schématique tracée à la craie bleue, par les premiers policiers accourus, à la place où l'instant d'avant gisait encore le cadavre du jeune hygrométreur Félix.

VII

"Ah, quelle chance de vous rencontrer ! Je souhaitais tellement parler avec vous, avait dit Josette Goldmiche la jeune assistante d'Alf l'hygrométreur en chef, au moment où – quelque temps après la mort de Félix – elle croisait Bergamme dans la pénombre des «plombs». Venez de ce côté, il n'y a personne, avait-elle ajouté, baissant la voix et l'entraînant par la main dans une des niches creusées à même l'amalgame de tableaux mis au rebut. Je savais que vous dormiez assez souvent ici en clandestin. Ce pauvre Alf me l'avait dit, Quevedo aussi... d'ailleurs personne n'ignore que vous évitez autant que possible de sortir du Grand Musée, et que vous répugnez de plus en plus à regagner le soir la mansarde où vous vivez. Est-il vrai que vous collectionnez des copies de tableaux volés ?...

— En effet, je collectionne, mais d'authentiques tableaux... Et, dites-moi, comment êtes-vous au courant, Josette ? avait demandé Bergamme sur un ton qu'il s'efforçait de rendre aussi léger que celui de la jeune femme.

— Oh, j'ai à ma disposition un véritable réseau d'écoute, avait-elle dit en riant de son rire si frais...

— Ah bon ?...

331

— Oui, j'en sais beaucoup plus que vous ne pouvez le croire. Je suis de nature très curieuse… et puis j'ai été en quelque sorte *dressée* par le vieil Alf que tout le monde appelait Le Crapaud – ce qui ne lui déplaisait pas, avait-elle ajouté en émettant encore une fois ce rire si frais qui avait particulièrement séduit Bergamme lors de leur première rencontre dans ces mêmes «plombs», alors qu'elle se cachait nue sous un édredon aux côtés du vieil hygrométreur.

— Et c'est Alf qui vous a parlé de ma collection de… de… tableaux ? s'était inquiété Bergamme.

— Non… disons que ça se sait… tout se sait derrière les cimaises du Grand Musée ; il faut que vous en soyez conscient. Vous ne pouvez imaginer combien ce pauvre Alf était un homme scrupuleux, que ce soit pour les taux d'hygrométrie ou pour les rapports que les femmes de ménage devaient lui remettre chaque fin de semaine, avant de partir en week-end. Comme ça rien ne lui échappait de ce qui se passait dans les coulisses du Grand Musée ! Sa passion était de tout savoir. Il tenait à jour des dossiers sur chacun où il consignait à mesure le moindre mot, le moindre événement. C'était sa façon à lui de passer les week-ends, pendant que moi il m'obligeait à mettre à jour les registres d'hygrométrie sur des cahiers spéciaux où il ajoutait des remarques personnelles de son écriture de vieux maniaque.

— Et lisiez-vous ces remarques ?

— Evidemment ! A dire vrai je ne les lisais pas vraiment… je les lisais sans les lire car son écriture était indéchiffrable et tout en abréviations. Si je trouvais un J. ou un J. G. alors je cherchais à savoir un peu pourquoi moi ?… et puis j'abandonnais… Au fond que m'importait ce

qu'il pouvait écrire dans les marges de mes registres d'hygrométrie. Après sa mort, et avant de
mourir lui-même, Félix a bien un peu essayé…

— Et alors, et alors ? avait fait Bergamme,
manquant soudain de souffle. Qu'a-t-il lu sur
ces registres ?

— Mais rien… Des bizarreries, m'avait-il dit…

— Des bizarreries ? Dites, dites, quelles bizarreries ?

— Pas tout de suite, je vous en parlerai tout
à l'heure…

— Qu'a-t-il lu ? A-t-il vraiment lu ? Vous a-t-il
dit ce qu'il avait lu ?

— Il a essayé de lire… mais il a très vite abandonné. Je vous le dis : les remarques du vieil
Alf étaient indéchiffrables, et ce qu'il ajoutait
aux rapports d'hygrométrie ne concernait que
lui et ses manies d'obsédé… Sauf… sauf…

— Sauf quoi, Josette ? Ah, dites-moi, dites-
moi ! avait supplié Bergamme, pressant sa poitrine, à l'endroit du cœur, craignant terriblement
qu'elle n'ait été quand même mise au courant
de ce que l'indiscret Félix avait bien pu déchiffrer concernant les tableaux volés.

— C'est justement à ce sujet que je voulais
vous voir, avait enfin dit Josette toujours rieuse.
Ne vous énervez pas comme ça ! Et pas de
crise, s'il vous plaît ! Ah, Bergamme, vous êtes
trop agaçant, à la fin ! Allons, venez là."

Elle s'était étendue sur une des couches des
"plombs", et doucement, bien qu'avec fermeté,
elle l'avait attiré auprès d'elle, comme on tire à
soi un enfant.

"Vous souvenez-vous de cette première fois
quand vous m'avez vue ?

— Evidemment, vous étiez très belle… Mais
dites-moi… Félix…

— Attendez ! Vous nous aviez surpris, le vieil Alf et moi ici même, vous souvenez-vous, justement sous ce même édredon... Et de qui vous avait-il parlé presque aussitôt ?

— Je... je ne crois pas m'en souvenir...

— De Gerbraun, voyons, et de ce qu'avait raconté Félix à son sujet... avec Elise, souvenez-vous... Elise et Gerbraun, vous devez bien vous en souvenir, non ? Il n'y avait pas plus mauvaise langue qu'Alf le Crapaud. Je lui disais toujours : «Sais-tu que tu es une triple mauvaise langue, Alf ?» Il adorait ! Eh bien, le lendemain de la mort vraiment très anormale, il faut bien le dire, de mon pauvre vieux Crapaud, Gerbraun m'avait fait appeler dans son bureau pour que je lui indique où Alf rangeait ses dossiers compromettants. Il m'avait même forcée à l'accompagner jusqu'au petit laboratoire que vous avez vous-même visité, souvenez-vous, et où ce maniaque poursuivait des expériences d'hygrométrie, non seulement sur des tableaux mais aussi sur des insectes et même sur d'affreux petits animaux qu'il avait réussi à se procurer... Connaissez-vous les rats-taupes-glabres ?...»

J'interromps un instant ce dialogue que Bergamme m'avait rapporté avec une délectation presque émouvante, tellement il prenait plaisir à évoquer "les agréables moments, m'avait-il dit, passés avec la si jolie, la si fraîche et si rusée Josette Goldmiche sur une des répugnantes paillasses des «plombs»". Voilà donc pourquoi cette interruption : comme on va le voir, elle nous ramène à *L'Origine du monde* de Courbet car telle était la force d'attraction de cette peinture. Derrière les cimaises du Grand Musée, rien n'échappait à cette attraction, comme si sa seule présence, non pas en tant qu'œuvre d'art mais comme choc déstabilisant, suffisait à infléchir et à distordre toujours dans un même sens l'ensemble des tensions.

Oui, voilà donc les faits :

Un jour, Le Crapaud avait eu connaissance d'un phénomène particulièrement extraordinaire relatif à la science hygrométrique. Tout le monde sait comment fonctionnent les sociétés de fourmis, de termites, d'abeilles ou de certaines espèces de guêpes. Ces insectes, et eux seuls, possèdent les traits distinctifs des sociétés supérieures – nommées "eusociétés" par les entomologistes – dans lesquelles de rares individus, uniquement, se chargent de la reproduction, tandis que le reste de la population, toutes générations confondues, se répartit l'ensemble des tâches et l'élevage des jeunes. Cette spécialisation, que l'on croyait réservée exclusivement à ces sociétés d'insectes, voilà que par un hasard curieux on l'a retrouvée chez une sorte unique de mammifères. Des colonies de rongeurs fouisseurs vivaient, parfaitement inconnues jusqu'à présent, dans les déserts arides du Kenya – là où les taux d'hygrométrie se révèlent les plus bas de la planète. Sans ces taux d'hygrométrie remarquablement bas jamais l'hygrométreur en chef Alf ne se serait intéressé à ces rats-taupes-glabres – car ainsi furent nommés ces rongeurs fouisseurs, par les éthologues qui les avaient découverts. N'étant ni des rats ni à proprement parler des taupes, leurs corps nus, ridés et dépourvus de poils, présentant de plus l'exemple même de la parfaite

335

laideur, ces rats-taupes-glabres avaient immédiatement passionné le vieil Alf qui voulut en posséder quelques sujets pour tenter sur eux des expériences hygrométriques dans le genre de celles qu'il poursuivait jusqu'à présent sur certains petits insectes qu'il tourmentait sans pitié. Donc, dans le plus grand secret, quelques rats-taupes-glabres lui furent livrés au musée. Seule Josette son assistante fut mise au courant de la présence de ces petits animaux à l'aspect embryonnaire qu'elle fut chargée de nourrir en cachette, et auxquels, malgré leur extrême laideur, elle avait évidemment fini par s'attacher. Nus, roses, la peau toute plissée de la tête à la queue, ces rats-taupes-glabres étaient vraiment très répugnants. Et, bien sûr, ce n'étaient pas les quelques vibrisses qui leur poussaient au bout du museau ni leurs incisives hors de proportion qui risquaient de les faire accepter pour de petits animaux *normaux*. Ces incisives proéminentes leur servaient en quelque sorte de pics pour creuser sous les déserts arides du Kenya d'interminables galeries, quant à ces vibrisses hérissant le museau de ces bizarres fouisseurs, elles leur servaient d'approche tactile pour se diriger dans la totale obscurité de leurs galeries. Il faut savoir que ces petits rats-taupes, restés invisibles et donc inconnus jusqu'à ce que le hasard les fasse découvrir, ne faisaient rien d'autre que de creuser la terre en de vastes réseaux s'étendant sur plusieurs kilomètres, à une profondeur moyenne de cinquante centimètres à un mètre sous les terres calcinées des déserts kényans. "*Heterocephalus glaber*, n'est-il pas comique leur nom ?" avait précisé Josette, détaillant pour Bergamme, étendu près d'elle sur une des paillasses des "plombs", les mœurs de ces petits rats-glabres auxquels elle avait fini par s'attacher avec tant de passion que Le Crapaud en avait été irrité... car de son côté il ne voyait en eux que de simples sujets d'expériences hygrométriques. En quoi ces petits animaux, jusqu'à présent inconnus, pouvaient-ils servir l'hygrométreur en chef, au point qu'il ait tenu à en posséder dans son laboratoire d'hygrométrie comparée ? En voici la raison : d'après les travaux des sociobiologistes qui ont étudié les colonies de rats-taupes-glabres, il se trouve que le taux d'hygrométrie nul des espaces arides où ils survivent aurait mis ces bizarres petites bêtes dans la nécessité d'inventer une forme d'organisation sociale capable de pallier les terribles insuffisances dont elles avaient à souffrir. Le fonctionnement d'une fourmilière ou d'une ruche semblait la seule solution viable dans ce milieu obscur, torride et sec. Et c'est ainsi que pour la première fois au monde cette sorte de construction sociale s'est organisée chez des mammifères. Une colonie de rats-taupes-glabres compte en moyenne une centaine d'individus constamment occupés à creuser le sous-sol du désert pour y trouver, parfois à d'assez grandes distances souterraines, les racines et les rares bulbes dont se nourrit la communauté. Mais ce qui est remarquable, c'est que chaque colonie n'a *qu'une seule mère*. Sauf mort accidentelle – auquel cas elle se trouve immédiatement remplacée –, une "reine" unique, comme celle des abeilles ou des fourmis assure la reproduction, et donc la perpétuation de l'espèce. Fécondée en permanence par un à trois mâles tout au plus, elle arrive à mettre bas jusqu'à cinq portées par an – chacune comprenant dix à vingt petits. Ce cas de "reine" est unique chez les vertébrés, surtout que cette "reine" allaite seule ses successives portées jusqu'au moment où elle passe le relais à ses sœurs qui, pareilles aux ouvrières que l'on trouve chez les abeilles, les fourmis ou les termites, sont asexuées. Comment se fait-il que ces ouvrières soient toutes stériles... à vrai dire plus ou moins provisoirement ? Car, si pour une raison quelconque la "reine" de cette colonie disparaît, l'ovulation reprend chez l'une ou l'autre de ces "ouvrières" restées sexuellement neutres jusque-là. On ne sait si c'est le fait que la "reine" utilise presque toute l'humidité disponible dans la petite colonie, ce qui lui faciliterait l'émission d'une substance chimique, un phéromone qui stopperait la maturation sexuelle de ces "ouvrières" – qui, elles, sont condamnées à survivre dans une ambiance de dessiccation absolue –, ou bien si c'est son agressivité qui provoquerait un stress tel qu'il bloquerait le développement ovarien des autres femelles du groupe... En tout cas, ce mystère avait beaucoup excité Alf qui pensait avoir enfin mis la main sur la preuve que l'hygrométrie se trouve à la base de toutes les manifestations sexuelles, et que l'humide et le sec régissent les sociétés, comme ils régissent le développement biologique du vivant... ainsi que la survie des chefs-d'œuvre de l'art – qui évidemment pour lui faisaient partie des plus mystérieux fantasmes sexuels agitant le subconscient de l'humanité. Dans son esprit troublé par une insatisfaction sexuelle quasi constante, il pensait que seule l'hygrométrie, c'est-à-dire l'humide, et pour être vraiment plus précis : le féminin appliqué aux êtres comme aux choses de l'art, avait quelque chance de sauver non seulement le monde mais aussi l'univers. Ainsi, parallèlement à sa surveillance des appareils hygrométriques du Grand Musée, précipitait-il dans d'épouvantables expérimentations ses malheureux rats-taupes-glabres qu'il soumettait, dans des bacs en verre, à des variations de dessiccation et d'humidité proprement horribles. Cela, Josette ne pouvait le lui pardonner, et c'est ainsi que dès la mort du Crapaud elle s'était empressée de "libérer", en cachette, dans la partie la plus obscure et la plus confuse du musée – c'est-à-dire les "plombs" – ses rats-taupes-glabres. "Au moins, avait-elle dit à Bergamme, ces pauvres petites bêtes peuvent maintenant forer à volonté leurs galeries dans cette masse de tableaux mis au rebut comme ne se sont d'ailleurs pas gênés de le faire des générations de commissaires et de gardiens, pour ménager ces «niches d'amour» où nous sommes en ce moment." Bergamme trouvait Josette jolie et d'une gaieté tout à fait charmante, et il m'avait avoué avoir fermé les yeux de plaisir quand, avec le même naturel qu'il l'avait vue la première fois se lever nue et sortir de cette niche en y abandonnant le vieil Alf, elle s'était rapidement défaite de ses habits pour se glisser, tout en riant de son rire si frais, contre le petit Bergamme sous l'édredon déchiré.

"Et figurez-vous, m'avait dit Bergamme, riant de son rire aigre à ce souvenir, qu'au moment où j'atteignais presque... oui, à l'instant où j'étais sur le point de... comment dire ? de me perdre dans cette sorte de nuit originelle débouchant sur ce que l'on peut nommer l'unique félicité qui soit au monde, ne voilà-t-il pas que la

Goldmiche se redresse, me faisant rouler sans égards près d'elle sur la paillasse : «Oh, petit Bergamme, regarde, mais regarde-les donc, les voilà justement mes mignons rats-taupes-glabres ! Ils ont entendu ma voix et ils sont tout de suite venus pour se faire voir ! Avoue qu'ils sont vraiment adorablement laids !» désignant, dans un rayon de clarté, non loin de nous au fond de la niche des «plombs», d'étranges petits animaux en effet parfaitement glabres et fripés en train de copuler comme des petits fous parmi des lambeaux de toiles déchirées. «N'est-ce pas merveilleux, avait encore dit Josette, la liberté retrouvée pour eux dans cette masse de tableaux pourris les a miraculeusement rendus à leurs sexes ! Ah, si ce pauvre Alf pouvait voir ça, comme il serait troublé !» Elle s'était levée, impudique et belle, faisant : «Psik, psik !» mais à la brusque apparition de cette blancheur nue, les rats-taupes-glabres avaient prudemment disparu dans leur trou.»

Voilà ce que m'avait dit Bergamme, évoquant d'une voix devenue douce et désolée ce moment "paisible comme un rêve", m'avait-il avoué en chuchotant.

VIII

Ensuite, Josette Goldmiche était revenue s'allonger près de Bergamme sur la paillasse des plombs : "Oui, dommage que ce vieux fou d'Alf n'ait pas pu voir ça avant de mourir : copuler des rats-taupes-glabres entre les toiles pourries ! Car à force d'observer ses petits prisonniers dans son laboratoire d'hygrométrie comparée, avait-elle continué, ce vieux fou d'Alf s'était persuadé que l'humanité ne pouvait avoir d'autre solution, en tant qu'espèce vertébrée mammifère, que de prendre exemple sur ces petits animaux si laids et si peureux. «Nous sommes en train de créer les conditions de surpeuplement qui vont nous précipiter, entre autres, dans des problèmes hygrométriques *presque* insurmontables... à moins... à moins que nous n'adoptions les mêmes solutions que ces colonies de rats-taupes-glabres», disait-il, réjoui à l'idée d'un si sombre avenir. Car, selon lui, si l'espèce humaine prétendait continuer à étendre sa prise de possession sans limite de l'univers et donc évidemment à se multiplier indéfiniment, «oui, notre espèce, disait-il, n'a plus qu'une solution : se doter de la même organisation et des mêmes structures sociales que les insectes. Ne les imitons-nous pas déjà par les coques protectrices de nos machines, leur vitesse de déplacement sur terre dans l'air sous terre et dans l'eau ainsi que par l'instantanéité de nos communications ? Jusqu'à présent, disait-il encore, nous pensions ne pouvoir au mieux que les *imiter*, c'est-à-dire reconstituer artificiellement ce qui pour les termites ou les abeilles était devenu *naturel* à force de ne pas "être" mais de "fonctionner" parfaitement. Car avant tout, le nombre innombrable dans lequel nous sommes en train de nous dissoudre en tant qu'individus, ce nombre innombrable qui jamais plus ne cessera de se multiplier et donc d'annuler ses parties, exigera de l'"animal humain" l'abandon de cette animalité faite d'émotion, de haine et d'amour, de liens consanguins et de rejets meurtriers, bref tout ce qui fait un individu, au profit du "fonctionnement" où seul ne compte que ce qui peut être strictement utile à l'espèce. Jusqu'à présent, disait encore Alf, il me manquait la preuve que des mammifère seraient doués d'une plasticité suffisante pour passer à de telles formes d'organisation sociale sans abandonner leur sang chaud, leur viviparité, et, à part deux ou trois veinards voués à la pérennité de l'espèce, leur sexualité compliquée faite de délices égoïstes et de vices plus ou moins assumés. Et voilà qu'en découvrant ces colonies de rats-taupes-glabres que le hasard a soumis à un régime vital implacable, presque identique à celui d'une planète sans eau et sans surface viable, oui voilà que tout à coup l'avenir de notre espèce m'apparaît maintenant assuré sur cette planète vouée justement à devenir une surface desséchée… à condition… à condition que nous-mêmes devenions des rats-taupes-glabres-humains. Pour cela, nous devons principalement faire l'abandon de notre sexualité, soit volontairement en libérant nos femmes de leur embarrassant utérus, de sorte que la reproduction de notre espèce se fasse dans des sortes de cocottes-minute, disait-il par une sorte de plaisanterie que je détestais, poursuivait Josette, riant du vieux Crapaud, soit en réussissant, par des manipulations biologiques devenues aujourd'hui aisées, à trouver un raccourci génétique qui nous ferait muter vers l'état de rats-taupes-glabres, état grâce auquel l'humanité pourrait enfin déléguer l'ennuyeuse tâche de nous reproduire à quelques stupides "reines" et à quelques priapiques "mâles-bourdons". Car il ne faut pas l'oublier, toute l'énergie de ces futures sociétés d'hommes-rats-taupes-glabres passera dans un travail d'humidification ininterrompu que nécessitera leur survie dans le plus hostile des milieux.» Voilà ce que disait le vieil Alf, poursuivait Josette, toujours nonchalamment étendue sous les «plombs», au grand amusement de Bergamme. Mais ce n'est pas tout ! avait encore dit Josette Goldmiche. Selon ce vieux fou, cette humanité vivant dans un milieu de dessiccation totale et donc devenue asexuée, c'est-à-dire réduite à fonctionner sèchement, avec en arrière-plan une fatale et terrible obsession du manque sexuel, une sorte de religion du sexe inaccompli prendrait alors naturellement forme. Ainsi nous, ces sortes de rats-taupes-glabres... mais cependant humains, ces presque insectes... mais quand même humains serons-nous forcément obligés d'inventer un symbole représentant ce terrible manque, prétendait-il, avait dit Josette.

— Ah, Josette, c'est trop comiquement beau ! Ce n'est pas possible, tant de comique beauté ! s'était écrié Bergamme, soulevé d'un méchant

rire enthousiaste sur sa paillasse des «plombs»,
non, ce n'est pas possible ! Alf voulait-il dire...
voulait-il vraiment dire que ce serait donc à
L'Origine du monde de devenir...

— Exactement, que ce serait en effet à *L'Origine du monde* de devenir «l'icône, assurait-il,
d'une religion hygrométrique rendant hommage
à l'humide matriciel du Féminin». Voilà pourquoi lui-même, se vivant comme le fondateur
de cette religion à venir, et précédant en quelque sorte ce futur culte vulvaire, exigeait de
nous de si humiliantes et ridicules exhibitions
devant son tableau-icône de la salle Gustave
Courbet."

"Vous imaginez, m'avait dit Bergamme presque réjoui d'évoquer ce dialogue avec Josette,
au fond d'une des sordides niches des «plombs»,
vous imaginez bien quel pouvait être mon
étonnement amusé à l'idée de ce culte rendu à
L'Origine du monde. Je comprenais maintenant
pourquoi Alf le Crapaud, sachant quels étaient
mes projets au sujet de ce tableau, avait souhaité
mieux me connaître dans l'espoir presque avoué
de s'allier à moi pour le décrocher, le placer en
un lieu secret connu de nous seuls... pour
finalement m'écarter à mon tour, je suppose..."

"Nous avons tout entendu car cela fait déjà
un moment que je me trouvais dans la niche
voisine avec quelqu'un qui vous aime beaucoup, Bergamme, avait dit Elise, apparaissant
tout à coup, enveloppée d'une couverture déchi-
rée dont les jours laissaient voir un peu partout
sa peau nue. Devinez qui est avec moi ? Ne

craignez rien, Bergamme, Roberte n'est pas du tout jalouse de vous découvrir en aparté avec Josette, pas plus que vous ne devez l'être de la découvrir en un pareil aparté avec moi. Elle m'a chargée de vous le dire. C'est elle qui, vous entendant dans la niche voisine, et passionnée comme moi par ce que disait Josette à propos du vieil Alf, m'a poussée à vous dévoiler notre présence. Pouvons-nous nous joindre à vous ? J'espère, Josette, que vous n'y voyez aucun inconvénient ?

— Oh, moi ? Mais pas du tout, au contraire, avait dit Josette, riant toujours de son rire si frais.

— Bonjour, mon petit Bergamme ! Bonjour Josette !"

Roberte venait d'apparaître à son tour, elle aussi presque nue, le visage marbré du rose délicat des plaisirs interrompus.

"En effet, comme Elise vous l'a dit, nous vous écoutions car tout s'entend d'une niche à l'autre, et c'est bien ce qui fait le charme de ces sortes de chambres creusées dans les vieilles toiles pourrissantes par des générations de commissaires, de conservateurs et de gardiens. Nous devons accepter cette ambiguïté du Grand Musée qui, tout en prétendant éterniser les œuvres des maîtres anciens et modernes, a pour vocation de les *détruire* d'une manière ou d'une autre, que ce soit en les dupliquant ou en les laissant mourir secrètement dans ce cimetière… que nous seuls, qui animons le Grand Musée, connaissons… et que nul autre que nous ne doit sous aucun prétexte connaître. Je ne te cache pas, mon petit Bergamme, qu'Elise et moi nous sommes venues cette fois-ci jusqu'à ces «plombs» par pure indiscrétion. Ayant été avisé par un gardien de votre présence dans ces combles, Quevedo m'avait fait prévenir. «Pourquoi Bergamme avec Josette Goldmiche ?» s'était-il étonné. Comme Elise et moi nous nous apprêtions à y monter…

— Ernesto se mêle un peu trop de ce qui ne le regarde pas, avait dit Josette. D'abord nous ne sommes pas montés ensemble dans ces «plombs» mais c'est le hasard qui nous a fait nous rencontrer ici. Je reconnais que cela tombait bien car j'étais curieuse de savoir de Bergamme lui-même si c'est vrai… *ou faux* ? qu'il collectionne les copies… *ou les vrais* ? tableaux volés depuis ces dernières années dans les musées. Et surtout s'il est vraiment vrai qu'il s'était introduit ici, comme le prétendait Alf, dans le but de dérober *L'Origine du monde*… ou du moins son duplicata… Car nul ne sait si l'original se trouve bien toujours dans la salle Courbet… et même s'il existe encore…

— Ne craignez rien, je peux vous affirmer que c'est toujours l'original, avait dit Roberte, en venant tout naturellement s'allonger près de Josette et de Bergamme sur la paillasse où Elise aussi venait de se faire une place… Pour le moment, avait dit encore Roberte, jouant distraitement du bout des doigts avec les longs cheveux de Josette, ce tableau reste lui-même et le restera pendant un certain temps car la liste d'attente est bien longue, vous pouvez l'imaginer, des œuvres destinées à cette sorte d'immortalité."

Prenant Bergamme par le cou, Roberte avait continué en riant :

"Mais tu ne dis rien ? Je m'attendais que tu réagisses, comme d'habitude, à l'évocation de nos travaux de duplication…

— Tout sera détruit, lui avait brièvement répondu Bergamme, l'air sombre. Ma décision est prise. Je vous ai tous condamnés."

"Oui, voilà ce que j'avais dit à Roberte, m'avait confié Bergamme peu de temps avant que ne cesse le lent débit de ses confessions. Ne croyez pas que j'étais décidé à quelque action violente contre ceux du Grand Musée. *Tout sera détruit*, oui, voilà les paroles exactes qui m'étaient venues en réponse à tant d'intolérables décisions. Reconnaissez-le, ces prétendus gardiens de l'art disposaient trop librement d'œuvres *uniques* dont à vrai dire ils étaient incapables de comprendre la profondeur, et surtout dont ils refusaient les motivations véritables, pourtant si visibles dans ces traces vives déposées par les peintres... dont moi, le nain Bergamme... qui veut bien s'admettre comme gravement fou, oui dont moi je suis l'héritier. Comprenez aussi que d'être Dieu puisse épuiser une tête fragile. Savez-vous que dans mes précédentes incarnations c'est d'avoir été Nietzsche qui m'a le plus épuisé l'esprit ? D'incarner Hölderlin m'avait été plus aisé. Trente ans de silence et de douce folie ne pouvaient qu'être un repos pour quelqu'un qui sans jamais se relâcher doit veiller au grand TOUT. Par contre souffrir Friedrich du dedans, passer mes journées à geindre et à crier sous les yeux d'une mère et d'une sœur à poigne, non ! seul Dieu peut S'infliger une telle épreuve, que de S'introduire comme un fer rouge dans l'esprit et le corps de l'homme le plus intelligent de son siècle. Mais ainsi Suis-Je fait ! Dieu doit de temps en temps devenir un homme. N'hésitez pas à noter, m'avait-il dit

347

en cherchant de sa petite main à me toucher le genou. Même si de telles affirmations vous paraissent incompréhensibles, vous me devez un témoignage fidèle. L'absurde est Vérité. Je suis Vérité, croyez-moi !" Voilà ce que m'avait dit Bergamme, ce jour-là.

Continuant le lendemain :
"Ce que je vous confiais hier est d'extrême importance. On dit en souriant gentiment : «Le pauvre type, il se prend pour Dieu.» Se prendre pour Dieu c'est être Dieu. C'est en accepter la souffrance. Par la révélation qu'est toute peinture, Léonard de Vinci ne se prenait-il pas, lui aussi, pour Dieu ? Ne disait-il pas : «Nous autres peintres nous rendons visible Dieu.» Ne disait-il pas aussi : «Lorsque la religion sera rejetée comme une entrave à la furie des vices, l'œuvre peinte entretiendra encore les hommes les plus pervers de la puissance de Dieu ! Notre art, disait encore Vinci, rend simples et sensibles les dogmes obscurs. L'artiste, sans cesse occupé à contempler la Création, rend au Créateur un perpétuel hommage. Où chercher Dieu sinon dans l'homme ?...» Je pourrais vous citer de mémoire l'intégralité de la dernière leçon de Léonard de Vinci, m'avait encore dit Bergamme. Vinci n'a-t-il pas écrit aussi cette phrase sublime : «Voici un Dieu qui pleure» ?" A peine avait-il prononcé ces paroles que pour la première fois depuis le début de cette confession Bergamme s'était lui-même mis à pleurer. Il pleurait très doucement, sans bruit, laissant simplement couler de longues larmes dans les creux de ses joues non rasées. "Et maintenant laissez-moi", m'avait-il dit avec un vague geste de la main.

Et le lendemain :

"Croyez-moi, rien ne pouvait m'amuser davantage que de me retrouver seul avec ces trois jeunes femmes dans cette niche des «plombs»... Mais, avant de poursuivre, je voulais vous dire que je suis désolé pour hier, et que rien ne m'est plus contraire que la sentimentalité des larmes. Donc oubliez cette faiblesse. Certains jours je suis Dieu, d'autres j'en suis moins sûr... tout en étant sûr de la phrase de Vinci : «Où chercher Dieu sinon dans l'homme ?» N'était-ce pas, lui aussi, s'affirmer soi-même Dieu ?..."

Après un silence, Bergamme avait continué, presque joyeux :

"Donc je trouvais très amusant d'être en compagnie de ces trois jeunes femmes plus ou moins déshabillées sur cette paillasse des «plombs». L'éclairage crépusculaire, la luminosité de leurs peaux en partie dénudées, les poses belles que ces corps de femmes prenaient sans le savoir, les couleurs assourdies des tissus froissés par les coudes, les genoux, les hanches... pendant que derrière elles des fragments de tableaux, dont il restait malgré les moisissures de larges parties peintes, luisaient doucement, oui, l'ensemble de cette vision me donnait l'impression que nous n'étions plus dans l'espace réel mais comme tombés dans l'étrange univers d'une œuvre ancienne, pleine de clair-obscur et de mystère... bien que trop moderne, à la fois, un peu comme à l'intérieur d'un collage fait de fragments grandeur nature, empruntés à différentes époques, dont nous n'aurions été que les éléments disparates... Je crois pouvoir vous dire, sans me tromper, avait continué Bergamme,

349

que nous nous trouvions entourés de femmes semblant peintes par Tiepolo, ainsi qu'en d'autres parties, moins creusées dans la masse, de femmes encore mais d'une facture plus récente pouvant être due à un Puvis de Chavannes ou à un quelconque préraphaélite anglais, auxquels il manquait de grands pans en quelque sorte effondrés sous le propre poids de la toile qu'alourdissait le pourrissement des pigments. Pour vous imaginer ce qu'étaient ces «plombs», il faut que vous vous représentiez quelque chose comme un millefeuille aux dimensions considérables, que l'on aurait posé vertical, et dans lequel des générations et des générations de gardiens de musée auraient foré des sortes de grottes, sans prendre à aucun moment souci des dégâts irrémédiables qu'une telle indifférence envers ces précieux vestiges pouvait occasionner aux couches successives de tableaux accumulés en ces lieux d'oubli. Tous ces tableaux *dormaient*, certains depuis bien des siècles, sans que personne ne se soit avisé de les préserver. Ils avaient été jetés «au grenier» du Grand Musée comme aujourd'hui on se débarrasse à la décharge des objets démodés de la technologie moderne... Sauf que l'humanité venant de tomber dans une ère de conservation et de sacralisation des moindres bribes abandonnées derrière eux par les artistes, ces «plombs» ouvraient soudain d'immenses perspectives pour les générations à venir dont les restaurateurs et les historiens d'une histoire de l'art définitivement arrêtée auraient pu, comme dans une antique carrière, puiser sans quasiment jamais l'épuiser les éléments d'une «relecture» de ce long parcours qui nous a menés à tirer un trait de deuil sur ce qu'on nommait «la peinture». Car, convenons-en, la peinture telle qu'elle était comprise jusqu'à l'aube de notre époque était... comment dire ?... non pas seulement et simplement de l'œuvre peinte mais surtout, oui surtout, et essentiellement, un *moyen*, avait insisté Bergamme, *le* moyen pour se saisir de ce que faute de le dire mieux il a fallu se résoudre à nommer «l'indicible»."

Voilà ce qu'avec son pessimisme habituel Bergamme m'avait confié en me priant, encore une fois, de le laisser maintenant.

IX

"Profitant de cet heureux hasard qui nous a réunies toutes les trois ici, à l'écart, avec toi mon petit Bergamme, avait dit Roberte, j'aimerais sans restrictions vous confier mes inquiétudes au sujet de la santé mentale de Gerbraun... Hier il a tenu devant moi d'étranges propos te concernant principalement, oui toi mon petit Bergamme, prétendant que Félix se serait jeté dans le vide *poussé par toi*...

— J'ai l'effroi de le croire moi aussi, s'était exclamé Bergamme très agité soudain. Gerbraun a raison : *c'est moi qui...* Il s'est jeté dans le vide... *mentalement* poussé par moi ?

— Voyons, mon petit Bergamme, calme-toi, avait dit Roberte, l'entourant de ses bras. Tu sais bien que tu te trouvais avec moi et Quevedo au moment où Félix...

— Oui, mais souviens-toi, Roberte, au moment où Gerbraun nous quittait je l'avais traité de *Schwein* tout en proférant en moi-même : «Toi, je te tuerai !» Ma pensée aurait alors dévié, comme il arrive que des balles ricochent et tuent à côté de là où elles devaient tuer ?

— Quel fou tu es, mon petit Bergamme ! En effet, Gerbraun méritait d'être traité de ce *Schwein* qu'il distribue avec tant de facilité... et bien souvent moi-même je me suis empêchée...

— Oui, continuait Bergamme ignorant ce que disait Roberte et toujours agité à l'extrême, oui, au moment où Gerbraun nous quittait, j'émettais en moi-même le souhait qu'il se tue, oui très clairement je m'étais vu le pousser par-dessus la rampe, je l'ai parfaitement vu tomber et s'écraser cinq étages plus bas... Et il a fallu qu'au même moment ce soit Félix... dont la mort ne m'était pas non plus aussi indifférente que l'on peut le penser... car Félix en savait trop... comme toi-même, Roberte, tu en sais trop d'avoir *vu*... comme vous Josette aussi vous en savez trop d'avoir été la dépositaire des cahiers d'hygrométrie du Crapaud... ainsi que vous Elise puisque vous vous trouviez avec moi au moment où je vous ai forcés, vous et Gerbraun, à me débarrasser du vieux Crapaud... qui, lui alors, en savait beaucoup trop... au point qu'il en est mort... Mais, avant tout, méfiance envers Gerbraun qui agit selon mes vœux les plus secrets...

— Tu veux donc nous prévenir que de savoir ce qui se trouve dans ta mansarde serait mortel ? avait dit en riant Roberte.

— Oui, j'en ai peur.

— Que d'en «savoir trop», comme tu viens de nous le laisser entendre, nous met tous en danger de recevoir la sentence prononcée, malgré toi, par ton imagination ?

— Oui, et que Gerbraun exécuterait. J'en ai vraiment peur, Roberte, et je pense que le mieux serait que vous me fassiez enfermer au plus vite, tant qu'il en est encore temps..."

Sur ces mots, Bergamme avait eu une crise prolongée d'une très grave intensité.

"Il n'y a rien d'invraisemblable à cela, m'avait dit Bergamme, poursuivant quelques jours plus tard cette confession aux accents de plus en plus étranges et comme dédoublés. Encore aujourd'hui je suis persuadé que par la seule manifestation de ma pensée j'ai assassiné in... *directement* tous ceux dont la mort inexpliquée avait précédé la catastrophe finale. Malheureusement, à cause de la fréquence de plus en plus rapprochée de mes crises, il y a comme des trous dans la chronologie des événements dont j'essaie cependant de vous communiquer le mieux possible chaque étape, avait-il murmuré en passant sur son front en sueur sa petite main qui tremblait un peu. Que s'est-il passé ensuite dans cette niche des «plombs» ? avait-il continué. Je ne pourrais rien vous en dire, bien que je me souvienne, par bribes, de lentes et troublantes images de femmes aux corps lascifs en étreintes mêlées dont je n'arrivais pas à départager la réalité présente de la réalité fictive d'œuvres anciennement peintes... comme si, se détachant des fragments de tableaux, nous entourant au fond de cette sorte de grotte des «plombs», et venant se mêler à celles d'aujourd'hui, avaient émergé vivantes, sensuelles, des femmes dénudées, saisies sur la toile en des époques lointaines par les plus grands maîtres anciens. Le temps s'était aboli, seule La Sensualité restait comme suspendue dans les gestes éternels des caresses amoureuses... Fugitive vision de laquelle je m'étais peu à peu réveillé pour découvrir que je me trouvais toujours dans cette niche des plombs et que les trois jeunes femmes étaient encore auprès de moi. Leur conversation chuchotée me parvenait vaguement, et ce qu'il me semblait en entendre était plus que passionnant car, vous le savez bien, ce que les femmes se disent entre elles, hors de l'écoute des hommes, ne peut pas ne pas être plus que passionnant. Quoi que nous fassions, nous resterons forcément à jamais des étrangers pour elles… ainsi qu'étrangères elles resteront à jamais pour nous. Donc fatalement elles parleront autrement pour nous qu'elles ne parlent entre elles. C'est évidemment ce mystère, que mutuellement nous représentons les *uns* pour les *unes* et les *unes* pour les *uns*, qui nous lie, et bien sûr pas cet impossible vœu de non-mystère que depuis la prise de conscience de leurs différences les deux sexes veulent à tout prix réaliser par un absurde désir d'abolissement. Ce serait vouloir confondre l'humide et le sec en une seule valeur, à l'inverse des sages principes hygrométriques du vieux Crapaud, ce visionnaire sûrement pas aussi fou que l'on pourrait le penser. Ainsi, au moment où je revenais à la conscience, Elise parlait de la mort du Crapaud, justement, et c'était avec une sorte d'effroi que je découvrais peu à peu que rien de ce qu'elle m'avait rapporté des circonstances de cette mort n'était tel qu'elle s'était efforcée de le revivre pour moi. Comment vous faire comprendre mieux ? continuait Bergamme. Pour les deux jeunes femmes qui l'écoutaient, elle disait la mort du vieil Alf tout autrement que pour moi. Ce n'était pas de l'homme Alf qu'elle parlait à Roberte et à Josette mais de l'être d'une autre essence sexuelle que la leur, oui, c'était cela ! Il y avait de la jubilation dans sa voix, comme si l'idée d'une sorte de sacrifice rituel, quelque chose de sauvage et de profane effectué devant *L'Origine du monde* éclairait après coup ce qu'elle m'avait plutôt décrit comme

le résultat d'un accident ridicule qui ne prête-
rait essentiellement qu'à rire... car pour nous
autres hommes, il faut bien le reconnaître, la
mort du Crapaud ne pouvait paraître que ridicule et même assez comique, non ? Ce n'était
ni Gerbraun ni moi qui avions donné le coup
de cutter mais bien Elise, et consciemment
comme aux temps des Ménades, qui elles aussi,
durant leurs transes sacrées, ne faisaient que
piquer à la poitrine la victime mâle offerte en
sacrifice au Féminin du monde. Cette piqûre
provoquant, croit-on, un tel effroi chez la victime qu'elle en mourait foudroyée. Et je comprenais peu à peu que c'était Alf lui-même qui
avait en quelque sorte mis en scène une paro-
die de mort sacrificielle s'offrant à cette *Origine
du monde* qu'il vénérait au-delà de tout. L'inattendu c'était qu'il avait succombé pour de bon.
Là était le comique de cette scène qui avait si
mal tourné. Me croyant assoupi auprès d'elles
sur la paillasse des «plombs», Josette et Roberte
ne prenaient guère de précautions pour parler
des étranges manies dont Le Crapaud les avait
rendues complices, elles aussi, et dont elles
riaient comme si ce qui leur venait de nous
autres les hommes ne représentait pas, loin de
là, le sérieux que ces manies avaient pour nous.
Car nous sommes tous de terribles maniaques
marqués au sexe comme au fer rouge, il faut
bien le reconnaître, avait dit encore Bergamme,
gardant toujours les yeux fermés sur son lit aux
draps en désordre. Bien sûr, je m'empêchais
de montrer à ces trois jeunes femmes que j'entendais tout ce qu'elles disaient, et surtout à
quel point me stupéfiaient les libertés qu'elles
prenaient avec les mots. Oui, les termes qu'elles
employaient montraient bien, par leur choix, à

quel point elles méprisaient, chez nous autres hommes, ces manies auxquelles elles se plient presque toujours avec à la fois une ironie secrète et une sorte de compassion maternelle plus proche d'une *habitude* ancestrale de soumission sexuelle, transmise de femme en femme depuis le fond des générations, que d'un choix libre exprimant cette sorte de désir trouble que les hommes souhaiteraient provoquer en symétrie du leur." Voilà ce que, presque sans reprendre souffle, m'avait dit Bergamme.

Et après un silence :

"Selon son agaçante habitude, un jour Gerbraun m'avait traduit un entrefilet trouvé dans ce journal allemand qu'il semble absorber chaque jour de la première à la dernière ligne. Il était question de la plupart des hôpitaux colombiens où *il est courant*, paraît-il, *que des césariennes soient facturées à des patients masculins.* «De n'y voir qu'un signe certain de corruption est trop facile, nous avait dit Elise qui se trouvait là par hasard ; permettez-moi de lire plutôt dans ces prétendues césariennes masculines la preuve matérialisée que votre inconscient collectif de mâles insatisfaits montre – peut-être mieux encore que la quantité inouïe de femmes nues peintes, dont les "plombs" de notre musée sont remplis – combien tenace et aveugle demeure votre jalousie d'hommes affligés d'organes sans mystères envers nous autres ces mystérieuses femmes qui sont, ont été, et quoi que vous fassiez resteront éternellement celles *à l'origine du monde.* – Mais quelle prétentieuse interprétation d'un vulgaire phénomène de racket médical, s'était exclamé Gerbraun ;

crois-tu vraiment, Elise, que notre inconscient collectif, comme tu dis, souffrirait de ne pas être... heu... – Evidemment, tout le montre ! – Ah bon ? – Voyons, Gerbraun, de quoi souffrent les hommes si ce n'est de ne pas être femme ? – Comment ? s'était exclamé Gerbraun, presque suffocant. – Bien sûr, continuait Elise, avec une petite grimace méchante sur les lèvres. De quoi êtes-vous en constant désir si ce n'est de posséder ce que vous n'avez pas ? Devant *quoi* vous agenouillez-vous, une fois que vous avez réussi à relever nos jupes ? – Mais, Elise... Mais, Elise... Cela suffit ! Non, non, pas en présence de Bergamme ! – Au contraire, avait poursuivi Elise, justement, en présence de Bergamme ! Réponds-moi, Gerbraun : existe-t-il un autre culte au monde que celui de ce *quoi* auquel toi, ainsi que tous les hommes, vous ne faites que penser depuis l'instant où vous avez dû vous en déloger ? Vous prétendez ne désirer que "le pouvoir" ? Mais qu'est-ce que le pouvoir ? Tu me diras que le pouvoir n'est après tout que la catégorie finale de toute économie. Je te répondrais : vous autres les hommes vous vous trompez : le pouvoir n'est pas une catégorie économique mais une catégorie psychologique... donc essentiellement un pouvoir *sacré*. N'étant évidemment plus qu'un vieillard libidineux, le vieil Alf prétendait cependant rendre un culte "sacré", disait-il, à *L'Origine du monde.* "Jusqu'à mon dernier souffle, disait-il, je me prosternerai devant les mystères du sexe féminin." Il souhaitait que les hommes deviennent un jour suffisamment humbles pour reconnaître enfin qu'il n'y a rien d'autre au monde que cette *origine du monde* par laquelle forcément ils ont tous fait leur entrée en ce monde,

et devant laquelle, lui, Alf, s'agenouillait hum-
blement… tout en ne pouvant s'empêcher de
désirer prendre le pouvoir, "un pouvoir sacré",
disait-il, sur cette *origine du monde*, cherchant
cependant, en oubli de ce "sacré", avec une
obstination fixe et bien triviale à nous empoigner par là où vous vous êtes toujours obstinés
à vouloir nous attraper. "Mon désir profond,
disait-il aussi, est d'être et homme et femme,
les deux à la fois… mais plus qu'homme j'aurais
aimé être femme et rien que femme pour posséder *vraiment*, dans une absolue intimité, cette
chose, oui ce sexe introversé plutôt qu'extra-
versé, oui cette chose, je dis bien, que nous ne
posséderons jamais complètement puisque
nous ne pourrons jamais posséder ce qui restera toujours comme l'attribut de cette autre
que nous n'avons jamais cessé d'envier." Oui,
voilà ce que disait Le Crapaud», avait dit Elise."

"J'approuve ces obscures paroles d'une rare
lucidité !" avait crié Bergamme, au grand étonnement d'Elise et de Gerbraun de le voir se
montrer d'un enthousiasme rétrospectif évidemment exagéré pour ce malheureux Alf,
mort – "par ma faute", disait-il –, d'une mort si
ridicule – "oui, par ma faute !" insistait-il –,
d'avoir su *voir* ce que ni Gerbraun ni Roberte
n'avaient été capables de *voir* dans sa mansarde.
"Ah ! continuait encore Bergamme, gardant toujours les yeux fermés, nous autres hommes,
nous ne nous consolerons jamais de ne pas
avoir été Femmes quand on songe que la vie
ne nous aura été donnée qu'une seule fois et
qu'ensuite la mort nous confondra tous, ne
laissant de nos corps qu'une poignée d'os, que

l'on retrouvera mêlés à la terre, sans que rien puisse faire reconnaître de quel sexe ils proviennent." Bergamme avait ajouté avec des accents de regrets étranges : "Au contraire de ce que la paresse intellectuelle humaine prétend, sans en avoir bien sûr la nette conscience, *tous* les hommes passent leur vie en désir du sexe de la femme, non comme un objet extérieur à eux qu'ils voudraient conquérir mais – ainsi que le disait très justement le vieil Alf à Elise – comme faisant partie de leur morphologie intime... Etre Femme !... Ah, être Femme ! Débarrassés enfin de cette insupportable inquiétude du mâle pour enfin, oui enfin, enfin ! se complaire dans la quiétude d'être Femme !... alors qu'on s'obstine à faire croire aux femmes qu'elles souffrent au plus profond, au plus inconnu de leur psychisme de ne pas avoir d'organes sexuels extérieurs – oui, ce fallacieux signe de supériorité !"

Ensuite, Bergamme avait parlé de Josette dont le souvenir semblait lui être agréable et à la fois l'attrister :

"Cette innocente jeune femme, m'avait entraîné, rappelez-vous, dans cette niche des «plombs», sous le prétexte d'avoir à me dire quelque chose, ou tout au moins à me poser une question qui, selon elle, la tourmentait depuis la mort de Félix. «Bergamme, m'avait-elle soudain interrogé malgré la fâcheuse présence d'Elise et de Roberte, est-il vrai, Bergamme, que les tableaux que vous avez dans votre mansarde ne sont ni des copies ni des faux ? – Qui vous a dit cela ? m'étais-je exclamé. – C'est Félix, m'avait-elle répondu avec ingénuité. Un peu avant qu'il ne fasse cette chute affreuse dans la cour intérieure du musée, il m'avait laissé entendre que, selon lui, Alf, dans ses notes en marge de mes relevés d'hygrométrie, avait émis quelques doutes quant à l'inauthen-ticité des tableaux que vous auriez en votre possession. – Félix croyait donc que ?... – Oui, avait dit Josette en riant, s'appuyant sur les notes d'Alf, et un peu par jeu Félix prenait plaisir à vous soupçonner, oui, vous, Bergamme, d'être le mystérieux voleur du *Chemin de Sèvres* de Corot, ainsi que de la plupart des tableaux recherchés par les polices spécialisées en œuvres d'art. "Si ce qu'affirme le vieil Alf est vraiment vrai, m'avait encore dit Félix, j'admire éperdument ce Bergamme comme le plus génial de tous les génies car arracher de telles œuvres aux cimaises de nos musées prouve une intelli-gence et un sang-froid remarquables." Oui, voilà ce que disait Félix ! m'avait affirmé Josette, poursuivait Bergamme, toujours étendu sur le dos. Comme Félix était d'une nature plutôt gaie, continuait Josette, et moi plutôt crédule, il aimait me raconter n'importe quoi... et si fou que cela puisse paraître, j'étais prête à le croire... – Mais ce n'était pas du tout n'importe quoi, Josette !» avais-je presque crié, ne pouvant réfu-ter des soupçons si agréablement flatteurs pour ma vanité. Pauvre Josette Goldmiche, me disais-je, naïve Josette !"

Bergamme s'était tu quelques secondes, atten-dant que je finisse de noter ses dernières paroles. Et il avait continué sur un ton presque gai :
"Vous pensez bien que je ne l'écoutais plus, épouvanté. Oui, me disais-je, comment cette

malheureuse peut-elle se douter que ses paroles si gravement indiscrètes viennent de la condamner… et de condamner en même temps Elise, puisque Elise les a entendues ? Quant à Roberte qui les avait aussi entendues… elle l'était déjà, condamnée, sans qu'en moi-même je me sois formulé explicitement cette condamnation. Il faut que vous le compreniez, avait-il insisté, *je* ne les condamnais pas, *ça* les condamnait ; le fait de savoir, *ça* condamnait obligatoirement à une mort brusque celui qui possédait mon secret. Quelqu'un en moi condamnait, malgré moi, vous devez vous en douter car personnellement je suis bien incapable de réaliser ces sortes de sentences imaginaires que mon esprit, lui, n'hésite jamais à appliquer fugitivement dans cet autre versant de la vie, proche du cauchemar, pareil à un bref électrochoc qui immanquablement précède mes crises."

X

Sans doute trop occupé par ses problèmes personnels, seul Quevedo, jusqu'à présent, semblait s'être tenu à l'écart au sujet des tableaux que Bergamme cachait dans sa mansarde. Plusieurs fois, ce nain fou – comme le nommait de plus en plus ouvertement Gerbraun –, ce nain fou qui ne cessait de se vanter de ses vols, avait fait allusion aux retouches apportées par lui, soit au Van Gogh soit au La Tour. Il avait même raconté, avec une exaltation disproportionnée, dont Quevedo s'était quand même un peu étonné, comment il avait "amélioré" *Le Chemin de Sèvres* de Corot sur lequel il s'était permis d'allonger les ombres et de brouiller certains détails afin de "l'inachever".

"Ah bon ! Très amusant, en effet... excellente idée, avait approuvé distraitement Quevedo, sans bien l'écouter.

— Ainsi, avait dit Bergamme en riant nettement trop fort, nous pouvons être tranquilles, ce tableau ne ressemblera jamais plus à ses reproductions. Comme d'ailleurs tous les autres en ma possession, figurez-vous mon cher Quevedo, je l'ai rendu à son unicité.

— Ah bon, pourquoi pas ? Excellente idée, mon cher Bergamme", avait une nouvelle fois répondu Quevedo, pensant évidemment à autre chose. Il trouvait les bavardages un peu délirants de Bergamme assez agréables. Ne le distrayaient-ils pas de ses préoccupations angoissées ?

Après un silence assez long, Bergamme avait repris :

"Savez-vous, Ernesto, que vous l'avez échappé belle ?...

— Ah bon ? Et pourquoi donc, Bergamme ?

— Votre manque de curiosité a fait que vous n'êtes jamais monté dans ma mansarde...

— Et pourquoi y serais-je monté ?

— Je vous l'ai dit : par curiosité, si vous en aviez eu davantage pour d'autres que pour vous-même.

— Ah, bon ? Je serais donc si occupé de moi que...

— Eh oui, que vous, le commissaire en chef de ce musée, vous n'avez pas attaché d'importance au fait que, jour après jour, le plus grand voleur de tableaux... oui, j'ose le dire : de tous les temps, vous ait proposé de visiter sa collection... Vous riez, Ernesto ? Riez ! En un certain sens, je dois vous le dire, vos préoccupations personnelles vous ont peut-être... et même assurément... sauvé la vie...

— Ah bon ?

— Mais oui, supposez que vous ayez été plus futé que Gerbraun ou Roberte qui, eux, n'ont pas su reconnaître l'authenticité des tableaux en ma possession... supposez que vous, Ernesto Quevedo, vous soyez monté dans ma mansarde et que voyant ces tableaux, comme l'a fait Le Crapaud, vous les ayez authentifiés, eh bien j'ai peur qu'à l'heure qu'il est Bull ne soit orphelin !

— Ah bon ?

— Mais bien sûr, Ernesto ! Coup sur coup : Alf le Crapaud... Félix... N'êtes-vous pas frappé

par le fait qu'Alf puis son assistant en hygrométrie soient morts brusquement dans d'étranges conditions, Alf après avoir *vu* «mes» tableaux
rendus à leur unicité par moi, et Félix ensuite
pour avoir appris, par les notes posthumes
d'Alf, ce qu'Alf savait.

— Ah bon ? Donc comme dans les mauvais
romans policiers à couverture jaune du dernier
millénaire il y aurait un secret qui tuerait ceux
qui...

— Mais absolument. *Mon* secret tue in-*directement* ! Mon secret est bien sûr responsable de ces
deux morts... comme il l'est d'avance de celle de
Josette dont c'est évidemment le tour... ainsi que
plus tard il le sera de celles de Roberte, d'Elise et
de Gerbraun au moment où elles auront lieu...
Quant à vous, Ernesto Quevedo...

— Bergamme !!! Bergamme !!! l'avait interrompu Quevedo, jouant la sévérité. J'ai peur
que cette fois votre délire ne dépasse ce qui
est acceptable. Vous devez absolument vous
faire soigner.

— C'est bien ce que j'ai toujours pensé... Il
y a longtemps que nous aurions dû soigner
Dieu."

Si j'ai rapporté cette conversation, et surtout
les derniers mots de Bergamme, c'est qu'elle a
été décisive justement dans le cas dit "le cas
Bergamme" : il ne faisait plus de doute pour
Quevedo que Bergamme était gravement atteint.
Donc il devenait nécessaire, sinon de l'enfermer,
tout au moins de l'éloigner du Grand Musée.
Pour cela, bien qu'il répugnât à Quevedo de le
faire, il devenait inévitable d'en parler sérieusement avec Gerbraun.

"Mais vous êtes ridicule, Ernesto, lui avait dit Gerbraun, nous n'allons quand même pas prendre au sérieux les extravagances de Bergamme !" Voilà ce que lui avait répondu Gerbraun. "Maintenant, ce fou en sait trop sur nous ainsi que sur le fonctionnement du Grand Musée. Ne serait-ce que d'avoir connaissance de l'immense pourrissoir d'œuvres que sont les «plombs» fait que nous ne pouvons plus le laisser partir. Il parlerait. Il ne doit pas parler hors des murs de ce musée. Imaginez le scandale ! D'autre part, vous n'êtes jamais monté dans sa mansarde ?

— Non, il m'a donné le détail de prétendus chefs-d'œuvre qu'il aurait dérobés dans différents musées... et qu'il garderait, entassés...

— Il ne vous a pas menti, Quevedo. Et que de plus il retoucherait pour les «continuer», jusqu'à les rendre méconnaissables. Il a fallu qu'Alf, par un hasard extraordinaire, ait eu l'idée de jeter un coup d'œil sur l'envers de ces toiles volées, pour y découvrir, déposées par les générations d'hygrométreurs qui l'ont précédé, les marques irréfutables de leur authenticité.

— Croyez-vous vraiment ? Comment faire confiance au vieil Alf ?

— Sur le moment, j'ai en effet douté. Surtout que les signes presque illisibles tracés par le vieil Alf sur les relevés hygrométriques tenus par Josette Goldmiche demandaient un certain apport d'imagination pour leur déchiffrement. Cependant, peu à peu, mes doutes sont tombés... et je dois vous avouer, Quevedo, qu'à mon grand effroi j'ai pris conscience du scandale qui *nous* menaçait, qui menaçait non seulement moi, vous, ainsi que tous ceux de notre musée mais *tous les conservateurs et tous les commissaires* du monde, ainsi que l'ensemble des spécialistes impliqués dans l'immortalisation du patrimoine artistique de l'humanité.

— Mais en quoi serions-nous menacés ? Qu'avons-nous à voir avec ces vols ?

— Mais, Ernesto, rendez-vous compte, que moi, ainsi que Roberta, *nous avons vu sans les voir, ces tableaux,* dans la mansarde de Bergamme, avait soudain crié Gerbraun d'une petite voix hystérique. Nous les avons *vus sans les voir* et surtout sans nous rendre compte que c'était le vrai Corot, le vrai La Tour, le vrai Van Gogh, le vrai Degas, le vrai Monet... terriblement abîmés par les retouches de ce nain fou... mais terriblement vrais cependant. A notre place, un conservateur en chef japonais se suicidait à l'instant même.

— Et que fait un conservateur en chef allemand ?" avait demandé Quevedo, fixant Gerbraun droit dans les yeux.

"Imaginez l'effet de cette question sur les nerfs exaspérés de Gerbraun, m'avait dit Bergamme. Et encore, si l'imprudent Quevedo s'était borné à cette question seulement, Gerbraun aurait sans doute réussi à tourner la chose en plaisanterie... mais Quevedo avait eu la folie d'ajouter, toujours comme en plaisantant, continuait Bergamme, riant en dedans de lui-même, oui, ce pauvre imprudent, à sa question : *Et que fait un conservateur en chef allemand ?* avait ajouté : «Au lieu de se tuer, tuerait-il ? – Mais voyons, bien sûr, mon cher Quevedo, nous autres Allemands nous sommes capables de tous les crimes ? Les Japonais se suicident au moindre affront ; les Allemands, eux, tuent, bien sûr… Jusqu'à la fin des temps, nous autres Allemands nous resterons des tueurs, des déporteurs, des gazeurs, des crémateurs… Allons, soyons un peu sérieux ! Autant j'adore vos folies d'imagination quand elles concernent votre chien engrossant la petite papillon… ou même l'émasculation et la mort du neveu de votre propriétaire, autant cette sorte de plaisanterie sur les moyens respectifs qu'emploieraient obligatoirement un conservateur en chef japonais ou un conservateur en chef allemand pour se tirer d'une situation mettant en jeu leur crédibilité… et en quelque sorte leurs vies, me semble malvenue, dan-ge-reu-se et répondant à d'affreux préjugés. Non, mon cher Ernesto, cette fois, nulle personne faisant partie du Grand Musée ne peut s'isoler, *nous sommes tous responsables*, ne serait-ce que d'avoir reçu, sans les entendre, les confidences de Bergamme !»"

Voilà comment Bergamme avait tenté de reconstituer ce dialogue auquel il n'avait évidemment pas assisté.

Laissons-le, et continuons cette reconstitution à sa place :

"Bon, supposons… avait dit Quevedo, regrettant que son antipathie envers Gerbraun ait pu l'entraîner à montrer des soupçons immotivés. Par chance, pourrait-on dire, avait-il poursuivi, toujours comme pour plaisanter, Alf étant mort, *presque* de lui-même, qui vous empêche aujourd'hui de détruire ses relevés d'hygrométrie ?

— Ah, Ernesto, Ernesto, c'est moi que vous allez tuer… oui, tuer de rire ! l'avait interrompu amèrement Gerbraun trépignant sur place. Mais ces notes du vieil Alf ont été lues... disons déchiffrées par Félix... qui me les avait aussitôt apportées.

— Ah bon, ce pauvre Félix les avait lues ?

— Déchiffrées à grand-peine... m'avisant immédiatement...

— Et voilà, comme par hasard il faut qu'il meure à son tour, lui aussi..."

Une fois encore, Quevedo n'avait pu s'empêcher de fixer Gerbraun droit dans les yeux.

"En effet, insupportable Ernesto, avait crié Gerbraun, d'une voix trop aiguë, en effet, par un hasard merveilleux la rampe de protection n'a pas suffi à le retenir quand, le croisant sur l'étroite coursive, pris d'une soudaine inspiration meurtrière, je l'ai soulevé par le col de sa veste et le fond de son pantalon, dans l'intention diabolique de le faire passer par-dessus bord... ce que j'ai réussi plus facilement que je ne l'aurais pensé, n'étant pourtant pas du tout fait pour accomplir un tel exploit ?... Mais souvenez-vous, comme je l'ai toujours dit, la rampe de protection n'offrant pas les garanties suffisantes, un jour ou l'autre un tel accident devait fatalement se produire... Et comme la disparition de l'assistant en hygrométrie du Crapaud m'arrangeait, moi, le cynique Allemand... ah, ah !... C'est bien cela, mon cher Quevedo, que votre imagination détraquée vous offre non ? Moi, le conservateur en chef de ce musée, agissant selon les normes d'anormalité que votre imagination détraquée projette habituellement dans toutes ces histoires, elles-mêmes détraquées, qui ont la particularité de me faire mourir de rire tellement elles sont marquées par le détraquement de votre imagination détraquée !..."

Après un arrêt, Gerbraun avait continué d'une voix calmée mais d'un timbre toujours aussi désagréablement aigu :

"Mais voilà, figurez-vous, Quevedo, que juste avant sa mort accidentelle Félix avait parlé des notes du vieil Alf… A qui en avait-il parlé ? Mais à Josette, voyons !… Alors pourquoi Josette ne l'aurait-elle pas envoyé par-dessus bord ? hein Quevedo, pourquoi pas Josette ? Et comme Josette en a elle-même parlé à Elise… Alors pourquoi pas Elise ? Hein, Quevedo, pourquoi pas Elise ? Qui n'a pas parlé et sur-parlé de cette histoire de tableaux volés ?… Si bien que même Bergamme sait maintenant qu'il n'y a plus de secret, oui, que tout le monde non seulement est au courant de son secret mais croit à cet incroyable secret de tableaux volés qui n'est plus du tout un secret et même évidemment le contraire… Ceci dit, attention à votre peau, mon cher Ernesto Quevedo, vous-même, croyant savoir, méfiez-vous de votre tendance à en i-ma-gi-ner trop. Cela risque de vous coûter cher, eh oui, très très cher. Je vous le redis : attention à vous !"

Deux jours après avoir reçu ces menaces *amicales*, Ernesto Quevedo était découvert dans son bureau, la tempe *droite* trouée. A côté de lui, sous la table, gisait son chien, tué lui aussi par balle. Un revolver de type MR 73 Magnum 357 (9 mm) se trouvait par terre, apparemment tombé de la main *droite* du commissaire en chef Quevedo. Le petit juge revint accompagné comme d'habitude de journalistes ainsi que des fidèles policiers. Et, de même que pour le jeune hygrométreur Félix, le "suicide" fut

accepté comme une conséquence presque inévitable de l'atmosphère mortifère du Grand
Musée. Affaire classée, encore une fois, aussi
bien pour les autorités que dans les esprits de
ses amis du Grand Musée. On connaissait le
caractère tourmenté, terriblement morbide et
masochiste du commissaire Quevedo. Sa "disparition" brutale fut bizarrement ressentie par
tous comme si "ce pauvre commissaire" et son
chien Bull avaient trouvé enfin cette paix
qu'une vie en porte-à-faux ne leur avait jamais
donnée. Seule Roberte pleura. Elle ne pleura
pas Ernesto Quevedo passivement, non, elle le
pleura avec colère et presque avec rage.

"Sa mort lui ressemble trop sans vraiment lui
ressembler, avait-elle confié à Bergamme qui
errait comme hébété dans les couloirs du Grand
Musée. Je ne peux croire qu'il ait tué Bull... Qu'il
se soit tué ne m'étonne nullement mais qu'il ait
pu tuer Bull avant de se donner la mort n'est
pas possible ; Bull était comme une barrière
infranchissable entre lui et la mort. S'il n'y avait
pas eu Bull dans sa vie, je pourrais croire à son
prétendu suicide mais tuer Bull et se tuer après ?
Sûrement pas ! Mon petit Bergamme, arrives-tu
à croire qu'Ernesto ait pu *sérieusement* tuer Bull
et qu'ensuite il se soit suicidé ? Bergamme, dis-
moi que tu ne le crois pas...

— Evidemment, je ne le crois pas, avait dit
Bergamme dans un murmure et en évitant le
regard de Roberte. Non, je ne veux pas le croire
car le coupable... en réalité c'est cet autre moi
que j'ai guidé inexorablement vers Ernesto...
J'ai même tenu *mentalement* le revolver avec
lequel quelqu'un a exécuté Bull... ensuite il
me fut aisé de continuer à tenir *mentalement* la
main de celui qui, obéissant à ma volonté, n'a

371

eu qu'à appuyer sur la détente une seconde fois… car Quevedo voulait faire enfermer Dieu… Alors Dieu a été obligé de se débarrasser de lui.

— Ah, Bergamme, Bergamme, reviens à la réalité, avait geint Roberte en le serrant contre elle et ne pouvant retenir ses pleurs. Cesse tes fantaisies détraquées car moi je sais que tu n'y es pour rien. Ecoute-moi, tu ne dois pas l'ignorer… Tu es le seul à qui je peux le dire… En effet quelqu'un a tué… J'en suis certaine, Ernesto n'a pas pu se tuer de la main droite, comme le prétendait le procès-verbal, ni tuer son chien de la main droite non plus. Ernesto était gaucher et ne se privait pas de le dire… «Je suis un gaucher total, disait-il toujours, je suis un gaucher absolu !» Oui, voilà ce qu'il disait quand il était question pour lui de se servir de sa main droite…

— Ah, ah, Roberta, l'avait interrompue Gerbraun surgissant d'un recoin du couloir. Je vois qu'au lieu d'être coopérative et de nous aider à neutraliser, en quelque sorte, les fantasmes de ce fou de Bergamme vous semez en lui des doutes dangereux. Attention, Roberta, attention !

— Pas Rober-*ta* ! Vous savez bien, Gerbraun, que je déteste ce *ta* !

— Ta ta ta ! Désolé, Roberta… Qu'Ernesto ait été gaucher – comme prétendument votre Rembrandt l'aurait été avant de mourir – ne change rien à l'affaire. Sans doute troublés par le geste ultime et *inhabituel* qu'ils sont sur le point d'accomplir tous les gauchers candidats à leur mort choisie utilisent leur main droite pour se tirer une balle… heu… surtout quand c'est dans la tempe. C'est un fait connu des criminologistes ! Que notre pauvre ami Quevedo se soit troué la tempe droite et non la gauche prouverait, justement par le trouble et le désarroi que laisse supposer cette soudaine inversion, que c'est bien lui… heu… et non moi… ou vous Bergamme, *mentalement*, comme vous dites… et pourquoi pas vous Roberta, *mentalement* guidée par Bergamme ?… qui l'auraient sui-cidé… Oui, c'est bien la preuve qu'il se serait supprimé lui-même après avoir proprement sup-primé son détestable Bull, ce déterreur de cadavre… qui, à vrai dire, est la cause exclusive des incroyables, des ridicules, des stupides et des comiques malheurs de ce risible-incroyable-ridicule-stupide-et-comique-imbécile feu com-missaire, reconnaissez-le, Roberta."

"Vous comprenez bien maintenant, m'avait dit Bergamme toujours étendu sur son lit, qu'il n'était pas question que j'intervienne et surtout pas que je contredise ce fou *véritable qu'était évidemment le conservateur du Grand Musée.* Pas de doute, c'était lui, j'en étais absolument persuadé, et lui seul, qui se trouvait à l'origine de ces trois… accidents ?… meurtres ?… crimes ? suicidages ?… Garde-toi, me disais-je, de lui laisser soupçonner tes soupçons. Tu risquerais de te condamner à le laisser te condamner à ton tour. Que faire d'autre que d'entrer dans ses façons comiques d'interpréter les choses ? Et puis n'avait-il pas agi tel qu'en moi mon imagination désirait que *ça* agisse ?… Oui, je me disais cela ! Mais voilà que brusquement Roberte s'était reculée, continuait Bergamme, et qu'elle s'était mise à regarder Gerbraun puis à me regarder puis à regarder encore Gerbraun puis à me regarder puis à regarder Gerbraun de nouveau, passant de l'un à l'autre comme si, ayant découvert sur nous quelque chose d'étrange et presque de terrifiant, elle cherchait à comprendre un phénomène qui évidemment nous échappait. «Voyons, Roberta, qu'avez-vous à nous dévisager comme ça ?» s'était étonné Gerbraun. Comme elle ne répondait toujours rien, continuant à nous regarder l'un et l'autre avec des yeux de plus en plus dilatés, Gerbraun l'avait prise par les épaules et, la secouant un peu, avait insisté avec cette petite voix au timbre trop aigu qui lui venait dans ses moments de colère : «Cessez cette comédie sans originalité, Roberta ! Pourquoi nous fixez-vous avec une telle insistance ? Qu'y a-t-il ? – C'est effrayant, avait-elle fini par murmurer comme si elle s'adressait à une tierce personne, c'est effrayant *ils* se ressemblent. – Qu'est-ce que vous nous racontez là, avait crié Gerbraun en riant de son rire si horripilant. – Vous m'effrayez tous les deux, avait encore dit Roberte, je n'avais jamais remarqué à quel point vous vous ressemblez !... à quel point vous vous ressemblez de plus en plus, comme si quelque chose était en train de vous dédoubler !» Sur ces mots, laissant échapper quelques sanglots, elle s'était sauvée, empruntant le long couloir conduisant aux ateliers de restauration dans lesquels elle disparut en claquant violemment la porte. «Et voilà ! avait dit Gerbraun, se montrant tout à coup détendu, cette hystérique nous a en quelque sorte mis en face l'un de l'autre.»"

Bergamme avait attendu un moment avant de continuer, comme s'il cherchait à préciser ses souvenirs :

"Je vous avoue que ma haine envers Gerbraun devenait intolérable, et que si j'en avais

eu la possibilité ou la force physique je l'aurais
supprimé sur-le-champ. Mais il continuait comme
s'il ne voyait pas mon extrême désir de le voir
s'effacer. «En effet, pourquoi vous ai-je introduit si facilement dans mon musée ? Hein,
Bergamme ? Pourquoi ne vous ai-je pas fait
jeter dehors une fois pour toutes, le premier
jour ? Je vais vous le dire : dès l'instant où je
vous ai vu, j'ai su que quelque chose... quelqu'un... une force venue... heu... disons d'en
haut, vous avait envoyé derrière les cimaises
de mon musée. Vos propos incohérents, votre
façon de revenir obstinément vers *L'Origine
du monde* m'ont non seulement intrigué mais
j'ai vu dans votre énergie et surtout dans vos
façons humoristiques de nous menacer si
effrontément du vol de cet inclassable tableau
qu'enfin quelque chose de neuf, d'inattendu, de
distrayant et surtout *d'artistique* était en train
de se produire dans cet épouvantable cimetière
d'œuvres d'art qu'est devenu le Grand Musée.
Oui, enfin, il se passait quelque chose parmi
nous, entre nous, comprenez-vous ? De plus,
Roberta ne se trompe peut-être pas tout à fait
en prétendant que nous nous ressemblons...
un peu... comme se ressembleraient deux contraires, justement, deux spécimens aux deux
extrêmes d'un cercle dont les segments finissent par se rejoindre pour former cette figure
géométrique idéale qu'est le zéro à jamais
refermé sur lui-même. Rien n'est plus répulsif
qu'un autre soi-même, n'est-ce pas ? Et en même
temps c'est sur les affinités répulsives que, depuis
les plus lointaines origines, s'est construit ce
monde d'horreur et de démence. Le sexe opposé
nous répugne et cependant nous le désirons ;
l'autre nous répugne et c'est pour cela que

nous désirons un monde peuplé exclusivement de répliques d'autres nous-mêmes. Bref, mon cher Bergamme, m'avait encore dit Gerbraun, avait poursuivi Bergamme gardant toujours les yeux fermés, bref, dès que je vous ai vu, mon très très cher Bergamme, vous m'avez mystérieusement plu parce que furieusement déplu. Voilà pourquoi, contre toutes les consignes régissant les statuts de notre musée, je vous ai fait une place parmi nous derrière nos austères cimaises… car sans vous, Bergamme, rien ne se passait dans les espaces vides laissés au centre de nos salles. Votre présence, à la limite du supportable, a joué un peu comme il est bon que dans un ensemble bien réglé retentisse une dissonance…» Après avoir hésité, Gerbraun avait ajouté : «Ou si vous préférez, n'est-il pas souhaitable que dans une partie de cartes, une partie d'échecs… et bien évidemment dans tout bon roman, oui, n'est-il pas souhaitable de voir, au détour d'une donne, d'une case ou d'une phrase, apparaître *le Fou* ? De telle sorte que plus rien ne se passe comme dans la vraie vie.»"

Après un silence, Bergamme avait poursuivi en s'agitant un peu :

"Vous imaginez ma surprise répugnée… Donc croyant reconnaître en moi une sorte d'autre lui-même absolument détestable, Gerbraun m'avait donné un rôle au sein du Grand Musée ! Je devais abandonner le *je* de celui d'en dehors pour le *on* de ceux du dedans. Sûrement Gerbraun ne pouvait imaginer quelles sortes de perturbations ma présence allait apporter dans un jeu que l'art – je parle d'un art en vie –, oui, dans un jeu qu'aucune forme d'art voué à la conservation ne pouvait réactiver. «J'étais donc attendu derrière les cimaises mortes de votre Grand Musée, avais-je dit à Gerbraun ; je devais donc apparaître pour que toute différence soit abolie ?... et qu'ainsi tout s'arrête définitivement ? – Ah, Bergamme, Bergamme ! s'était exclamé Gerbraun, vous le savez bien, il n'est plus question de continuer mais de *préserver*. Ceux de notre époque n'en ont rien à faire de continuer ; ceux de notre époque sont en train d'approcher au plus près d'un gouffre effrayant... – Mais de quel gouffre voulez-vous parler ? l'avais-je interrompu. Sachez Gerbraun que je déteste ce genre de métaphore. – Mais je parle de ce que nous savons tous : il n'y a plus de demain... heu, c'est ça le gouffre... mais seulement un après-demain peut-être. Eh oui, Bergamme, ceux qui font notre époque savent que le temps est venu... – De rester en arrêt devant ce prétendu gouffre dont vous parlez ? l'avais-je interrompu avec une certaine amertume. – Pas du tout, pas du tout, mon cher Bergamme ! s'était exclamé Gerbraun. Ceux qui espèrent bien faire notre époque ainsi que celle d'après-demain savent qu'ils doivent prendre leur élan pour sauter par-dessus ce gouffre... mais pour cela ils doivent s'assurer de la fermeté du sol sur lequel il leur faudra forcément prendre appui pour s'élancer... car nous voilà arrivés à la veille d'une des plus extraordinaires mutations que l'espèce humaine, si elle veut poursuivre l'aventure, devra assimiler. – Et l'art dans tout ça ? avais-je demandé. – L'art ? Mais l'art n'a plus rien *à faire*... l'art n'a plus de raison de continuer à vivre en ce monde nouveau. L'art mort ne peut aujourd'hui servir que d'appui... heu... de socle relativement solide à partir duquel cet envol vers *autre chose*, comprenez-vous, Bergamme ? oui ce saut vers un passionnant inconnu sera possible. Voilà pourquoi le Grand Musée doit s'assurer de la pérennité des tableaux conservés dans ses salles, oui des tableaux que les générations précédentes – qui, elles, étaient encore *dans* la peinture – ont jetés au fond du grand pourrissoir des "plombs". Que voulez-vous, c'est ainsi, m'avait dit Gerbraun, avait poursuivi Bergamme, le Grand Musée a la charge de "conserver" à tout prix les chefs-d'œuvre, c'est-à-dire de les "sauver" en les désunifiant, en leur retirant leur fâcheuse unicité.» Brusquement Gerbraun avait ouvert le journal allemand qu'il gardait toujours dans une des poches de sa veste. «Écoutez ça, mon ami ; voilà comment il serait bon de voir l'avenir de l'humanité. Permettez que je vous traduise : *Un jeune sapin de la Forêt-Noire, svelte et merveilleusement racé, dont les branches de rêve semblent avoir été faites exprès pour y accrocher des guirlandes de Noël, vient d'être proprement cloné par des chercheurs en botanique de l'université de Stuttgart...* Alors, cher Bergamme, qu'en pensez-vous ? Ne serait-il pas vraiment souhaitable que nous nous améliorions par bouturage, comme ne serait-ce pas un bien si tous les tableaux du monde... – Gerbraun, je suis à bout ! n'avais-je pu m'empêcher de crier, continuait Bergamme. Je refuse la prétendue ressemblance qui nous désunit dans votre esprit ! Je ne veux pas être vous, pas plus que je ne vous veux moi. *Je veux rester unique, oui le nain Bergamme !* Je refuse ce monde de "beaux sapins" de Noël dont vous nous menacez ! Je refuse... Je refuse... Je refuse... Ah, que chacun... que chaque chose... que *tout* reste uni et donc unique en sa solitude !… et qu'ainsi en demeurant autre parmi les autres *tout* continue à s'achever et à se poursuivre sans jamais s'achever tout en se poursuivant vers un impossible achèvement…»"

Voilà ce qu'avait dit Bergamme avant de tomber à terre secoué d'une violente crise.

XI

Ce soir-là, Elise, Roberte et Josette s'étaient retrouvées seules, ensemble, dans l'atelier dit de "réanimation d'urgence des œuvres". Il était déjà tard, plus personne n'y travaillait. Sur de vastes tréteaux les tableaux en cours de restauration étaient restés, recouverts de draps, tels que les collaboratrices de Roberte les avaient laissés au moment de quitter le musée.

"Reconnaissez-le, avait dit Roberte avec une gaieté désabusée, tout en dégageant quelques tableaux de leurs voiles protecteurs, avouez que rien n'est plus lugubre que ces fantômes. Voyez ces surfaces peintes et repeintes où des générations de retoucheurs se sont permis le pire ! Qui ne connaît ce prétendu Titien, par exemple ? Cette femme ne nous est-elle pas à tous familière ? Regardez-la bien ! Vous croyez voir *La Vénus* dite *au miroir* de Titien, eh bien ce n'est pas *La Vénus au miroir* du tout car il y a des siècles qu'elle n'existe plus... Celle que vous voyez là n'est qu'une illusion pour ne pas dire un faux attribué à Titien... Nous savons tous que les tableaux anciens... et même modernes, pour les plus mal peints, sont des illusions car plus une seule parcelle de couleur les constituant n'est authentique.

— Comment ? avait dit Josette. Mais les cotes hygrométriques scrupuleusement inscrites sur leurs dos ne témoignent-elles pas de leur authenticité ?...

— Illusion ! Rien d'authentique ne subsiste sur les surfaces des tableaux de nos musées, je vous assure, que ce soit côté peinture... et même sur leurs dos, côté châssis. Croyez-moi, Josette, pas un atome des peintures contenues dans nos musées n'est d'origine. A force de retouches, de décapages et de nouvelles retouches, les tableaux que nous pouvons contempler aujourd'hui, non seulement dans notre Grand Musée mais dans *tous les musées du monde* évidemment, n'ont rien de commun avec ce qu'ils ont été à l'origine. Et même leurs parties invisibles dont vous parlez, Josette, chargées de successives inscriptions mentionnant les cotes hygrométriques, ne sont pas fiables puisque toutes les œuvres ont été, à un moment ou à un autre, rentoilées si ce n'est pelliculées et donc transférées sur de nouveaux supports imputrescibles où, bien sûr, les cotes hygrométriques ont été reportées aussi si ce n'est habilement falsifiées quand ce n'est pas quasiment réinventées pour la plupart.

— Attendez, Roberte, l'avait interrompue Elise, attendez ! Qu'une toile ait été pelliculée puis transférée sur un support plus solide n'enlève rien à sa réalité d'origine... et surtout – ce qui est essentiel – ne porte pas atteinte à sa valeur marchande... disons *virtuelle*, puisqu'il est rare que les musées remettent des œuvres sur le marché... sauf entente entre conservateurs... mais ça vous le savez mieux que moi, Roberte.

— Vous avez sans doute raison mais en ce qui concerne les manipulations de ceux qui les restaurent, les œuvres sont en quelque sorte livrées à leur entière discrétion. Je parle en connaissance de cause, croyez-moi ! Vous ne pouvez imaginer quelle jouissance quasi créative... et je dirais même quasi sexuelle s'empare de vous lorsqu'on vous laisse un pouvoir absolu sur un tableau célèbre ; que vous avez le champ libre, et que nul n'a à juger des fantaisies que vous vous permettrez puisque vous êtes arrivé incontestablement au sommet de votre spécialité.

— Vous voulez dire, Roberte, qu'une fois le tableau remis en quelque sorte à neuf personne n'ira relever ces «fantaisies» que se serait permises le restaurateur ?

— Quand la documentation photographique n'existait pas cela ne posait évidemment pas de problème puisque aucune preuve – à part quelques mauvaises gravures – ne demeurait de l'original. Maintenant que chaque tableau a été mille fois photographié et répertorié c'est avec un redoublement d'autorité que nous autres experts restaurateurs nous *faisons accepter nos fantaisies*, comprenez-vous ? Les transformations que nous infligeons aux œuvres en cours de restauration, nous les justifions par de prétendues éliminations de repeints qu'un expert en restauration se devait d'avoir eu l'audace de détecter et d'effacer... Et plus nous détecterons et effacerons ces prétendus repeints, plus on nous élèvera vers les sommets de notre profession...

— Donc quand Bergamme «poursuit» ou, mieux encore «inachève» les tableaux qu'il aurait volés, il ne ferait que répondre à une pulsion naturelle que *lui* aurait le courage, sans faux prétextes, de pousser au maximum de ses conséquences ?

— Evidemment, Elise. C'est pour ça que j'adore et admire ce petit homme. Tous autant que nous sommes, nous parasitons l'œuvre créatrice, que ce soit par le commentaire, la conservation ou sa restauration. Nous devons reconnaître que nous n'aimons les œuvres que dans la mesure où elles nous justifient d'exister sans créer – donc quand elles nous donnent l'illusion d'avoir besoin de nous. Malheureusement, bientôt c'en sera fini des restaurations et des retouches puisque tous ces tableaux que vous voyez là, remis en quelque sorte à neuf pour la dernière fois, seront passés par la machine à désunifier les œuvres – et donc «détruits» pour devenir éternels.

— Mais pourquoi, Roberte, ne faites-vous rien pour empêcher cela ? avait dit Josette.

— Je ne suis que la restauratrice en chef du Grand Musée. Les décisions concernant la duplication des tableaux viennent de beaucoup plus haut, vous pouvez vous en douter. Quant à Gerbraun, il est terriblement écrasé par ceux qui se trouvent au-dessus de lui ; voilà pourquoi il prend si à cœur sa réputation d'expert infaillible et qu'il craint jusqu'à l'hystérie que ne soit dévoilée son évidente incapacité. Et voilà pourquoi surtout, avait ajouté Roberte en baissant la voix, moi j'ai très peur de cette sorte de folie d'autorité exacerbée qui semble s'être emparée de Gerbraun depuis que le Crapaud lui a prouvé, en montant dans la mansarde de Bergamme, sa flagrante incapacité de conservateur en chef du Grand Musée."

Après avoir fait un rapide aller et retour jusqu'à la porte pour vérifier que personne ne pouvait l'entendre depuis le couloir, Elise était intervenue très au-dessous de sa voix naturelle : "Je dois vous confier, à toutes les deux, un secret qui va dans votre sens, Roberte. Le «vrai» fou qui sévit dans notre musée n'est évidemment pas Bergamme mais Gerbraun, j'en suis convaincue, et ce que vous venez de dire ne fait que renforcer cette conviction. Depuis la mort d'Alf l'hygrométreur, Gerbraun n'est plus du tout le même. D'abord il prétend voir copuler des rats chauves partout et ne parle que de «rééduquer la nature humaine, c'est-à-dire éliminer, tout au moins du Grand Musée, m'a-t-il dit, les éléments dégénérés ou déviés sexuellement, et donc, comme l'était cet ignoble Crapaud… et comme le sont bien d'autres ici… y compris les rats chauves qui baisent dans mon musée». Voilà ce que m'a dit ce fou. Il m'a reproché aussi de l'avoir séduit, oui, moi ! de l'avoir détourné de sa fonction, dès le premier jour de mon entrée au Grand Musée en tant que stagiaire de deuxième classe. «Plus qu'aucun autre mortel, je peux me flatter de distinguer le vrai du faux», m'a-t-il dit encore. Il est évident que de ne pas avoir reconnu pour vrais les tableaux volés par Bergamme l'a non seulement humilié mais lui a faussé la raison. «Bien qu'habillée, tu es aussi nue que *L'Origine du monde*, sous tes habits ! Je ne veux plus de femmes nues sous leurs habits dans mon musée ! Je ne veux plus d'autre *Origine du monde* que la peinture de *L'Origine du monde* dans mon musée ! Et s'il doit se trouver des femmes dans mon musée, je ne veux que des femmes peintes ; sors d'ici, pars, disparais, Elise !» Voilà ce que ce cinglé m'a crié ce matin, après m'avoir fait venir dans son bureau… Il me repoussait et à la fois me tirait à lui tout en cherchant à introduire ses pattes trop soignées de conservateur en chef du Grand Musée sous mes jupes, justement, comme s'il avait voulu vérifier ce qu'il savait très bien trouver là où rien ne peut faire oublier aux hommes *quoi* s'y trouve. «Dès demain, m'a-t-il dit encore, nous allons *désunifier L'Origine du monde,* ainsi ce tableau, devenu éternel et surtout imputrescible, échappera-t-il à toutes ces retouches que Roberta et son équipe de restauratrices projettent, ainsi qu'à la répugnante convoitise de ce fou de Bergamme.» Oui, voilà ce que m'a dit Gerbraun ce matin dans son bureau, en continuant avec obstination à me pousser dehors et en même temps à vouloir empoigner sous mes habits *cette chose* qu'il convoitait férocement, tout en la niant, comme ils le font tous quand on songe au terme méprisant dont ils usent pour parler «entre hommes» – oui ces *«cons»* d'hommes !!! – de *cette chose* tellement haïe… et à la fois, par eux, tant désirée.

— Ils sont bien tous comme cela, en effet, avait dit Josette. *L'Origine du monde* le démontre mieux en peinture que ne peuvent l'exprimer *leurs* paroles mensongères ; et c'est bien pour ça qu'*ils* ont si longtemps dissimulé cette œuvre révélatrice d'une obsession unique et d'une unique envie… je dirais même d'une obsessionnelle jalousie. Oui, *ils* sont jaloux de chaque femme puisque être femme c'est posséder et dissimuler sous ses habits la véritable origine du monde. Alf me l'a souvent affirmé : «Josette, ah Josette, me disait-il, quoi qu'on ait prétendu, nous savons tous, et vous les femmes le savez évidemment mieux que nous, combien ce sont nous les hommes qui nous trouvons désavantagés par la nature.» Et comme je riais incrédule, continuait Josette, il avait poursuivi avec un étrange sérieux : «Tirésias, souvenez-vous, lui… *ou elle* ?… au moins avait eu la chance de connaître successivement les deux conditions humaines ! Et c'est bien pour n'en avoir pas fait mystère à Zeus qu'il… *ou elle* ?… s'était attiré la haine immédiate d'Héra en révélant combien de prodigieuses jouissances et d'indicibles satisfactions lui procurait, alors qu'il était femme, *son* "origine du monde" lorsqu'il en avait, de l'intérieur de sa chair et à discrétion, l'intime usage.» Voilà ce que m'avait dit le vieil Alf, avec, je vous assure, un réel désespoir. Et il avait ajouté : «Au contraire de ce que pensent les femmes… et surtout au contraire de ce *qu'on leur fait penser*, nous sommes tous profondément désespérés d'être hommes. Ne cherchez pas ailleurs que dans notre organe sexuel sans mystère les raisons de nos entreprises et des violences qui nous sont propres.» Oui, ce pauvre Alf m'avait un jour avoué cela, justement devant *L'Origine du monde* de Gustave Courbet, tableau sous lequel il passait sa vie en adulation malsaine…

— Nous savons toutes de quel manque souffrent les hommes, avait dit Roberte. Et en effet, nous autres femmes, nous ne nous vantons pas des incernables plaisirs qu'aucun homme ne connaîtra jamais – à part Tirésias qui en les révélant imprudemment devant Héra le paya d'une cécité qui fit de lui ce *voyant* dont les «vérités» eurent de si atroces conséquences."

Après avoir respecté un court silence, Elise avait dit avec presque du mépris :

"Quel homme, en fait, ne désire furieusement remonter à cette source originaire pour s'y engloutir en entier ? N'est-ce pas cela le «faire» de l'amour ?

— Toute LA question est là, évidemment ! avait repris Roberte. Savez-vous ce qu'un jour m'a dit Bergamme ? «Roberte, Roberte, m'a-t-il dit sur un ton d'une étrange tristesse, être homme c'est vivre sans un instant de repos... sauf, sauf quand nous pouvons, hélas trop brièvement, nous replonger en quelque sorte en entier, par l'illusion de nos sexes, dans cette "origine du monde" que vous passez votre temps à nous dérober sous vos robes – ce qui ne fait que nous inciter à y penser et à y repenser fixement.» Oui, c'est ce que m'a dit ce merveilleux petit Bergamme ! Et il a ajouté : «Voilà pourquoi je désire *poursuivre* et *inachever* tous les tableaux que je vois car à l'homme sont refusés l'arrêt, le repos, le bien-être et les joies de l'accomplissement. Voilà pourquoi aussi, a-t-il dit encore, j'attends avec impatience l'occasion d'arracher aux cimaises du Grand Musée cette *Origine du monde* pour m'enfermer avec elle afin d'accomplir le grand travail *d'inachèvement* que cette œuvre me supplie d'entreprendre sur elle.»

— En effet, était intervenue Josette, toujours rieuse, vous souvenez-vous, Roberte, quand Bergamme m'avait entraînée sous les «plombs» et que vous nous y aviez surpris ensemble ?

— Evidemment je m'en souviens, et je vous avoue avoir été heureuse de découvrir ce pauvre Bergamme assez dégagé pour prendre des libertés dont je le croyais incapable avec d'autres que moi.

— A vrai dire c'est moi qui l'avais invité à me suivre jusqu'à cette niche sous les «plombs»...

— Peu importe, vous savez quel prix j'attache à la liberté de chacun...

— En tout cas, je vais vous avouer qu'à cette occasion il m'avait dit tout à coup : «Josette, déjà cette première fois, ici même, dans cette même niche, quand je vous ai vue couchée contre le vieux Crapaud, vous souvenez-vous ? et que vous vous étiez levée de cette paillasse sans vous embarrasser de vous montrer nue devant moi, l'étranger que j'étais alors, je vous avais trouvée rayonnante d'ingénuité, surtout que vous n'étiez pas *que* nue mais *plus que nue*. – Ah bon, avais-je dit en riant, vous aussi, comme Alf qui m'y forçait, vous appréciez que je sois épilée... – Oui, m'avait-il répondu, j'estime *naturel* d'aller contre nature et de souhaiter, quand on est un homme, contempler intensément... si ce n'est même vénérer, comme le faisait Le Crapaud, l'obsédant sexe de la femme dégagé de sa toison animale – que bien sûr, un grossier Courbet, en bon paysan du Doubs, n'avait pu s'empêcher de barbouiller dans ce tableau que j'ai hâte d'inachever en le débarrassant déjà pour commencer de sa monstrueuse pilosité.»

— Je sais, avait dit Roberte, ne pouvant s'empêcher de rire, il avait eu la même sorte de remarque alors que dans sa mansarde j'étais encore étendue sur son lit de fer. Ce jour-là, il avait parlé des *Bijoux indiscrets*, de cette «bouche bavarde et velue terriblement pareille à celle de ces hommes bizarrement efféminés parce que barbus», avait-il précisé, non sans une dégoûtante justesse...

— Ah, taisez-vous Roberte, taisez-vous ! Ce que vous dites là est répugnant ! s'était exclamée Elise. Je déteste la misogynie de Diderot qui, par mépris de la femme, rend cette trop fameuse «bouche» plus intelligente que la véritable, oui plus fine et intelligente que celle qui exprime nos vraies pensées et nos vrais sentiments !"

"Cette conversation, m'avait dit Bergamme toujours étendu dans sa cellule, je vous la restitue telle que me l'avait rapportée Roberte. Il me semble que vous lui ferez facilement une place dans vos notes ne serait-ce que pour l'ironie humiliante envers le masculin, et aussi la gaieté innocente… bien qu'inquiète, dont ces trois jeunes femmes s'entouraient, malgré elles, lorsqu'elles se trouvaient seules ensemble, assurées qu'aucun homme ne pouvait les entendre. Vous et moi, avait-il ajouté avec une jubilation méchante, nous savons, aujourd'hui, qu'à part «ce nain fou de Bergamme» – tel que tous m'appelaient – plus personne ne pourra témoigner. Nous devons donc déduire de la causticité toute féminine de ces paroles prononcées en riant que toutes les trois avaient décidé entre elles, dès ce moment, du sort de l'humiliante et réductrice présentation de leur sexe «crucifié» sur les cimaises du Grand Musée. Plus de temps à perdre, me disais-je, tu dois vite dérober ce tableau. En dérobant cette œuvre désacralisante pour la *continuer* de sorte qu'elle reste *vivante*, ne sauverais-tu donc pas toute la peinture représentative du féminin puisqu'en *poursuivant L'Origine du monde* fatalement tu dois aboutir à un second «chef-d'œuvre inconnu»… inachevable, lui !?"

Voilà ce que m'avait confié très sérieusement Bergamme ce jour-là ! Comme je ne bougeais pas de mon tabouret, continuant de noter ses folles paroles qui m'enchantaient, il avait poursuivi, semblant prendre mon silence pour un acquiescement :

"En me faisant part de cette conversation, où ce dangereux tableau tenait une telle place,

Roberte savait bien que toute allusion à cette peinture de Courbet – et surtout à l'impact qu'elle pouvait avoir sur des femmes disons «libérées» telles qu'elles l'étaient manifestement toutes les trois – devenait pour moi un impératif de plus pour soustraire d'urgence à sa prétendue immortalisation par l'effacement... et donc la sérialisation qui l'attendait, cette *Origine du monde*... Mais comme je viens de vous le dire, je me trompais lourdement. Je raisonnais encore en homme, sans subtilité, bêtement."

"Je sens à l'attention avec laquelle vous m'écoutez que je m'enfonce dans la confusion mais attendez, patience... Permettez-moi de continuer sans me poser de questions, avait poursuivi Bergamme, laissant de courts silences entre ses mots... Vous allez le voir, c'est maintenant que les choses vont curieusement s'éclairer. Donc écoutez bien ! Ce n'est qu'après avoir laissé Roberte me mettre au courant de cette amusante conversation *entre femmes* que, le lendemain, Elise était venue me trouver pour me convaincre du parti incroyable qu'elles avaient toutes les trois décidé de prendre : «Bergamme, m'avait-elle dit, je suis chargée de vous mettre dans le secret car Roberte, Josette et moi, nous avons besoin de vous. Installez-vous ici, avait-elle ajouté en me poussant sur une banquette, et chut ! pas de bruit, ne t'avise pas de crier, s'était-elle mise à me tutoyer, car Gerbraun ne doit surtout pas se douter de ce que nous préparons. Voilà : toutes les trois nous avons décidé de détruire *L'Origine du monde*. Attends, laisse-moi t'asseoir sur mes genoux, petit Bergamme !...» Vous pouvez imaginer combien ce que je venais d'entendre doublé des libertés qu'Elise prenait soudain avec moi m'avait saisi. «Quoi ? Comment ? Vous, des *femmes*, détruire ?...» C'est tout ce que je trouvais à dire. J'étais comme hébété. Que moi ou Le Crapaud... ou même Gerbraun... et pourquoi pas Quevedo et son Bull... et pourquoi pas un gardien... et pourquoi pas quelque visiteur allemand, américain ou russe, armé d'un couteau ou d'une bombe aérosol d'acide sulfurique... qu'un *homme*, quoi ! saisi brusquement d'une pulsion iconoclaste contre ce tableau iconoclastissime par le fait de sa représentation, s'acharne sur *L'Origine du monde*, rien de plus naturel ! Mais des femmes... et pas qu'une seule ! Trois ensemble ! Comme je restais le menton pendant, les yeux fixes et les mains inertes, véritablement assommé par cette nouvelle inouïe, Elise avait continué, étonnée et à la fois rassurée par une passivité du «petit Bergamme de Roberte» à laquelle elle ne s'attendait évidemment pas : «Cette nuit, avait-elle donc continué, sérieuse comme à son habitude, cette nuit nous nous introduirons dans le Grand Musée pour accomplir *avec ton aide* ce que seules des femmes "libérées" devaient forcément accomplir. Nous nous sommes décidées à détruire, dès cette nuit, définitivement ce tableau ; nous le réduirons en morceaux irrécupérables... et donc ainsi sera-t-il exclu à jamais de tout projet de duplication et de sérialisation ! Ces morceaux nous les laisserons sur place de sorte que le scandale éclate au grand jour. Nous ne nous cacherons pas d'avoir accompli l'acte auquel logiquement vous deviez nous conduire, vous autres les hommes ! Et c'est comme ça, après y avoir bien réfléchi, avait continué la petite

Elise de son ton péremptoire, ses deux maigres bras de jeune fille passés autour de mon cou, c'est comme ça que nous avons décidé de t'inclure dans cet acte. Oui, tu dois y participer nommément car pour que cet acte prenne la dimension universelle qu'il demande, un homme doit s'associer à nous. Et cet homme c'est toi, Bergamme ! Que tu le veuilles ou pas, voilà ce que nous avons décidé toutes les trois !» avait conclu Elise."

"Je suis trop fatigué pour continuer ce soir, m'avait dit Bergamme d'une voix éteinte, mais demain je vous promets le détail de ce qui fut sans doute l'action la plus folle, la plus comique et à la fois la plus sanglante jamais commise dans un musée..."

XII

Plus agité intérieurement que d'habitude, et donc, en apparence, d'un calme presque inquiétant, le lendemain Bergamme m'avait dit : "Tirez par ici votre tabouret, oui, plus près, et notez : pour bien comprendre ce qui va suivre, tout le monde doit savoir que Gerbraun, le conservateur en chef du Grand Musée, était, plus que tous les autres conservateurs en chef de musées un grand détraqué. Tous le sont évidemment mais lui était le plus détraqué des détraqués… puisque à première vue on ne pouvait s'en douter. Disons que son détraquement était en quelque sorte à l'échelle démesurée de son musée sans mesure et qui donnait cependant l'apparence d'un «beau musée». De mon côté, je dois le reconnaître, je valais bien Gerbraun. N'était-ce pas d'avoir cru sentir chez moi quelque chose comme un détraquement… j'oserai dire analogue, symétrique et de même *qualité*, que le conservateur en chef m'avait si facilement admis derrière les cimaises de son musée ? Maintenant, vous devez savoir que pour toutes sortes de raisons plus ou moins directement liées aux morts violentes – assassinats ? crimes ? suicides ? – bizarrement trop rapprochées en tout cas du Crapaud, de son jeune assistant Félix, de Quevedo et de son chien, j'en étais venu à partager le point de vue des trois jeunes femmes à propos de *L'Origine du monde*. Admettons-le, si je dérobais ce tableau – ce qui me semble facile, me disais-je, le posséderais-je vraiment, serais-je légitimement autorisé à en faire ma chose, mon œuvre inachevée, ma destruction sublimée ? Evidemment non puisque Roberte, Elise et Josette disent ce «non» d'une même voix. Il est bon parfois que la logique des femmes vienne au secours des fous. Voilà ce que je me disais ce soir-là alors que j'errais dans les couloirs vides du Grand Musée. En effet, ce tableau n'est après tout qu'un tableau d'homme, me disais-je encore, donc même venant de moi, par le fait que je sois un homme, je n'ai aucune chance de le «sauver» en le mettant en état *d'inachèvement*. Au mieux je peux le détériorer sans retour comme je l'ai fait du Monet… et ensuite, de même que pour le Monet, le jeter sous mon lit… c'est-à-dire au néant. Mais ce qu'Elise m'avait fait comprendre pendant le moment où nous étions restés ensemble dans un coin abandonné du Grand Musée, c'est que non seulement *L'Origine du monde* devait disparaître en tant que *figure significative*, mais surtout avoir été notoirement détruite par des mains de femmes. Ainsi, ce geste de haute valeur «artistique» retirerait-il la détestable signification d'objet à peindre ou à prendre, de ce qui fait intimement partie de l'ensemble de leurs personnes… et n'est donc pas détachable de leur personne. «Comptez sur moi, avais-je répondu à Elise, après un moment de réflexion, dites à Roberte et à Josette que *je suis avec vous*… mais à une condition : un silence absolu à propos des tableaux cachés dans ma mansarde. – D'accord, avait dit Elise en riant, mais tu oublies, Bergamme, qu'à part nous il y a quelqu'un qui lui aussi sait. – Ne t'inquiète pas, lui avais-je répondu, ce quelqu'un a tout intérêt à ne pas parler. Et s'il en avait la tentation, il sera mis hors jeu, j'en fais mon affaire.»"

"Donc un peu après ma rencontre avec Elise, accablé par la promesse – finalement arrachée par elle – d'être effectivement complice de l'iconoclastie radicale projetée par elle et ses deux amies sur *L'Origine du monde*, oui, me trouvant donc en train d'errer ce soir-là perplexe et malheureux derrière les cimaises du musée fermé, ne voilà-t-il pas que Gerbraun m'avait soudain saisi par-derrière aux épaules : «Ah, ah ! Bergamme, je vous tiens enfin ! Venez dans mon bureau, j'ai à vous confier plusieurs choses très importantes.» Et voilà que ce cinglé d'Allemand, sortant comme il le faisait toujours son journal, m'avait dit : «Mais avant tout, écoutez ceci, permettez que je vous traduise cet entrefilet : *A Berlin, une amoureuse, accrochée miraculeusement dans sa chute par la rambarde d'un balcon situé au sixième étage, a témoigné en faveur de son amant jugé pour l'avoir jetée du dix-huitième étage d'une tour.* Bien que brève, cette nouvelle ne dit-elle pas une quantité de choses inouïes ? Alors, que pensez-vous d'une telle magnanimité ? Hein Bergamme ? Croyez-vous que l'amour résiste à une chute de dix-huit moins six étages ? On a le temps de penser, non, quand on tombe à la vitesse d'une seconde par étage, non ? On a le temps de détester… et même de haïr son assassin, non, pendant ces douze secondes alors que la pensée s'accélère, comme on le prétend, à l'approche d'une mort inéluctable. Alors quoi ? Une telle force émotionnelle serait-elle génératrice de pardon et non de haine ? Sans la miraculeuse rambarde qui au passage l'a accrochée, cette "amoureuse" serait-elle venue s'écraser en état de pardon au pied de la tour ; croyez-vous, Bergamme, avait continué Gerbraun avec une exaltation inquiétante, oui croyez-vous qu'elle serait morte en état de pardon ? Ces dix-huit secondes auraient-elles suffi pour la mettre en état de pardon ? Hein Bergamme, qu'en pensez-vous ? Qu'en pensez-vous, Bergamme ?» Comme je me taisais, troublé par l'aspect terriblement maladif et défait d'un Gerbraun que je ne reconnaissais pas, celui-ci m'avait pincé le bras, secouant ma manche avec force, jusqu'à en faire craquer la doublure : «Alors, Bergamme, répondez-moi sans réfléchir : *m'aurait-il… vous aurait-il* pardonné par hasard ? après cinq secondes de chute ?… puisque c'est du cinquième étage qu'il est tombé.» Stupéfait par cet aveu auquel Gerbraun me mêlait avec une lucidité étonnante, je m'étais reculé, effrayé de découvrir qu'il savait *qui* était le véritable manipulateur, *qui*, en vérité, avait mentalement poussé le jeune assistant hygrométreur par l'escalier de secours du Grand Musée. Est-il possible qu'il ait découvert Dieu adroitement dissimulé derrière le masque de mon apparence ? «Ne dites rien à personne, m'entendis-je crier à Gerbraun, continuait Bergamme, Dieu vous a mis dans *son-mon* dangereux secret ! – Doucement, doucement, ne criez pas comme ça, Bergamme ! Bien que le musée soit vide à cette heure, et que nous soyons seuls, vos cris et vos rires fous me rendent fou moi-même !» Voilà ce que m'avait crié Gerbraun en me serrant contre lui dans l'espoir je suppose de me calmer... si ce n'est de m'étouffer pour de bon. Epuisé et brusquement trempé de sueur, d'un violent coup de coude, ayant réussi à me dégager, je m'étais laissé tomber à terre... où maintenant je reprenais souffle sous le regard inquiet de Gerbraun : «Sale nain ! Vous ne voyez pas comme en vous débattant vous m'avez fendu la lèvre !» Il avait sorti son mouchoir et le secouait devant lui avec une certaine affectation pour le déplier. «Vous souvenez-vous, Bergamme, m'avait-il dit encore, en haletant lui-même et en essuyant des jets de salive rosis de sang qui lui coulaient de la bouche, vous souvenez-vous de ce jour où je vous avais serré contre moi alors que vous étiez en état de crise, rappelez-vous, sur ce même escalier de secours... Vous ne vous souvenez pas ? Eh bien, je peux vous l'avouer aujourd'hui qu'il s'en est vraiment fallu d'un quart de cheveu que je ne vous fasse faire exactement le même saut que ce petit con d'hygrométreur trop curieux. Vous vous débattiez dans mes bras avec une telle vigueur en poussant ces affreux gémissements nerveux que je déteste quand il vous arrive, comme tout à l'heure, d'entrer en délire... Et, figurez-vous, Bergamme, que déjà ce jour-là une abominable pensée m'avait traversé, pareille à une impulsion électrique : *Et si je nous débarrassais de ce nain fou par-dessus la rambarde*, oui, voilà quelle fut ma tentation ce jour-là... – C'est ce que vous auriez dû accomplir, lui avais-je répondu en grinçant d'un rire que j'entendais avec horreur sans pouvoir cependant le réprimer, continuait Bergamme, oui, avais-je dit à Gerbraun, c'est à ce moment-là qu'il était encore humainement possible de m'anéantir...

alors que maintenant Dieu S'étant introduit en moi pour me parasiter de Son abominable présence, me voilà exclu de ce qui est humain – donc du bienfaisant repos de la mort. – Ah bon, s'était exclamé Gerbraun, il ne manquait plus que cela, mon cher Bergamme, vous voilà donc devenu…» Je ne l'avais pas laissé achever et lui avais lancé : «Oui, grâce à Dieu… ou si vous préférez grâce à moi-même je suis devenu in-tu-a-ble !» Ce qui l'avait fait rire, vous pouvez l'imaginer. Et j'avais ajouté : «Mais par contre, vous, Gerbraun, ainsi que promis, moi, je vous tuerai ! – … de rire, mon cher Bergamme ! s'était exclamé Gerbraun. Oui, positivement de rire comme cet imbécile de Quevedo qui ne pouvait ouvrir la bouche sans me faire positivement, lui aussi, mourir de rire.»"

Après un silence assez long pendant lequel je me gardai bien de bouger car il me semblait qu'un battement de paupières aurait suffi à le "réveiller" de son état de confiance quasi somnambulique, Bergamme avait poursuivi entrecoupant ses paroles de désagréables gloussements de rire intérieur :
"«A propos de Quevedo, j'en étais arrivé à ne plus pouvoir supporter sa présence, comprenez-vous Bergamme… pas plus que je ne supporte la vôtre dans mon musée ! continuait Gerbraun prenant tout à coup cette sorte de voix de femme haut perchée que je lui détestais quand subitement il s'excitait sans raison apparente. Quevedo était un très mauvais commissaire en chef, et de plus un piètre conteur, insistait Gerbraun… Comme il se trouve que vous, Bergamme, vous êtes un bien piètre faussaire

puisque vous avez réussi à transmuer en "faux" de *vrais* tableaux que toutes les polices du monde recherchent depuis des mois si ce n'est des années. Et ces "faux" que je n'aurais pas réussi à identifier pour de *vrais* tableaux "faussés" en quelque sorte par vous, selon ce qu'en avait déduit Le Crapaud avant sa mort, m'ont déshonoré et ça, Bergamme, je ne vous le pardonnerai jamais ! De plus, vos menaces à propos de *L'Origine du monde* sont aussi creuses et absurdes que l'histoire creuse et absurde de la petite chienne papillon engrossée par Bull qui voyait en elle "une irrésistible origine du monde canine", comme le disait Quevedo, croyant rendre son histoire plus drôle... histoire que je ne trouvais drôle, à vrai dire, que par le manque de talent de ce piètre conteur. Car reconnaissez-le, Bergamme, en soi l'histoire du cadavre de la petite chienne passé au séchoir à cheveux est *plus que drôle* comme sont plus que drôles et même au-delà du comique les avatars auxquels sont soumis dans les histoires drôles les cadavres, qu'ils soient cadavres d'humains, d'animaux... ou de tableaux puisque, vous, Bergamme, vous êtes le plus grand tueur de tableaux que le monde ait jamais connu. Admettez-le, vous avez réussi à *tuer* tous les tableaux dérobés par vous en les barbouillant et les grattant jusqu'à la trame sous prétexte de les "continuer"... comme vous osez vous proposer de le faire sur *L'Origine du monde*... Bienheureux encore si votre évidente incapacité ne vous poussait pas à jeter, une fois à votre merci, cette œuvre encore unique, sous votre lit, comme vous l'avez fait du Van Gogh, du Monet ainsi que du nombre incroyable de tableaux découverts chez vous par Le Crapaud… en état, comme vous dites, *d'inachèvement*. Avouez-le, Bergamme, au lieu de me menacer de mort ce serait plutôt à moi de sortir ce pistolet, que vous voyez là et que je garde dans le tiroir de mon bureau… au cas où un détraqué de votre espèce, mon cher Bergamme, se serait introduit comme en ce moment, de nuit et par effraction, derrière les cimaises du Grand Musée. Figurez-vous, je vais vous abattre sur place… oui devant *L'Origine du monde* car à cette heure tardive un voleur de tableaux, qui se vante de l'être, et dans la mansarde duquel on trouvera d'ailleurs une multitude inouïe d'œuvres volées, horrible-ment détériorées et saccagées, oui, ne croyez-vous pas, mon petit Bergamme, qu'un criminel de votre espèce mérite bien d'être abattu sans sommation… surtout par un conservateur en chef qui saura prétendre avoir été mis en état de légitime défense au moment où ce voleur – le nain Bergamme !!! – s'apprêtait à dérober une œuvre aussi célèbre et irremplaçable que *L'Origine du monde* ? Avouez que vous vous en êtes assez vanté, non ? N'avez-vous pas autorisé mon geste ? Enfin, enfin je vais vous abattre dans la salle Courbet… parce que je vous déteste d'être un nain libre… je vais vous abattre, comme je l'ai fait du Crapaud car per-sonne n'a détecté la nature du violent poison proche du curare dont j'avais enduit *votre* cutter, subtilisé sur le bureau de Quevedo… ce cutter confié par moi à l'innocente Elise… Je ne pou-vais que faire rapidement taire ce Crapaud maître chanteur car il n'a cessé de brandir contre moi *votre* secret, devenu par force le *nôtre*… Oui, je suis dans la nécessité de vous abattre comme d'ailleurs j'ai abattu aussi Quevedo, une nuit dans son bureau, alors qu'il somnolait, ivre de désespoir et de vin, le front appuyé sur sa table où traînait son revolver... à dire vrai, je n'ai fait que l'aider à se suicider... quant à son imbécile de chien ce ne fut qu'une question de réflexe... Et vous ne me demandez pas pourquoi il m'a fallu *nous* débarrasser de Quevedo ? – Je n'ai nul besoin de vos justifications, Gerbraun, avais-je répondu calmement, continuait Bergamme toujours couché dans sa cellule, non, dès l'instant où j'avais compris que Quevedo prenait conscience de la vérité au sujet des tableaux dérobés, et donc qu'il ne pouvait pas rester inactif à leur sujet, j'ai su que d'y penser, *moi*, vous obligerait, vous forcerait, vous dirigerait comme si c'était ma propre main qui se substituait à la vôtre. Comment auriez-vous pu vous dérober, Gerbraun, du moment que *moi-Dieu* vous obligeait à le "suicider" ? – Eh bien c'est exactement cela, m'avait répondu froidement Gerbraun. Vous ne vous trompez pas ; je ne pouvais admettre qu'il *vous* dénonce car vous dénoncer pour le plus extraordinaire voleur que vous êtes équivalait à révéler au grand jour mon incapacité d'expert... Et maintenant, mon petit Bergamme, je vais vous tuer... et seulement alors révéler ce que moi, Gerbraun l'expert, le conservateur en chef du Grand Musée, j'ai su voir et reconnaître dans votre mansarde. Bien, et maintenant allons ! Passez devant, descendons le grand escalier, dirigez-vous vers la salle Gustave Courbet...»"

"Voilà comment la situation s'était brusquement retournée, avait continué Bergamme en poussant quelques gloussements jubilatoires ;

je dois le reconnaître, Gerbraun avait trouvé l'unique façon de s'en tirer avec ces fameux «honneurs» auxquels il semblait attacher autant d'importance qu'un conservateur en chef japonais... Sauf qu'un conservateur en chef japonais au lieu de supprimer Alf le Crapaud, plus l'assistant hygrométreur Félix, plus Quevedo et son chien, pour «sauvegarder son honneur», nous aurait depuis longtemps débarrassé de sa désagréable présence... Quand au contraire c'était moi qu'il prétendait sacrifier pour son «honneur»... Au lieu d'être effrayé, vous ne me croirez pas, j'étais au comble de la joie. Et c'est ce que j'avais dit à Gerbraun alors qu'il descendait derrière moi à pas lents le grand escalier du musée désert, et que moi je sautillais de marche en marche. Imaginez le ridicule de la scène : moi, Bergamme, sautant d'une marche à l'autre, devant, et lui, à une marche derrière, me suivant comme il pouvait, tenant toujours avec fermeté le petit pistolet dont je sentais par moments l'acier froid me taper le dessus de la tête. «Vous pouvez dire n'importe quoi, Bergamme, c'est votre tour... bien qu'"intuable" disiez-vous, votre tour est venu ! Ah ! Ah ! Je vais me faire le plaisir de vous abattre à l'endroit exact où Le Crapaud avait trouvé *sa mort*... allons, ne traînons pas !» Et il continuait à me pousser par petits coups avec le canon du pistolet dont les frappements résonnaient désagréablement sur le haut de mon crâne."

Après être resté un moment silencieux, Bergamme avait continué, soudain presque grave : "Je dois vous dire que, malgré la *réalité* incontestable de ce pistolet dont le canon dur et froid me poussait vers la salle Gustave Courbet, je savais que de nous deux c'était Gerbraun le condamné. Comment vous faire comprendre ?... Notez-le bien : *Moi, Bergamme... Moi-Dieu, Nous l'agissions. Nous l'agissions comme Nous l'avions agi pour Quevedo et son chien, comme un peu avant Moi-Dieu Nous l'avions évidemment agi pour Félix l'assistant hygrométreur... et disons aussi, comme un peu avant encore, Nous l'avions agi en le poussant à empoisonner mon cutter pour Alf le Crapaud lequel par sa mort apparemment accidentelle Nous avait épargné de l'éliminer franchement... puisque d'avoir été le seul à reconnaître pour véritables les tableaux entassés dans Ma mansarde ne pouvait que le condamner... comme fatalement seront condamnés sans exception par la suite tous ceux qu'un hasard malvenu allait mettre dans Mon dangereux secret..."*

"Et maintenant, avait soupiré Bergamme, laissez-moi... je suis bien fatigué... revenez demain... ensuite je pourrai définitivement me reposer..." Ce furent malheureusement là ses dernières paroles.

ÉPILOGUE

Comme me l'avait demandé Bergamme, je revins le lendemain. Mais trop tard ; il venait brusquement de mourir au milieu de la nuit. Un cercueil d'enfant était posé sur deux tréteaux dans le couloir… On m'autorisa à pénétrer pour la dernière fois dans cette cellule où il avait passé tant d'années. Son petit corps recouvert d'un drap semblait s'être recroquevillé "en fœtus", comme me le fit remarquer une des infirmières-gardiennes qui me parut s'être à la longue attachée au petit homme. Je rentrai chez moi, triste et déçu, avec ces notes inachevées… auxquelles je ne peux rien ajouter maintenant… si ce n'est de renvoyer ceux que les faits "bruts" intéresseraient au prologue de cette étude, et si c'était insuffisant, à la masse d'articles de toutes sortes qui, à la suite de l'incendie du Grand Musée, ont paru à l'époque dans les différents journaux du monde.

ACTES SUD

Extrait du catalogue

ROMANS, NOUVELLES ET RÉCITS

Textes français

Gilles Abier
FAUSSES COMPAGNIES

Olympia Alberti
RIVE DE BRONZE, RIVE DE PERLE

René Allio et Jean Jourdheuil
UN MÉDECIN DES LUMIÈRES

Bernard Assiniwi
LA SAGA DES BÉOTHUKS

Jacques Audiberti
LA FIN DU MONDE et autres récits

Roland Ausset
LE ROMAN D'ABOUKIR

Baptiste-Marrey
SMS OU L'AUTOMNE D'UNE PASSION
LES PAPIERS DE WALTER JONAS
ELVIRA
L'ATELIER DE PETER LOEWEN
LES SEPT ÎLES DE LA MÉLANCOLIE

Christiane Baroche
UN SOIR, J'INVENTERAI LE SOIR et autres
nouvelles
PLAISIRS AMERS

Jean-Claude Barreau
OUBLIER JÉRUSALEM

Henry Bauchau
ŒDIPE SUR LA ROUTE
DIOTIME ET LES LIONS
ANTIGONE
LE RÉGIMENT NOIR

Rajae Benchemsi
FRACTURE DU DÉSIR

Gisèle Bienne
RÉMUZOR

François Depatie
MAGDA LA RIVIÈRE

Sébastien Doubinsky
LES VIES PARALLÈLES DE NICOLAÏ BAKHMALTOV
LA NAISSANCE DE LA TÉLÉVISION SELON LE BOUDDHA
FRAGMENTS D'UNE RÉVOLUTION

Ilan Duran Cohen
CHRONIQUE ALICIENNE
LE FILS DE LA SARDINE

Jean Duvignaud
DIS, L'EMPEREUR, QU'AS-TU FAIT DE L'OISEAU ?
LE SINGE PATRIOTE

Alice Ferney
LE VENTRE DE LA FÉE

Alain Ferry
LE DEVOIR DE RÉDACTION

Ivo Fleischmann
HISTOIRE DE JEAN

Pierre Furlan
L'INVASION DES NUAGES PÂLES
LES DENTS DE LAIT DU DRAGON
LA TENTATION AMÉRICAINE

Didier-Georges Gabily
PHYSIOLOGIE D'UN ACCOUPLEMENT
COUVRE-FEUX

Paul Gadenne
BALEINE
BAL A ESPELETTE
SCÈNES DANS LE CHÂTEAU

Marie-Josèphe Guers
LA FEMME INACHEVÉE

Michèle Hénin
UN TABLIER ROUGE

Armand Hoog
LE PASSAGE DE MILIUS
LA FABULANTE
VICTOR HUGO CHEZ VICTORIA

Nancy Huston
CANTIQUE DES PLAINES
LA VIREVOLTE

Catherine Jarrett
BILLET D'OMBRE

Raymond Jean
UN FANTASME DE BELLA B. et autres récits
LA LECTRICE
TRANSPORTS
LE ROI DE L'ORDURE
MADEMOISELLE BOVARY
LES PERPLEXITÉS DU JUGE DOUGLAS
L'ATTACHÉE
LA CAFETIÈRE
LE DESSUS ET LE DESSOUS ou L'ÉROTIQUE DE MIRABEAU

Jean Joubert
UNE EMBELLIE

Pol-Serge Kakon
RICA LA VIDA

Jean Kéhayan
NASTIA

Vénus Khoury-Ghata
LA MAESTRA

Denis Lachaud
J'APPRENDS L'ALLEMAND
LA FORME PROFONDE

Simonne Lacouture
LA MORT DE PHARAON

Sébastien Lapaque
LES IDÉES HEUREUSES

Françoise Lefèvre
LE PETIT PRINCE CANNIBALE
BLANCHE, C'EST MOI
LA GROSSE

Marie-Dominique Lelièvre
MARTINE FAIT DU SENTIMENT

Guy Lesire
GODOT NE VIENDRA PAS

Guillaume Le Touze
DIS-MOI QUELQUE CHOSE

Madeleine Ley
LE GRAND FEU

Alain Lorne
CAROTTAGE

Armand Meffre
CEUX QUI NE DANSENT PAS SONT PRIÉS
D'ÉVACUER LA PISTE

Prosper Mérimée
CARMEN

Yves Navarre
LA VILLE ATLANTIQUE
LA DAME DU FOND DE LA COUR

Francine Noël
NOUS AVONS TOUS DÉCOUVERT L'AMÉRIQUE

Hubert Nyssen
ÉLÉONORE A DRESDE
LA FEMME DU BOTANISTE

Rose-Marie Pagnard
LA PÉRIODE FERNÁNDEZ

Agnès Pavy
QUITTER SAINTE-CATHERINE

Claude Peloquin
LE FLAMBANT NU

Serge Perez
DOMMAGE POUR MOI

Brigitte Peskine
LE VENTRILOQUE

Juliette Peyret
HÔTEL DE LA RECONNAISSANCE

René Pons
AU JARDIN DES DÉLICES
ET PEUT-ÊTRE SUFFIT-IL DE...
LE CHEVALIER IMMOBILE
L'HOMME SÉPARÉ

Jacques Poulin
LE VIEUX CHAGRIN
CHAT SAUVAGE

Vladimir Pozner
LES BRUMES DE SAN FRANCISCO
LE MORS AUX DENTS
LE FOND DES ORMES
CUISINE BOURGEOISE

Claude Pujade-Renaud
LES ENFANTS DES AUTRES et autres nouvelles
UN SI JOLI PETIT LIVRE et autres nouvelles
VOUS ÊTES TOUTE SEULE ? et autres nouvelles
LA CHATIÈRE et autres nouvelles
BELLE MÈRE
LA NUIT LA NEIGE

COLLECTION «UN ENDROIT OÙ ALLER»

OUVRAGE RÉALISÉ
PAR L'ATELIER GRAPHIQUE ACTES SUD
REPRODUIT ET ACHEVÉ D'IMPRIMER
SUR ROTO-PAGE
EN JUIN 2000
PAR L'IMPRIMERIE FLOCH
A MAYENNE
SUR PAPIER DES
PAPETERIES DE JEAND'HEURS
POUR LE COMPTE DES ÉDITIONS
ACTES SUD
LE MÉJAN
PLACE NINA-BERBEROVA
13200 ARLES

DÉPÔT LÉGAL
1re ÉDITION : AOÛT 2000
N° impr. : 49023
(Imprimé en France)